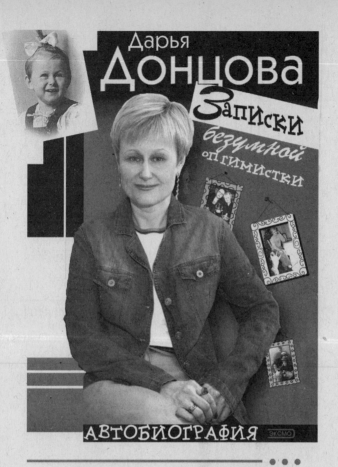

"Записки безумной оптимистки"

«Прочитав огромное количество печатных изданий, я, Дарья Донцова, узнала о себе много интересного. Например, что я была замужем десять раз, что у меня искусственная нога... Но более всего меня возмутило сообщение, будто меня и в природе-то нет, просто несколько предприимчивых людей пишут иронические детективы под именем «Дарья Донцова». Так вот, дорогие мои читатели, чаша моего терпения лопнула, и я решила написать о себе сама».

Дарья Донцова открывает свои секреты!

Читайте романы примадонны иронического детектива Дарьи Донцовой

Дарья Донцова

Дама с коготками

Москва

ЭКСМО

2 0 0 3

ИРОНИЧЕСКИЙ ДЕТЕКТИВ

Глава 1

Вот уже три дня, как над Москвой бушевала настоящая буря. Старожилы говорили, что не помнят подобного декабря. Дождь с липким снегом летел на ветровое стекло, дорога обледенела. Пытаясь обуздать буквально рвущийся из рук «Пежо», я, чертыхаясь, вглядывалась в шоссе. «Дворники» не справлялись с работой, и стекло было залеплено грязью.

Вдруг перед капотом в желтоватом свете фар возникла нелепая высокая фигура. От ужаса я зажмурилась и буквально прыгнула на тормоз. «Пежо» занесло. Несколько минут автомобильчик мотался из стороны в сторону, потом заглох. На деревянных ногах я выбралась наружу и прямо под правым колесом увидела мужской ботинок. Боже, задавила пешехода! И попробуй теперь объяснить гаишникам, что этот идиот внезапно выскочил на мосту в полной темноте. Как он вообще оказался здесь? В двух шагах такой уютный, светлый и относительно теплый подземный переход. Все, сейчас заметут в кутузку!

Ботинок пошевелился. Быстрее кошки я обежала капот. Жив! Может, ничего страшного? Открывшаяся перед глазами картина впечатляла. В довольно глубокой луже лежал мужчина, одетый почему-то в светлый плащ. Точнее, когда-то светлый, а сейчас потемневший от грязи. Я наклонилась.

— Вы живы?

Пострадавший слабо пошевелился и разлепил веки. На меня глянули абсолютно бессмысленные глаза. Через секунду оживший мертвец сел, похлопал вокруг рукой, выудил из лужи бифокальные очки, обтер их полой и нацепил на нос. Взгляд сфокусировался, в нем появилась жизнь. Мужик посмотрел на меня из лужи, снизу вверх, робко улыбнулся и хорошо поставленным голосом произнес:

— Разрешите представиться, профессор психологии Серж Радов.

Ошеломленная, я протянула ему руку и пролепетала:

— Очень приятно, Даша Васильева.

— Очарован знакомством, — без тени сарказма заявила жертва и, опершись на капот, встала на длинные, как у журавля, ноги. — Прошу простить, поленился спуститься в переход и не заметил машину. Понимаете, плохо вижу.

— Ничего, ничего, — промямлила я, пытаясь унять дрожь в теле и испытывая невероятное облегчение от того, что он жив и, кажется, вполне здоров.

— У меня никаких претензий, — продолжал профессор, — наоборот, обязуюсь возместить ущерб, который нанес машине, — и он указал пальцем на небольшую вмятину с левой стороны.

— Ни в коем случае, такая ерунда, — запротестовала я.

Еще пару минут мы расшаркивались, раскланивались и приседали друг перед другом, как китайские мандарины на свадьбе. Наконец несостоявшийся труп сообщил:

— Что ж, пора домой, а то Изабелла станет волноваться!

Я оглядела его повнимательней. Струи грязи стекали по плащу, раскрасив одежду в немыслимый серо-буро-малиновый цвет. Брюки промокли внизу насквозь и облепили худые ноги. Кудрявые, скорей всего русые волосы тоже были заляпаны грязью, как и лицо. В таком виде просто невозможно отпустить человека.

— Господин Радов, садитесь в машину, подвезу вас до дому.

Профессор замахал руками:

— Ни в коем случае, вы уже и так потеряли из-за меня пропасть времени.

— Не спорьте, — обозлилась я, — давайте лучше продолжим разговор в машине, а не на ветру. Вы можете простудиться, да и я сильно продрогла.

— Простите, — сказал профессор, снял плащ и залез в машину.

Я выяснила, что он живет на Садовом кольце, и тихо поехала в сторону Центра. По дороге Серж попросил меня остановиться и выбросить плащ в мусорный бачок.

— Все равно вещь безнадежно испорчена, — пояснил мужчина.

По дороге он развлекал меня милым разговором, и, когда мы наконец подъехали к трехэтажному зданию, я была совершенно очарована. Профессор оказался приятным собеседником и обаятельным мужчиной.

— Даша! — торжественно произнес он, стоя у подъезда. — Убедительно прошу подняться к нам, выпить чашечку кофе. Изабелла будет рада знакомству.

Я посмотрела на часы: в гости опоздала, дома раньше десяти не ждут. Пожалуй, неплохо сейчас выпить горячего кофе и немного успокоиться, а то ноги до сих пор противно дрожат.

Мы поднялись на второй этаж. Серж открыл дверь и с порога закричал:

— Дорогая, ты где?

В квартире стояла тишина. Где-то слышался звук то ли радио, то ли телевизора, диктор читал сводку погоды.

— Наверное, она в кухне, — пробормотал Серж, — снимайте куртку, мойте руки и проходите сюда, в гостиную, а я поищу Беллу.

С этими словами он ушел в глубь квартиры. Я прошла в ванную, затем двинулась в гостиную. Большая, уютная комната освещалась только торшером. В углу работал телевизор, новости закончились, и РТР передавало какой-то боевик. В кресле, развернутом к экрану, сидела женщина. Вернее, я от двери видела только рыжеволосую голову, откинутую на спинку. Изабелла смотрела фильм.

Странно, что женщина не откликнулась на зов мужа. Может, глуховата или телевизор заглушил его голос. Во всяком случае, следовало поздороваться с хозяйкой. И я довольно громко произнесла:

— Добрый вечер!

Женщина даже не пошевельнулась, не повернула головы. Я обогнула кресло и увидела лицо мертвенно-синего цвета, аккуратную дырочку в правом виске, струйку крови, сползающую на щеку, шею и терявшуюся на ослепительно красной блузке. Рука безвольно болталась у подлокотника, внизу валялся маленький, словно игрушечный, перламутровый пистолетик. Госпожа Изабелла Радова была окончательно и бесповоротно мертва.

Я тупо уставилась на убитую. Ноги снова стали дрожать. Еле-еле двигая онемевшими конечностями, я, проклиная час, когда согласилась выпить кофе, выползла в холл. Из коридора донесся взволнованный голос Сержа:

— Дорогая, ты где?

Через секунду профессор вошел в холл и растерянно произнес:

— Не понимаю, куда могла подеваться Белла? В гостиной ее тоже нет? — спросил он у меня.

— Она в кресле, — деревянным голосом произнесла я, — но, пожалуй, лучше туда не ходить, а вызвать милицию.

— Зачем? — изумился Радов и решительным шагом двинулся к двери.

— Не надо, — слабо запротестовала я, — там...

Но психолог уже исчез за створками. Через секунду послышался сдавленный крик и звук упавшего тела. Скорей всего Серж потерял сознание. Но никакие силы на свете не могли заставить меня войти в гостиную. Подождав несколько минут, я взяла телефон, набрала хорошо знакомый номер и попросила соединить меня с полковником Александровым.

Объяснив Александру Михайловичу суть дела, я села в холле на стул и стала ждать приезда специальной бригады. Минуты текли томительно долго, в гнетущей тишине слышалось только тиканье старинных часов. Из гостиной не доносилось ни звука, казалось, там уже два трупа.

Наконец я услышала отдаленный звук сирены и немного приободрилась.

С полковником я познакомилась несколько лет тому назад. Поставила ему незачет по французскому языку. Александр Михайлович учился тогда в Академии МВД и безуспешно пытался прорваться сквозь колючие кустарники французской грамматики. Ну не давался ему язык Золя и Бальзака! Промучившись два семестра, я наградила полковника незаслуженной четверкой, только с одной целью: чтобы не видеть больше ужасающие сочинения на тему «Моя комната» или «Москва — столица России», что было выше моих сил. В благодарность несчастный слушатель приволок букет роз и пригласил меня в ресторан. Так началась наша дружба.

Через некоторое время моя жизнь бедной преподавательницы, да к тому же еще матери-одиночки с двумя детьми, резко изменилась. Лучшая подруга Наташка выскочила замуж за безумно богатого француза и поселилась в Париже. Естественно, что вся моя семья, состоявшая к тому времени из дочери Маши, сына Аркадия и его жены Оли, получила приглашение приехать в гости. Не успели мы оказаться в самом красивом городе Европы, как попали в центр невероятной истории. Жана Макмайера, мужа Натальи, убили, и завертелось расследование.

Родственников у бедного Жана, кроме жены, не было. И Наташка в одночасье стала единоличной обладательницей хорошо налаженного бизнеса, трехэтажного дома в предместье Парижа, коллекции картин и солидного счета в банке.

Подруга предложила нам уехать из Москвы и поселиться вместе с ней во Франции. Но у нас как-то не получилось окончательно покинуть Россию. Так и существуем на два дома — полгода тут, полгода там, и совершенно неожиданно для себя превратились в «новых русских», хотя и со старыми привычками. Купили большой дом в пяти километрах от Москвы и живем в нем все вместе. Денег теперь хватает на любые прихоти, но у нас не очень получается швырять ими направо и налево. Очевидно, сказываются годы, проведенные в бедности. Правда, теперь я работаю всего три часа в неделю и не ради заработка, а просто для того, чтобы не киснуть дома, а за Машей каждое утро приезжает автобус из дорогого колледжа. Аркадий учится на адвоката, невестка, имеющая дома кличку Зайка, храбро сражается сразу с тремя языками: английским, француз-ским и арабским. Глядя на ее мучения и разве-шанные по всему дому таблицы со спряжением неправильных глаголов, Маруся спросила:

— Зайка, может, лучше выучить один язык как следует, а не три кое-как?

Ольга оторвалась от Виктора Гюго и сообщи-ла:

— Вот придут опять коммунисты к власти, деньги все отнимут, я пойду в репетиторы и стану всех кормить. Знание языка — кусок хлеба с мас-лом, а то и с сыром!

Маруся захихикала:

— Коммунисты придут, а мы убежим во Фран-цию! Кому там арабский нужен?

В огромном доме вместе с нами живут три со-баки и две кошки. Питбуль Банди, ротвейлер Снап и карликовая пуделиха Черри. Пита и ротвейлера мы привезли с собой из Парижа, пуделиха — московское приобретение. Первых двух псов за-вели для охраны, но ничего не вышло. Эти, с по-зволения сказать, стражники больше всего на свете обожают пожрать. Их пасти вечно заняты какой-нибудь вкуснятиной. Домработница Ирка поит мальчиков кофе со сгущенкой и угощает блинчиками; гости засовывают в разверстые пас-ти сдобное печенье и куски сыра; почтальон, за-видя пита, тут же начинает разворачивать шоко-ладку, а молочница никогда не забывает угостить творогом. Результат налицо: страшные охранные псы обожают всех без исключения. Их мокрые носы нежно тычутся в руки, а карие глаза словно спрашивают: «Чем угостишь меня?» Кошки, птич-ки, мыши — их лучшие друзья. Белая ангорка Фифина, любимица Оли, тихо шипя, прогоняет пита от камина и сама укладывается на теплое местечко. Трехцветная Семирамида обожает лакать из собачьих мисок молоко. Появляющиеся с завидным постоянством два раза в год котята храбро карабкаются по почти семидесятикило-граммовым тушам, затевая драки на необъятной морде пита. Недавно псы пережили страшный стресс. Один из знакомых подарил Марусе попугая Жако, и мерзкая птица просто заклевала мальчишек. Пока противное пернатое три дня жило в столовой, ни Банди, ни Снап туда не решались войти.

Звук сирены оборвался, за дверью послышался топот, и через несколько секунд холл наполнился резким запахом табака, шумом и скрипом форменных ботинок. Эксперт Женя поставил на пол довольно объемистый чемоданчик и пробасил:

— Даша, рад тебя видеть в добром здравии. Где клиент?

Я молча ткнула пальцем в сторону гостиной, Женя вздохнул:

— Даша, скажи честно, что трогала на месте происшествия?

— Ничего, увидела труп и сразу вышла.

— О! Делаешь успехи, — съехидничал Женька, — в прошлом году, помнишь, залапала все, что смогла.

Я молчала, ну какой смысл ругаться с ним? На самом деле Женька довольно милый, к тому же абсолютно прав! В прошлом году мои домашние сильно осложнили его жизнь.

— Хватит привязываться к женщине, лучше займись трупом, — раздался за спиной строгий голос, и Александр Михайлович обнял меня за плечи.

Эксперт тут же испарился, ноги у меня перестали трястись, и я стала с противным всхлипываньем излагать приятелю суть дела. Не успела рассказать о том, где познакомилась с Сержем, как дверь гостиной открылась, и на пороге появился бледный профессор. Молодой милиционер помог бедолаге сесть в кресло. Профессор буквально рухнул на сиденье и, обхватив руками голову, принялся бормотать:

— Белла, зачем? Ну зачем, Белла? Ведь простил тебя искренне, все забыл, зачем?

— Что вы забыли? — заинтересованно спросил Александр Михайлович, протягивая новоявленному вдовцу стакан воды.

— Все, — продолжал плакать Серж, — я простил ей все.

Через пару минут мужчина успокоился и рассказал происшедшую недавно историю, ставшую настоящим испытанием для семейной жизни.

Оказывается, профессор часто уезжал в командировки, детей у них не было, и Изабелла оставалась одна. Они даже купили небольшую собачку, мальтийскую болонку, чтобы женщина не тосковала. Но Белла все равно чувствовала себя очень одинокой, и Серж старался побыстрей закончить дела. Однако в марте он заметил, что жена сильно изменилась. Изабелла стала носить короткие юбки и записалась на курсы английского языка, которые посещала три раза в неделю. Сначала профессор обрадовался, увидев, что жена перестала грустить. Потом, однако, начал проявлять недовольство. Рубашки часто оказывались теперь неглажеными, а обед и ужин зачастую сводились к разогретым наспех готовым блюдам, по мнению Сержа, абсолютно несъедобным. Да еще Белла стала говорить, что по завершении курсов пойдет работать экскурсоводом, потому что ей надоело сидеть день-деньской одной в квартире.

Развязка наступила в мае. Уехав в очередную

командировку, Серж поздно вечером позвонил жене. Надо сказать, что раньше он это делал достаточно редко, а тут взял и позвонил. Трубку не брали: ни в десять, ни в двенадцать, ни в час ночи. Профессор заволновался. Воображение нарисовало ему страшную картину: Белла умирает от сердечного приступа, а рядом никого нет. Первый раз в жизни, наплевав на работу, Серж вскочил в машину и помчался домой.

То, что он увидел, когда около пяти утра, усталый и издерганный, вошел в супружескую спальню, повергло его в шок: пытающийся спрятаться под одеяло молодой человек и растрепанная Изабелла.

Профессор даже не понял, чему удивился больше: тому, что любовником оказался его аспирант, принятый в доме почти на правах сына, или тому, что Белла, всегда носившая практичное, скромное белье, была облачена в какое-то невероятное черное неглиже с бантами.

Следующие сутки превратились в кошмар. Забыв, что преподает студентам «Психологию конфликта», Серж орал и плевался огнем. Неверная супруга не осталась в долгу и вылила ему на голову ушат обид, накопившихся за многие годы брака. Дело дошло до драки. Но здесь верх одержала Белла. Отвесив мужу хорошую оплеуху, она сбила с профессорского носа бифокальные очки, и господин Радов оказался в положении крота. После этого озверевшая жена каблуком раздавила стекла, побросала в чемодан кое-какие вещички и, не обращая внимания на вопли супруга, уехала.

Две недели от нее не было ни слуху ни духу. Перепугавшийся аспирант прислал на кафедру своего друга с заявлением и спешно перевелся в другой институт. Серж, чувствуя себя идиотом, не стал обращаться в милицию, надеясь, что Изабелла вернется. По ночам он совсем не мог спать. Обнимая прижимавшуюся к груди болонку, психолог только теперь понял, как грустно было Изабелле одной. Серж, просмотрев свой ежедневник, обнаружил, что бывал дома всего тридцать-сорок дней в году, и его стала грызть совесть. Оказывается, жена терпела такое положение вещей не один год, прежде чем решилась завести друга сердца. Неприятное чувство вины и раскаяния прочно поселилось в груди профессора.

Короче говоря, когда через две недели вечером позвонили из Института Склифосовского и сообщили, что к ним доставлена в тяжелом состоянии Изабелла Радова, Серж был окончательно раздавлен.

Он понесся в приемный покой. Молодой врач сообщил, что Белла приняла большую дозу снотворного, но ее жизнь сейчас вне опасности, однако моральное состояние оставляет желать лучшего.

Через несколько дней профессор привез супругу домой. Они никогда больше не говорили о случившемся, и жизнь пошла своим чередом. Правда, господин Радов теперь старался чаще бывать дома, а Изабелла бросила курсы и снова надела юбку, прикрывающую колени. Ничто, казалось, не предвещало трагедии, однако она все же произошла.

Полковник слушал несчастного, не перебивая, лишь изредка качал головой. Вышел Женя, стягивая с рук резиновые перчатки, позвал начальника. Я услышала тихие слова «направление раневого канала», «отпечатки пальцев».

— Откуда у вашей жены взялся пистолет? — поинтересовался Александр Михайлович.

— Мы купили его давно, для самообороны, — ответил Серж.

— Оружие зарегистрировано?

Профессор отрицательно покачал головой:

— Все забывали пойти в милицию.

Вошли два здоровых санитара с носилками. Александр Михайлович попросил:

— Уведи господина Радова из холла.

Я потянула профессора за рукав, но он словно окаменел. Пришлось звать на помощь милиционера. Вдвоем мы кое-как вытащили несчастного из кресла. В гостиной послышалось громкое шуршание и треск. Я поняла, что санитары упаковывают труп в мешок и застегивают молнию. Сейчас они вынесут страшный груз в холл. Я подхватила Сержа под руку и поволокла в глубь квартиры.

Глава 2

Приближалось 31 декабря, и я с тоской взглянула на календарь. Аркадий с Ольгой отправляются с приятелями в ресторан. Куда деваться нам с Марусей? Может, слетать к Наташке в Париж? Новый год во Франции чудесное время!

Проблему решил телефонный звонок. Это оказалась Лариса Войцеховская, которую все почему-то звали Люлю.

— Даша, — затараторила подруга высоким голосом, — ты уже решила, куда отправишься на праздники?

— Нет, — растерялась я, — скорей всего останемся дома. Причем вдвоем с Машей.

— Чудесненько, — обрадовалась Люлю, — тогда мы со Степой приглашаем вас к себе, славненько повеселимся.

Пообещав подумать, я пошла в комнату к Марусе. Девочка твердо решила стать собачьим доктором и регулярно посещала курсы при Ветеринарной академии. Вот и сейчас толстенькая Маня готовила какой-то доклад и жевала чипсы. Рядом как изваяние сидел Банди. Судя по крошкам на морде, псу досталась из коробки малая толика лакомства.

— Мусенька, — вкрадчиво произнесла я, — как ты смотришь на то, чтобы встретить Новый год у Люлю?

Машка оторвалась от описания нервной системы обезьяны, сдула с глаз длинную челку и заявила:

— Прекрасно, а что купить им в подарок?

Перебрав всевозможные виды сувениров, решили остановиться на серебряной сигаретнице для Степана и кружевной скатерти для Люлю. Прихватим еще пару коробок конфет для родителей Степы, старики обожают сладкое. Оставив будущего ветеринара сражаться с мозгом примата, я пошла звонить Ларисе.

Выехали мы с Маней 31 декабря в семь вечера. Дорога скользкая, снег несся прямо в ветровое стекло и тут же стекал с него уже в виде дождя. Путь до Комарова, где жили Степа и Лара, в обычную погоду занял бы от силы полчаса, мы же с Машей добирались почти три. Я вообще боюсь скользких дорог, а недавний случай с Сержем Радовым напугал еще больше. Когда перед глазами наконец возник милый двухэтажный дом, выкрашенный светло-коричневой краской, из груди вырвался вздох облегчения: все-таки благополучно доехали. Загнав машину под навес, мы бегом кинулись к двери. Она распахнулась сразу, и на пороге появилась Люлю во всем великолепии своих ста килограммов.

Род Войцеховских древний. Истоки теряются где-то в XII веке, а на протяжении сотен лет мужчины Войцеховские верно служили короне. Короли ценили своих вассалов и оказывали им разнообразные знаки внимания: дарили земли, драгоценности, породистых лошадей и собак. Но в эпоху Великой Октябрьской революции Войцеховским отчаянно не повезло. Львов, где они жили, отошел к СССР, родовую усадьбу сначала разграбили, а потом превратили в музей дворянского быта. Всех членов клана методично истребили. Чудом удалось спастись мальчику Вольдемару. Ребенка пожалел повар и выдал за своего сына. От него и пошла новая ветвь семьи, родовитая, но отчаянно нуждающаяся.

Финансовое положение Войцеховских выправилось не так давно. В конце семидесятых Степану пришла в голову идея разводить собак на продажу. Началось с того, что близкие приятели, побывав во Франции, привезли оттуда йоркширского терьера — собачку практически неизвестную в Москве. Степан купил у них Женевьеву и удачно продал первый приплод. При Советской власти на торговлю щенками смотрели сквозь пальцы. Коммунисты считали это невинным хобби, чем-то вроде коллекционирования марок или монет. Но коллекционер коллекционеру рознь, стоимость иных собраний оценивается миллионами долларов. Степана ждал оглушительный успех.

Комарово не Москва, хотя лежит в нескольких километрах от столицы. Жизнь тут спокойная и провинциальная. Войцеховские имели собственный дом, и никому не было дела до того, что во дворе у них носится пять собак. На замечания соседей, что хватило бы и одной Женевьевы, Степа только улыбался:

— Ну люблю животных, просто сил нет.

Степины йоркширы расселились среди московского бомонда. Иметь кобелька или сучку от Войцеховских стало модно. Старик Вольдемар только крякал, глядя на новую машину, хорошую мебель и толстую сберкнижку. Степиным благополучием заинтересовались соответствующие органы, но мужчина оброс невероятным количеством знакомых, и в местное ОБХСС позвонили из самой Москвы. Больше Войцеховского не трогали, а дочка начальника Комаровского ОБХСС получила на день рождения очаровательного щенка, и, как говаривала сова из книжки про Винни-Пуха, «безвозмездно, то есть даром». Потом грянула перестройка, и Степа оказался на самом гребне. Они с Лариской теперь выезжали на международные выставки, откуда привозили награды мешками. Бизнес расширялся, к нынешнему моменту у Войцеховских был большой питомник, налаженный рынок сбыта, известность в мире собаководов.

Лариска до замужества закончила какой-то институт, но потом пошла на курсы и превратилась в ветеринара. Характер у Лариски веселый, и хорошее настроение, как правило, не покидает ее. Аппетит соответствует характеру, поэтому весит Люлю около центнера, что не мешает ей быстро и ловко двигаться.

Увидев нас, Лариска радостно закричала:

— Степа, Степа, беги скорей сюда, посмотри, кто приехал.

Пока мы раздевались, подошел Степан и принялся трясти мою руку:

— Даша, мы счастливы.

— А где Миша? — спросила я.

Люлю огляделась по сторонам, разыскивая сына.

— Не знаю, скорей всего у себя в комнате. У него сейчас кошка котится, боится одну ее оставить.

— Кошка котится? — оживилась Маруся. — Наверное, нужна помощь.

И девочка с ужасающим топаньем понеслась на второй этаж. Степан рассмеялся:

— Чувствую, будет кому дело передать.

Мы прошли в ярко освещенную гостиную. Возле сияющей огнями елки в удобных креслах сидели Петр, брат Степана, Анна, его жена, и незнакомая мне пара.

— Ты ведь не знаешь Диану и Кирилла, — сообщила Люлю, — знакомься. С Дианой вместе учились, а Кирилл ее супруг.

— Между прочим, я еще и доктор, а не только супруг Дианы, — раздраженно заявил мужчина.

Степа примиряюще замахал руками:

— Кирюша, ты чудесный доктор, но быть мужем такой красавицы, как Диана, по-моему, очень приятно.

Доктор пробормотал что-то нечленораздельное в ответ. Я вздохнула: надо же, уехать от собственного «домашнего уюта» и попасть в чужой. Надеюсь, Кирилл не начнет сейчас громко выяснять отношения со своей весьма невзрачной женой. У Люлю всегда было мило, весело и непринужденно. Сейчас что-то изменилось даже в обстановке гостиной. Я пригляделась повнимательней. Комната выглядела как-то странно. Картины сняты со стен и лежат на полу. Книги вынуты и громоздятся около полок. У большого торшера отсутствует абажур, и свет ничем не прикрытых лампочек бьет прямо в глаза. На диване распоротые подушки. Казалось, в комнате орудовал вор или милиция проводила тщательный обыск.

Рядом с весело горящим камином тосковало пустое кресло-качалка, постоянное место старика Вольдемара. Странно, что отец Степы не сидит, как всегда, у огня.

— А где Владимир Сигизмундович? — поинтересовалась я. — Привезли ему на Новый год любимый миндаль в шоколаде.

Повисло молчание, потом Степан произнес:

— Папа умер месяц тому назад от инфаркта.

Я окончательно растерялась. Как же так? Никто не предупредил меня! Ни за что теперь не спрошу про Фриду, мать Степы, может, и она тоже...

Словно услышав эти мысли, Люлю пояснила:

— Фрида пошла отдохнуть перед ужином. Ей уже трудно встречать Новый год, не поспав два-три часа днем, все-таки восемьдесят стукнуло.

Я облегченно вздохнула, слава богу, хоть Фрида жива и здорова. Снова повисло молчание. Ветер завывал в каминной трубе, и в мою душу постепенно стало закрадываться ужасное подозрение: так ли уж весело встретим Новый год?

В гостиную влетела Маруся.

— Мамулечка, — заорала она с порога, — пойди посмотри, какие расчудесные котятки родились. Мишка их сейчас тряпочкой обтирает.

Потом она огляделась по сторонам и бесхитростно спросила:

— Ой, тетя Лариса, вы затеяли ремонт? У Мишки в комнате тоже такой кавардак!

Люлю не успела ответить, потому что снаружи донесся гудок автомобиля.

— Это Лена, моя племянница, — обрадовалась хозяйка. — Слава богу, все в сборе, никто не застрял на этой ужасной дороге.

Через пару минут в комнату быстрым шагом

вошла потрясающе красивая девушка. Ростом под метр восемьдесят, длинные удивительно густые белокурые волосы ниспадали почти до осиной талии. Огромные карие глаза с пушистыми угольными ресницами приветливо улыбались. Только крупный рот слегка портил впечатление от нежного лица. Уголки губ капризно изгибались, выдавая избалованную и своенравную натуру.

Увидев небесное явление, Петр приосанился, Кирилл машинально втянул живот. Заметив это, жена доктора усмехнулась, а Анна покраснела.

— Лариса, — весело прощебетала Лена, — наконец-то добрались. Ну и дорога, такое ощущение, что едешь по холодной овсяной каше. Думала, застрянем обязательно.

— Кто это мы, — растерялась Люлю, — ты разве не одна?

— Нет, — еще веселее заявила племянница, — привезла своего жениха, надо же тебе его показать.

И она крикнула:

— Дорогой, давай быстрей сюда, знакомиться с будущими родственниками.

Услышав про жениха, дамы расслабились, зато окаменела я, потому что в гостиную вошел не кто иной, как профессор Серж Радов.

«Ничего себе, — пронеслось в моей голове, — несколько дней тому назад потерял жену, плакал, убивался и уже успел обзавестись невестой!»

— Это профессор Серж Радов, — сообщила Лена, — сначала он просто был моим научным руководителем, а женихом стал только в ноябре, надеюсь, вы с ним подружитесь.

Я почувствовала легкое головокружение. Ну-ну, оказывается, в ноябре старый ловелас сделал девочке предложение, это при живой-то жене. Вовремя, однако, умерла Изабелла. Интересно, Лене известно, что Серж вдовец?

Психолог тем временем пожимал протянутые руки и добрался до меня. Я весело улыбнулась:

— Рада встрече, господин Радов!

Профессор слегка изменился в лице, но удар выдержал и мило проговорил:

— О, вот неожиданность!

— Надеюсь, приятная, — продолжала я улыбаться, как кобра.

— Вы знакомы? — удивилась Люлю.

— Так, встречались, — неопределенно ответила я. Серж предпочел промолчать. Очевидно, для того, чтобы казаться моложе, профессор оделся по-студенчески — мягкие вельветовые джинсы, простой пуловер и кожаная жилетка с бахромой и заклепками. Нелепый рокерский наряд странным образом шел ему. Во всяком случае, цель была достигнута: Серж выглядел намного моложе Кирилла, Петра и Степана, облаченных в строгие вечерние костюмы.

— Ну, нашли? — осведомилась Лена.

— Нет, — покачал головой Петр.

— Может, ничего на самом деле и нет, — проговорил Степа.

— Конечно, Вольдемар любил пошутить, — сообщила Люлю, — но это же просто издевательство.

— Надеюсь, Серж поможет, — сказала Лена, — он профессионал, знаток человеческой натуры.

— Исходя из того, что мне рассказала Леночка, — завел Радов, — думаю, искать надо в самых необычных местах.

Я почувствовала себя полной идиоткой. Здесь что-то ищут, но я не знаю ни что, ни кто это спрятал. Надо спросить у Люлю. Но в этот момент раздался легкий скрип, и в гостиную в инвалидном кресле въехала Фрида. Старая женщина весила чуть больше кошки, а ростом была с десятилетнего ребенка, но голос ее, звучный и громкий, заставил присутствующих вздрогнуть.

— Все собрались? — прогремела она.

— Все, — сказал Степа.

— Не слышу! — сообщила Фрида.

— Мама, — заорал Степан, — включи слуховой аппарат.

Фрида покрутила руками дужки очков и удовлетворенно пробормотала:

— Все равно ничего не слышу!

— Фрида, — завопила Люлю, — поставь аппарат на максимум.

— А зачем ты так визжишь? — тихо осведомилась свекровь, — я ведь не глухая.

Люлю всплеснула руками и ничего не сказала. Степа стал торопливо приглашать всех в столовую, и мы перешли туда. У большого окна стояла еще одна елка, под которой горкой лежали подарки. Маруся сунула туда и наши сувениры. Стол сверкал и переливался. Жизнь в провинции имеет свои преимущества. Во всяком случае, такие соленья и домашнюю колбасу можно поесть только в деревне. К тому же, насколько я помню, кухарка Войцеховских фантастически готовила мясо. Вот и сейчас нежный ростбиф радовал глаз, а нос ощущал чудесный запах запеченного окорока. Бутылки соответствовали: обязательное шампанское, чудесное бордо, а к кофе скорей всего подадут хорошо выдержанный коньяк.

Мы начали рассаживаться. Фрида устроилась во главе стола и недовольно протянула:

— Ветчина слишком жирная, вредно для печени.

— Не ешь, — немедленно отреагировал сын, — тебе и в самом деле вредно, а нам в самый раз.

— Печень следует беречь, — наставительно заявила мать.

— Разочек можно и забыть о диете, заявляю как доктор, — улыбнулся Кирилл.

— Какова ваша специализация? — ринулась в бой Фрида.

— Терапевт, — коротко ответил врач.

— Да, — хмыкнула старуха, — это тот, кто выписывает рецепты на аспирин, а в более сложных случаях отправляет к узким специалистам?

Доктор промолчал, но его шея стала медленно багроветь.

— Давайте выпьем, праздник на дворе, — примиряюще сказал Петька.

— Да, — подхватила Анна, — самый лучший праздник, Новый год.

Мы приступили к трапезе, намеренно болтая о всяких пустяках. Беседа изредка прерывалась недовольными замечаниями Фриды, но собравшиеся игнорировали их. Так взрослые не замечают маленького капризного ребенка. Кстати, дети, быстро поев и получив подарки, убежали наверх к новорожденным котятам.

От обильной еды и выпивки у меня начали слипаться глаза. Подождав, когда принесут пирожные, я тихонько пересела на диван, мечтая под любым предлогом отправиться на боковую. Спать хотелось немыслимо. Но Люлю включила музыку и затеяла танцы.

— Разрешите? — Передо мной стоял Серж, протягивая мне руку.

Пришлось согласиться. Танцевать не люблю, да и не умею, пожалуй, к тому же мне на ухо наступил даже не медведь, а слон. Но и Серж большим мастерством не отличался. Мы медленно топтались в углу гостиной и отдавили друг другу ноги.

— Спасибо, большое спасибо, — неожиданно произнес профессор.

— За что? — искренне удивилась я.

— За то, что не рассказали про нашу первую встречу, — потупился психолог, — видите ли, Леночка не знает, что Беллу убили.

— И как же вы собираетесь скрыть от нее данный факт? Это ведь нереально, кто-нибудь обязательно проболтается или выразит вам сочувствие. Нельзя же предупредить всех знакомых!

— Сам знаю, что глупо, — вздохнул Серж, — но такую женщину, как Лена, можно встретить только раз в жизни. Вот и не захотел ее отпугивать. А то будет держаться от меня подальше.

— Насколько я поняла, вы стали женихом в ноябре, но ведь не на следующий день после знакомства?

— Нет, конечно. Мы встретились два года назад, когда Лена поступила в аспирантуру.

— Два года!

— Сначала она была просто моей аспиранткой. И только в марте этого года отношения стали более близкими.

Я промолчала. Ну и жук этот Серж. Помню, как со слезами на глазах рассказывал полковнику об измене жены и своих глубоких переживаниях. А сам, оказывается, завел бурный роман с хорошенькой аспиранткой.

— Очень прошу вас, — страстно зашептал Серж, — просто умоляю, не рассказывайте никому про Изабеллу.

— Не буду, выпутывайтесь сами, я не сплетница.

На радостях профессор поцеловал мне руку.

Глава 3

Утром проснулась рано, когда еще не было девяти. Повертелась немного на чужой постели и решила спуститься вниз попить кофе. В столовой на диване сидела Люлю. Впервые за годы знакомства я видела ее плачущей.

— Что случилось? Кто-нибудь заболел?

Лариска молча показала большую нить искусственного жемчуга. На конце болталась записка: «Это не сокровище, а бусы на елку».

— Ну и что? Почему тебя так расстроили эти бусы?

Люлю шмыгнула носом:

— Господи, ты же ничего не знаешь.

И она рассказала невероятную историю. Старик Вольдемар скончался месяц назад. Выпил кофе и упал лицом в чашку. Врач констатировал смерть, вскрытие показало обширный инфаркт. Никто не удивился: старику было без малого девяносто, из которых семьдесят он дымил, как паровоз. Удивление пришло позже, когда нотариус стал читать завещание. Сначала ухо всем резанула странная фраза: «Все движимое и недвижимое имущество оставляю Фриде Войцеховской, которую считаю и признаю своей женой».

Старики состояли более сорока лет в браке, и никто не понял, зачем мужу понадобилось подтверждать факт женитьбы. Но это было еще не все.

«В моем доме, — продолжал нотариус, — спрятано сокровище, несметное богатство. И принадлежать оно будет тому, кто его нашел, пусть даже он не является членом семьи. Это моя маленькая месть, сами знаете за что».

— И вот теперь, — безнадежно говорила Лариска, — мы уже почти месяц ищем. Как в сказке:

«пойди туда, не знаю куда, принеси то, не знаю что».

Стало понятно, почему в доме такой кавардак и зачем распороли подушки. Самое ужасное, что Владимир Сигизмундович, мерзкий шутник, позапихивал везде разнообразные подделки. Петька нашел «изумрудное» ожерелье из бутылочных осколков, Анна обнаружила в потайном ящике буфета гигантский рубин, оказавшийся при более детальном рассмотрении тоже стекляшкой, только красного цвета. Наконец нынче утром Лариска вытрясла из матрасика, на котором спит кошка, «жемчуг».

— Нить оказалась такой длинной, — жаловалась Люлю, — я тянула и тянула ее, как фокусница. Ну, думаю, нашла. А на самом конце висит мерзкая записка. Боже, как я его ненавижу. Уверена, Фрида знает, где запрятано богатство. Поэтому, глядя на поиски, противненько ухмыляется. У нас сейчас как раз трудный период. Дела в питомниках идут не блестяще, и солидное денежное вливание здорово помогло бы. К тому же я опасаюсь, что сокровище найдут чужие — Кирилл, Диана или профессор этот.

— Выгони всех и ищи спокойно.

— Так не уезжают, — всплеснула руками Люлю. — Петька, когда Вольдемар был жив, раз в году максимум на два дня заявлялся. Они друг друга терпеть не могли. А как только про сокровище узнали, их с места не сдвинешь. Уже целый месяц живут. Днем помогают искать с милой улыбкой. А ночью, слышу, ищут тайком.

— Может, уже нашли? — спросила я.

— Нет, — возразила Лариска, — тут же бы убрались. Главное, не знаю, что это: брильянты, изумруды, рубины?

— А почему это должны быть обязательно камни?

— А что еще? Кружева?

— Зачем! Золотые монеты, ценные бумаги, купчие на землю, да мало ли что.

— Нет, помню, Владимир Сигизмундович иногда намекал, что владеет сокровищем Войцеховских, уцелевшим и невероятно ценным. Конечно, камни.

Я подошла к столу и налила остывший кофе. Ну и дела. В большом доме куча комнат: пять спален для гостей, две детские, столовая, гостиная, кабинет Степы, будуар Люлю, большое, почти сорокаметровое помещение, где жила Фрида, прибавьте сюда несколько ванных и туалетов, кухню, кладовую, бельевую, прачечную! А еще примыкающее здание небольшого питомника на двадцать наиболее элитных собак!

— Мог он спрятать вещи в питомнике или во дворе?

Люлю отрицательно помотала головой:

— Нет, в завещании четко сказано — сокровище в доме. Здесь и только здесь.

Послышались шаги. В столовую упругим шагом молодой женщины вошла Лена. Я с завистью посмотрела на нее. Люди, бодро вскакивающие рано утром с кровати без малейшего признака сонливости, всегда вызывали у меня чувство черной зависти. Сама-то не способна проснуться до обеда и хожу до двенадцати, как сонная муха. Лена выглядела бодрой и свежей.

— Доброе утро, Ларочка, — радостно прощебетала девушка и ухватила чайник. Пощупала эмалированные бока и капризно протянула: — Остыл.

Потом оглядела его и со вздохом произнесла:

— Лариса, почему не выбросишь чудовище?

Я уставилась на чайник. На красивом столе, заставленном дорогой посудой, он смотрелся странно — уродливый, с облупившейся эмалью и пятнами ржавчины. К тому же ужасно тяжелый.

Люлю улыбнулась:

— Держим монстра из-за Фриды. Она сожгла кучу чайников. Вечером едет сама на кухню и ставит воду, потом, конечно, забывает.

— Купите со свистком, — посоветовала я.

— Покупали, — отмахнулась Лариска, — пока Фрида на кресле в кухню прирулит, чайник свисток выплевывает. Старуха едет себе по коридорам, свист — раз и прекратился. Она тут же забывает, куда ехала.

— Надо приобрести электрический, сам отключается, — предложила Лена, густо намазывая кусок батона шоколадной пастой.

— Пройденный этап, — захихикала Люлю, — Фрида с ним в пять минут расправилась. Мы тоже со Степкой думали, что электрический сам отключится. Купили, торжественно на кухне установили. Ну, как думаете, что было дальше?

— Что? — спросила Лена.

— Фрида налила воды и поставила его на газ.

Мы оглушительно захохотали.

— Приятно, когда у людей с утра лучезарное настроение, — входя, сказал Кирилл.

Рядом с ним молчаливой тенью двигалась бледная, невзрачная Диана. Удивительная женщина, со вчерашнего вечера я ни разу не слышала ее голоса. Может, немая? Супруга доктора тихо села за стол и, не обращая внимания на собравшихся, принялась открывать банку с паштетом.

Через несколько минут спустились дети, Степан и Петр. Последним вошел Серж. Профессор выглядел помятым и невыспавшимся.

— Дорогая, — сказал Степа, — попроси подогреть воду, чайник остыл. Ты, кажется, чем-то расстроена?

Жена молча протянула бусы. Муж взял сверкающие перламутровые горошины, прочитал записку и вздохнул:

— По-моему, он нас ненавидел.

— Что вы такое сделали? — поинтересовался Серж.

Степа замялся:

— Иногда спорили с ним, в основном по вопросам собаководства. Отец был хороший ветеринар, но привык действовать по старинке. Совершенно не признавал антибиотиков, лечил животных какими-то притираниями. Кесарево сечение не разрешал делать, мрак! Конечно, мы ругались!

За дверью раздался жуткий скрип, и в столовую вкатилась Фрида.

— Нечего делать из отца идиота, — вступила она с порога в бой. Я удивилась, как глуховатая женщина ухитрилась за дверью услышать наш разговор.

— Вольдемар великолепно понимал животных, — продолжала старуха, — а старые методы, как правило, лучше новомодных. И, говоря откровенно, разозлился он не из-за того, что вы спорили, а потому, что твоя жена пыталась отравить его стрихнином.

И она гневно ткнула тоненьким, похожим на карандаш пальцем в побледневшую Люлю.

— Мама, — возмутился Степа, — думай, что говоришь!

— Я-то думаю, — огрызнулась Фрида, — а вот твоя супруга должна радоваться, что ее не сдали в уголовный розыск.

Люлю как ни в чем не бывало продолжала пить кофе.

— Если будешь болтать глупости, вызову психиатра, — продолжал злиться Степан, — ты же знаешь, что произошла ужасная ошибка, мы извинились, с каждым может случиться!

, Фрида возмущенно фыркнула и раздраженно ткнула пальцем в масленку.

— Погоди, погоди, — оживился Петр, — что за история со стрихнином?

— Ерунда, — сообщил Степан.

— Ничего себе ерунда, — возмутилась мать, — чуть не отравили несчастного отца.

— В доме завелись крысы, — спокойно пояснила Люлю, — и я случайно перепутала стрихнин с солью. Они очень похожи — белые крупинки. Взяла и случайно насыпала в суп для Вольдемара стрихнин. Банки рядом стояли.

— Вы держите на кухне стрихнин? — изумилась Маша. — Это очень опасно.

— И к тому же еще и странно, — пробормотал Петька, откусывая ветчину, — очень странно.

Люлю покраснела.

— Повторяю, в доме завелись крысы, а Владимир Сигизмундович до смерти их боялся. Помня про его больное сердце, мы не стали пугать старика. Сначала купили отраву, но она не подействовала, тогда применили чистый стрихнин. И здесь я, конечно, совершила глупость. Пересыпала яд в банку и перепутала.

— А как отец догадался, что в тарелке отрава? — поинтересовался Кирилл. — Насколько я знаю, стрихнин не обладает ярко выраженным вкусом и запахом.

— У него началась минут через двадцать рвота, желудочные колики, вызвали врача, тот сначала поставил гастросиндром, ну а когда пришел анализ, сразу стало все ясно, — пробормотал Степан.

— Какой анализ? — влезла Маша.

— Как только у него заболел живот, муж велел взять пробу всех блюд, подававшихся к обеду, — торжественно заявила Фрида.

— Кстати, это полностью меня оправдывает, — заметила Лариска, — неужели вы думаете, что я настолько глупа, чтобы не вылить вовремя отравленную еду? Так нет же, и суп и второе чудесным образом ждали на кухне.

— Ты только забыла прибавить, — прогремела свекровь, — что в тот день на первое подавали овсяный суп. А его ни ты, ни Степан, ни ваш избалованный мальчишка не едите. Специально дождалась, чтобы своих не отравить, а меня Господь спас, не захотелось обедать.

— Знаешь, Фрида, — обозлилась Люлю, — у меня всегда все отлично получается, и если бы я решила отравить вас, поверь, сделала бы это наверняка, сыпанула яду побольше.

Старуха ничего не ответила. Петя медленно отодвинул чашку.

— Ну очень странно! Меня тут не было, когда умер отец. Говорите, в одночасье скончался? Попил кофейку и тут же упал? А сахар в сахарницу новый положили? Вдруг тоже со стрихнином перепутали — белые крупинки. Вы хоть предупреждайте, а то страшно!

Лариска отшвырнула салфетку и выскочила из столовой. Степан побагровел:

— Петька, прекрати идиотские шуточки. Мать совсем из ума выжила, а тебе должно быть стыдно.

— Подумаешь, цаца какая, — усмехнулся брат, — уж и пошутить нельзя.

— Мы еще посмотрим, кто из ума выжил, — пригрозила Фрида.

Воцарилось тягостное молчание. Я посмотрела на детей. Говорливая Маруся присмирела, ее пухлые детские щеки покрывал огненный румянец. Миша, сын Степана и Ларисы, наоборот, побледнел, на худеньком малокровном личике выделялся большой, похожий на клюв, нос Войцеховских. Мальчик лихорадочно отщипывал кусочки батона и крошил их в тарелку.

— Лукреция Борджиа отравила своего мужа мылом, — неожиданно сказал Кирилл.

— Как она заставила его съесть мыло? — изумилась Маруся.

— Он его не ел, помыл руки, и все. Яд через кожу проник в кровь.

— Какой ужас, — неожиданно вступила в разговор Диана, — разве можно убивать родного мужа?

Я посмотрела на женщину — да, она не немая, но, кажется, жуткая дура. Ничего не подозревавшая о моих мыслях, Диана продолжала разглагольствовать:

— Отравить, просто кошмарно! Потом наблюдать, как он мучается. Лучше уж, если просто попадет под машину или вывалится из окна, не на глазах, конечно. Жаль, однако всякое случается. Но отравить! Я бы не смогла.

Серж и Лена уставились на говорившую во все глаза, Степан поперхнулся, а Петр захихикал. Кирилл раздраженно дернул плечом:

— Любимая, заткнись.

Диана захлопнула рот, словно чемодан, и онемела. Удивительное послушание.

— Мерзкая погода, — попробовал переменить тему Серж.

— Очень холодно, — радостно подхватил Степка.

Мы обсудили климатические условия, потом перекинулись на содержание собак и кошек, добрались до новых глистогонных препаратов, когда в столовую вернулась Люлю. Она, очевидно, только что тщательно умылась, но покрасневшие глаза выдавали женщину. Лариска долго плакала в ванной. Приученная соблюдать внешние приличия, она не собиралась терять лица и поэтому довольно весело проговорила:

— Прошу простить, тушь попала в глаза, пришлось смывать красоту. Потерпите меня, так сказать, в натуральном виде? Без косметики?

— Сразу видно, что ты не урожденная Войцеховская, — выпустила парфянскую стрелу свекровь, — наши женщины не мучаются подобными глупыми вопросами.

Люлю мило улыбнулась старухе и очаровательно произнесла:

— Кстати, вы тоже не из Войцеховских. Самое интересное, что никто не знает вашей добрачной фамилии, более того, по-моему, в вашем прошлом есть какая-то постыдная тайна. Иначе почему вы никогда не упоминаете о своих родителях? И родственников никаких нет. Похоже, вас нашли в капусте. Поделитесь секретом, поведайте о своем происхождении, расскажите, как жили до знакомства с Владимиром Сигизмундовичем.

Фрида замахала руками:

— Степан, слышишь, как эта змея оскорбляет твою мать?

Сын промолчал. Старуха развернула кресло и вылетела в коридор с воплем: «Ноги моей здесь больше не будет».

— Ну зачем ты ее дразнишь, — укоризненно сказал Петя, — знаешь ведь, что мать латышка, все ее родные погибли в войну. Да они с Вольдемаром сто раз рассказывали о своей встрече в Ленинграде в 1947 году. Как тебе не стыдно!

— Не делай моей жене замечаний, — взвился Степан, — твоя Анна даже открытки матери на день рождения не прислала. А Лариса ухаживает за Фридой, терпит ее капризы и выходки. И Вольдемара, между прочим, тоже она обхаживала. Знаешь, какой у старика противный характер под конец стал: подозрительный, желчный. Тут не жизнь была, а кошмар. Он демонстративно ходил сам в магазин за едой и ел только готовые полуфабрикаты у себя в комнате. Просто извел всех своим маразмом. Тебе хорошо, раз в году приезжал, а мы постоянно терпели.

— Вот уж не знаю, как бы я повела себя, обнаружив в супе яд, — задумчиво произнесла Диана, — наверное, стала бы готовить сама...

— Тогда бы точно отравилась или умерла от непомерного потребления крутых яиц, — весело сообщил Кирилл, — душа моя, ты же совершенно не умеешь готовить.

— Да, — согласилась жена, — абсолютно не умею. Такая тоска нападает при виде сковородок и кастрюль. Лучше телик посмотреть.

— Вот тут, мой ангел, ты профессионал, — продолжал ехидничать муж, — а меня, как доктора, страшно занимает тот факт, что, проводя день-деньской перед экраном, ты абсолютно здорова, никакой гиподинамии и бессонницы, просто чудеса!

— Может, после завтрака сходим в питомник? — вмешалась в супружескую перепалку Люлю.

Я вздохнула и оглядела собравшихся. Непривычно тихие дети, покрытый красными пятнами Степан, истерически оживленная Люлю, явно чувствующие себя не в своей тарелке Лена и Серж, без конца выясняющие отношения доктор с женой, выжившая из ума Фрида и наслаждающийся чужими неприятностями Петя — хороший расклад для приятных праздников. Лучше остаться дома и сидеть в тишине с любимой Агатой Кристи в уютном кресле. Так нет, понесло в гости, вот и наслаждайся теперь.

Дверь в столовую распахнулась, и на пороге появилась Анна.

— Извините, опоздала к завтраку, никак не могла проснуться.

Она придвинула к себе чайник и недовольным голосом пробормотала:

— Опять холодный, целый месяц не могу попить горячего. Почему-то и чай, и кофе, и суп тут просто ледяные.

— Зато с начинкой, — хихикнул Петька.

Это было уже слишком, и Маруся, прекрасно понимая, что сейчас начнется новый виток скандала, подскочила, ухватила Мишу за рукав и закричала:

— Что ты тут расселся! Котята небось совсем от голода загибаются. Кошка первый раз окотилась, где ей с ними справиться!

Мальчик благодарно посмотрел на подругу, и они вылетели из комнаты.

— Какие невоспитанные дети, — произнесла Анна, — даже спасибо не сказали. Мои всегда спрашивают разрешения выйти из-за стола.

Лариса открыла рот, намереваясь возразить невестке, но в ту же секунду из холла послышался дикий грохот, звон и крик домработницы. Все вскочили с места.

— Сидите, сидите, — успокоил Степа, — чертова картина опять рухнула.

Мы расслабились. В холле, в большом простенке между окнами, висело чудовищное произведение искусства. Когда я первый раз увидела полотно 2x3, не меньше, мурашки побежали по телу.

На бежево-коричневом фоне выделялось лицо

ужасно мерзкой старухи. Покрытое глубокими морщинами, пигментными старческими пятнами, оно глядело на вас маленькими глазками-буравчиками. Тонкий, сжатый в нитку рот брезгливо морщился. Из-под ночного чепца выбивались редкие и грязные седые патлы. Шея была под стать личику — желтая, в крупных бородавках, плечи укутывал парчовый халат вишневого цвета. В правой руке это чудовище держало ярко горевшую свечу. Ничего ужасней я никогда еще не видела.

Сначала, как рассказывал Степан, портрет висел в столовой, и он, когда был ребенком, боялся один заходить в комнату. Позднее Люлю убедила свекра перевесить чудовище в холл. Тоже, честно говоря, не лучшее место для подобного произведения искусства.

Приходившие впервые гости пугались, роняли сумки и зонты. Родственники упрашивали Владимира Сигизмундовича убрать «Старуху со свечой» подальше, на второй этаж, но тот упорно отказывался.

— Вы ничего не смыслите в искусстве, — заявлял он, удовлетворенно поглядывая на мерзкую морду, — портрет написал мой дед, настоящий художник, не понятый современниками. К сожалению, удалось сохранить только «Старуху», остальные полотна погибли, но, пока я жив, она будет украшать дом. А после моей смерти обещайте отдать произведение на реставрацию, считайте это моей последней волей.

Вольдемар настолько любил полотно, что даже в завещании написал: «Старуха со свечой» должна быть обязательно реставрирована не позже чем через два года после моей кончины». Но Степан и Лариса не собирались выполнять последнюю волю отца. Скорее всего они ждут смерти Фриды, чтобы тут же оттащить мазню на помойку.

Я никогда не верила во всякую чепуху типа переселения душ и привидений, но с портретом и в самом деле творилось что-то неладное. Он регулярно падал со стены — шесть раз в год: на Рождество, Пасху, 7 ноября, дни рождения Вольдемара и Фриды и 16 января, в годовщину их свадьбы. Это были, так сказать, обязательные падения. Иногда портрет срывался вне графика, и тогда — жди беды. Сначала думали, что дело в раме, и поменяли тяжелую бронзовую окантовку на легкий багет. Затем вбили в стену два крюка толщиной с мужскую руку, но все напрасно. Портрет регулярно сваливался, нервируя домашних и доводя до обмороков гостей. Вот и сейчас я обмерла, услышав грохот.

— С ума сошел, — констатировал Степа, — пятый раз за месяц рушится.

— Как будто что-то сказать хочет, — подлил масла в огонь Кирилл.

— Вдруг он расскажет о том, кто подкрался к отцу с «проклятым соком белены в кармане»? — громогласно произнес Петр.

Люлю, решившая ни за что не поддаваться на провокации брата мужа, бодро сказала:

— Ну, что, все поели? Пошли к собачкам, есть что показать.

Глава 4

Вопреки моим ожиданиям день прошел вполне мирно. Сначала сходили в питомник. В изумительно чистых вольерчиках сидели собаки — суперэлитные йоркширские терьеры.

Три кобелька мирно дремали в корзиночках,

вокруг сучек гнездилось разновозрастное потомство. Только одна девочка скучала в гордом одиночестве.

— Очень неудачный помет получится, — сообщила Люлю, показывая на тоскливую собаку, — причем уже во второй раз. Если так пойдет, придется расстаться с Маркизой.

Некоторые заводчики неохотно выбраковывали плохое потомство. Выращивали некондиционных щенят, потом бесплатно раздавали их желающим. Если же таковых не находилось, оставляли животных себе, некоторые дома походили на зоопарки. Так поступали многие, но только не Войцеховские. Собаководство — бизнес, а бизнес жесток. Растить и кормить животное, на которое потом не найдется покупателя, ни Люлю, ни Степан не собирались. Владимир Сигизмундович иногда вздыхал и оставлял парочку симпатичных малышей, но дети — никогда. Каждый помет тщательно осматривался и уничтожался при малейшем сомнении в его ценности. Так же безжалостно поступали с кобелями и суками, неспособными родить элитных щенят. Тут никто не держал собак «на пенсии», отработанный «материал» усыплялся. И еще, Войцеховские не держали в доме животных, лишь год назад Миша завел кошку. Собаки были для Войцеховских работой, а не любовью, ремеслом, которым они отлично владели и которое приносило им немалый доход. В общем, сентиментальности в их сердцах не было места.

Полюбовавшись на элитных производителей, я пошла в центр городка: обожаю шляться по деревенским лавочкам. Но сегодня меня ждало разочарование: в первый день нового года почти все торговцы предпочитали сидеть дома у елки.

Пообедали тоже весьма мирно и поужинали,

как хорошие добрые друзья. Спать отправились пораньше, давала знать о себе предыдущая полубессонная ночь.

Заснула я сразу, как провалилась, но в полночь проснулась и стала ворочаться. В чужой постели как-то неуютно: одеяло было слишком тонкое, подушка маленькая, да еще из окна немилосердно дуло.

Дом у Войцеховских старый, Владимир Сигизмундович купил его в конце сороковых у местного священника, тот жил в нем с самого рождения. Степану пришлось вложить много средств, чтобы превратить обветшавшее здание в современное жилище. Он провел новую систему отопления, построил ванные комнаты и туалеты, пристроил красивую круглую веранду, которой пользовались как второй гостиной. Короче, дом разительно переменился и щеголял модернизированной кухней. Но по ночам иногда казалось, что тут бродят тени прошлых владельцев.

Проворочавшись примерно с час, я оделась и решила сходить на кухню. Иногда от бессонницы помогает чашечка крепкого сладкого чая. Надеюсь, у Люлю найдется настоящая заварка, а не эти идиотские пакетики с пылью.

В огромной кухне было темно. Сквозь большое окно пробивался неверный свет фонаря, отражавшийся в начищенных до блеска сковородках и кастрюлях. Решив, что этого света вполне достаточно, я открыла шкафчик и пробежала глазами ряды банок. Взяла одну, и... тут за спиной раздался голос: «Кофе ищешь?» От неожиданности и ужаса руки разжались сами собой, банка с оглушительным грохотом шлепнулась на кафельный пол, содержимое высыпалось. В ту же секунду загорелся свет, и улыбающаяся Лариса покачала головой.

— Господи, — выдохнула я, — до чего же ты меня напугала. Я подумала, что тут привидение. Зачем ты сюда пришла посреди ночи?

— На диете сижу, — ухмыльнулась Лариса.

Я понимающе кивнула. Почти стокилограммовая Люлю регулярно пытается сбросить вес. Она испробовала все, что предлагала современная медицина: таблетки от аппетита, специальные пищевые добавки, призванные заменить еду и обмануть голод, какие-то жуткие катышки, по виду страшно похожие на собачий сухой корм. Производители клялись, что неаппетитные комья сделаны из чистейшей целлюлозы, разбухающей внутри вас. То есть глотаете эту гадость, запиваете двумя стаканами воды, и коричневая мерзость, увеличиваясь в объеме, занимает весь желудок. Вы получаете ощущение сытости без еды. Очень удобно и выгодно. В результате всех манипуляций стрелка весов Люлю колебалась между 90 и 95 кг. Но стоило ей начать есть по-человечески, как мерзкий измерительный прибор демонстрировал ровно центнер. В результате подруга наплевала на все фармакологические новинки и раз в месяц голодает неделю.

— Опять не выдержала? — спросила я.

— И не говори, — отмахнулась Люлю, — в обед поела цветной капусты, на ужин выпила стакан кефира. Еле-еле дождалась, пока Степа уснет, чтобы пойти на кухню. Вот! — И она показала два огромных бутерброда с холодной жирной бужениной и маринованными огурцами. Сандвичи выглядели так соблазнительно, что мой рот, как у собаки Павлова, моментально наполнился слюной.

Лариса заметила глотательное движение и хихикнула:

— Будешь свининку?

Минут через пять мы подмели пол и сели за большой стол, накрытый красной клеенкой.

— Ой, как хорошо, — счастливо пробормотала Лариса, отправляя в рот гигантские куски.

— И зачем себя мучить? — удивилась я. — При твоем росте и широких костях девяносто вполне нормальный вес. Сколько в тебе — метр восемьдесят?

— Метр семьдесят семь, — пробормотала с набитым ртом Лариса, — только попробуй объяснить это Степану. Видишь ли, у него в детстве перед глазами мельтешилась засушенная козявка Фрида, и теперь у мужика выработался четкий стандарт: дама должна выглядеть как мумия. А я никак не подхожу под стандарт. Ну теперь все, скоро стану тощая, как селедка! Знаешь, сколько сейчас вешу? 83 килограмма!

И она победоносно посмотрела на меня.

— Как тебе это удалось?

Люлю вытащила из кармана большой пластмассовый флакон, наполненный огромными желатиновыми капсулами.

— Вот смотри, только никому не рассказывай. Я только притворяюсь, что сижу на диете.

— А что это?

— Новое средство для похудения на основе гормонов щитовидной железы, последнее достижение медицины.

— Не боишься окончательно испортить здоровье? И потом, какие большие! Проглотить невозможно.

— Да уж, тут недоработка, к тому же лопать надо по восемь штук на прием, замучаешься запивать. Но действует! Килограммы так и улетают.

И она с удвоенной силой накинулась на буженину. Наевшись, выпила две большие чашки чаю и удовлетворенно заметила:

— Скоро жизнь изменится к лучшему.

— Надеешься стать тощей и потому счастливой? — ухмыльнулась я.

— Да нет, — ответила Лариса, — надеюсь раз и навсегда заткнуть Фриду. Появилась такая возможность.

Старуха Войцеховская терпеть не могла невестку. И ее ненависть распространилась на Степана и Мишеньку. Фрида производила впечатление вздорной бабы. Постоянно цеплялась к Люлю, ей не нравилось в невестке буквально все: одежда, косметика, привычки. С особым удовольствием она говорила Ларисе гадости при посторонних. И то, что невестка никогда не отвечала свекрови, никак не реагировала на нападки, просто бесило ее. Чем больше злилась Фрида, тем спокойнее и ровней казалась Лариса. Когда друзья ей выражали сочувствие, Люлю отвечала со вздохом:

— Старость не радость, еще неизвестно, во что мы превратимся; может, вообще лишимся разума.

Благодаря такой манере поведения Лариса выглядела просто святой в глазах мужа, мать же он постоянно ставил на место, правда, делал это очень осторожно. Иногда Люлю в присутствии свекрови небрежно роняла:

— Дорогой, тебе следует быть более терпимым с мамой, помни о ее больном сердце.

Подобная забота доводила Фриду до исступления, и однажды она швырнула в невестку утюг. Но после почти двадцати лет брака со Степаном Лариса иногда позволяла себе огрызнуться. Именно это можно было наблюдать сегодня за завтраком. Но заткнуть свекровь навсегда?

— Как, интересно, ты думаешь это сделать? — спросила я. — Фрида незатыкаема.

— Ха, — откликнулась Люлю, — я тоже так полагала. Но недавно кое-что узнала про нашу латышку. Говорят, у каждого есть небольшой скелет в шкафу. А у моей свекрови — целый скелетище. И стоит мне заговорить, как она лишится всего, в первую очередь своего честного имени. До чего же она мне надоела! Столько лет шипела, что она настоящая Войцеховская, а я наглая беспородная дворняжка. Зато сегодня отлились кошке мышкины слезки. Видела бы ты, как она умоляла меня никому ничего не сообщать. Ну уж нет, завтра же расскажу все Степе, а за обедом, при всех, выложу новость Петьке с Анной. После этого Фрида станет по струнке ходить.

На следующее утро к завтраку подали омлет с сыром. После завтрака Маша, Мишка, Степан и Люлю отправились в питомник. Серж и Лена засели в кабинете, шелестя какими-то бумагами. Кирилл и Диана отправились обозревать окрестности. Доктор мило пригласил меня пойти с ними, и мы гуляли почти до четырех часов. Снегопад прекратился, выглянуло яркое солнце. Обошли весь городок, накупив кучу ненужных сувениров, и выпили вполне приличный кофе в заведении с овощным названием «Помидор».

Обедали Войцеховские в пять. Я успела принять ванну, высушить волосы и спустилась в столовую в чудесном настроении, которому также способствовал восхитительный запах жаркого.

Все уже собрались за столом, не было только Люлю и Фриды. Не успела я развернуть салфетку, как в комнату бодро вкатилась старуха со словами:

— Страшно проголодалась.

Она оглядела стол и завопила:

— Подавайте мясо, все в сборе.

— Мама, — укоризненно проговорил Степан, — разве ты не видишь, что Люлю еще не подошла? Надо подождать.

— Трудно не заметить отсутствие такой хрупкой нимфы, как твоя жена, — ехидно процедила старуха. — Обед подают в пять, а сейчас уже четверть шестого, нечего опаздывать. Мясо, наверное, перестояло и потеряло всякий вкус.

— Сегодня щенилась Кнопка, Лариса устала, — примирительно сообщил Степа.

— У каждого свои проблемы, — не унималась мать, — и потом, семеро одного не ждут. Подавайте мясо!

— Миша, — вмешался Петя, — поди поторопи мать, а то правда очень хочется есть.

Мальчик послушно вылез из-за стола.

— И скажи, чтобы не помадилась, макияж ее не украшает, — крикнула Фрида и принялась накладывать в тарелку салат.

Все молча смотрели, как она жадно и неаккуратно ест.

«Господи, — пронеслось у меня в голове, — не дай бог дожить до такого возраста и мучить детей. Лучше попасть под автобус и скончаться на месте».

— Сегодня изумительная погода, — сказал Серж, чтобы разрядить обстановку.

— Наконец-то прекратился снег, — заметила Лена.

— Надеюсь, что потеплеет, — с благодарностью подхватил эстафету Степан.

Раздался жуткий грохот, бокалы на столе отозвались похоронным звоном.

— Опять эта дрянь свалилась, — заметил Петр.

— По-моему, портрет следует выкинуть раз и навсегда, — заявила Анна.

— А ты не распоряжайся у меня в доме, — ощетинилась Фрида.

На пороге появился Мишенька, он подошел к отцу и принялся шептать что-то ему на ухо. Степан улыбнулся и потрепал мальчика по голове.

— Люлю спит, утомилась, бедняжка. Давайте обедать без нее, и потом она все равно на диете, несите мясо.

Мы принялись за изумительную ягнятину, потом еще съели ванильный крем с печеными яблоками и выпили крепкий кофе. К сожалению, погода начала портиться, и, чтобы не видеть гадкий снег, Степан задернул тяжелые шторы в гостиной, куда мы перебрались после обеда. От весело горевшего камина разливалось приятное тепло. Петр, Анна, Фрида и Кирилл принялись играть в кинга, мы со Степой устроились за нардами. Около восьми мой партнер взглянул на часы и проговорил:

— Пойду разбужу Люлю, а то ночью примется по дому бродить!

Он вышел, я откинулась в кресле и зажмурилась, как довольная кошка: хорошо провожу новогодние праздники, тихо.

Со второго этажа донесся крик:

— Кирилл, Кирилл, иди скорей сюда.

Что-то в голосе Степана заставило доктора моментально бросить кинга. Мне тоже не понравилась интонация, и я пошла за ним в будуар.

На большом бутылочного цвета ковре лежала на спине Люлю. Ее халат был распахнут, и большая грудь бесстыдно вывалилась наружу. Кирилл стоял возле женщины на коленях и отчаянно делал искусственное дыхание. Степан лежал на диване лицом вниз, плечи его мелко тряслись. Я замерла от ужаса. Наконец врач остановился, вытер потный лоб и сказал:

— Все бесполезно, она уже коченеет. Умерла примерно часа два тому назад.

— Нет, продолжай, — прокричал Степан, — слышишь, продолжай.

Кирилл пожал плечами:

— Говорю, бесполезно. Вот если бы прошла минута или две, а тут часы!

— И что нам теперь делать? — простонал Степан.

— Вызывать милицию и не трогать ничего до приезда специалистов, — сказала я.

Глава 5

Вечер и большая часть ночи превратились в кошмар. Сначала неторопливым шагом пришли два местных милиционера. Именно пришли, а не примчались на машине с мигалкой, как это делает полковник. Никаких экспертов, фотографов и инспекторов, просто два довольно пожилых мента. Они медленно поднялись на второй этаж и вошли в комнату, которую Лариса гордо называла будуаром.

Один из стражей закона почесал в затылке и поглядел на лежавшую посередине ковра Люлю. Другой мирно спросил:

— Перепила на праздник, да? Старик Алексеев тоже чуть было концы не отдал.

— Алексееву-то девяносто стукнуло, — вступил в диалог первый, — а Лариса Войцеховская и пятидесяти скорей всего не отпраздновала.

Они постояли еще пару минут, задумчиво разглядывая тело. Наконец тот, что помоложе, изрек:

— Надо доктора позвать.

— Так у него же грипп! — ответил более пожилой.

И они опять замолчали. Я не выдержала:

— Вы что, не собираетесь осматривать место происшествия, брать отпечатки пальцев, искать следы?

Молодой милиционер, тот, что помоложе, вытаращил глаза:

— Зачем? Ведь у Ларисы Николаевны случился сердечный приступ?

— Отчего вы так решили?

— А что еще могло произойти в таком уважаемом семействе? — отозвался второй. — Или у Ларисы Николаевны была какая-то болезнь, рак, например.

Степан молчал. Кирилл тоже не проронил ни слова. Остальные не высовывали носа из гостиной.

— Оставите ее дома или увезти тело в морг? — осведомились менты.

— Только дома, — послышался голос Петра. Младший сын появился в комнате, — она останется до похорон дома. Вызовем специалиста по заморозке.

— Тогда давайте положим ее на диван, — сказал Кирилл, — не лежать же ей на полу.

Я смотрела, как милиционеры и доктор, затаптывая место происшествия, поднимают труп и устраивают его на диване. Представляю, что сказал бы Женя, глядя на подобные методы ведения следствия!

Наконец неприятная процедура завершилась. Люлю лежала на кожаных подушках, глядя в потолок. В суматохе доктор забыл закрыть покойной глаза. Обезумевший от горя Степан зачем-то укрыл труп пушистым пледом в красно-черную клетку. Все спустились вниз, и все время сохранявший спокойствие Петька предложил милиционерам выпить. Те не стали ломаться, а радостно приняли бокалы с коньяком. Что и говорить, в провинции все намного проще.

Оставив представителей закона наслаждаться выдержанным Арманьяком, я пошла в свою комнату. Маши нигде не было, очевидно, девочка, поняв, что произошло непоправимое, увела Мишу подальше от мертвой матери. Все-таки странно: не очень молодая, но здоровая и полная жизни женщина внезапно умирает, а милиция, даже не настаивая на вскрытии, утверждает, что Лариса погибла от сердечного приступа. Комнату и то не осмотрели, Шерлоки Холмсы! Уму непостижимо! Пойду сама все осмотрю.

Прихватив очки, я вернулась в будуар. Лариса, как живая, лежала на диване, глаза ей так никто и не закрыл. С чего начать? Во-первых, окно. Оно закрыто на задвижки и даже заклеено, на подоконнике примостился деревянный ящичек для рукоделия. Открыв крышку, я увидела аккуратно разложенные катушки, иголки, ножницы. Еще на подоконнике красовалась большая ваза со стеклянными нарциссами. У противоположной стены стояла довольно большая кровать со смятым покрывалом и подушками. Степан сильно храпел, и вот уже несколько лет супруги спали в разных комнатах. Я поворошила белье: ничего особенного. Просто постельные принадлежности хорошего качества. На столике у изголовья — маленькая лампочка с абажуром, книга «Инфекционные болезни собак» и пустой стакан. Я понюхала посуду — никакого запаха, скорей всего тут была кипяченая вода. В углу большое удобное кресло, на полке — маленький телевизор. Да, Люлю устроилась тут со всевозможным комфортом. Я потянула дверцы небольшого встроенного шкафа — на полочках царил идеальный порядок, словно хозяйка ожидала, что кто-то станет лазить здесь в ее отсутствие. Аккуратными стопочками высилось белье, чулки и носки лежали в отдельном ящичке. На плечиках висели платья, костюмы, блузки, пиджаки. Внизу — обувь.

Я принялась рыться на полках: ну ничего интересного. Попался альбом со старыми фотографиями. Большинство лиц абсолютно не знакомы, узнаваемы Вольдемар и Фрида в старомодной одежде начала 50-х годов. Потом замелькали снимки Степана. Книги тоже не удивляли — штук десять справочников по ветеринарии, каталоги собачьих кормов, реклама производителей антиблошиных ошейников и капель. Очевидно, вся деловая документация хранилась в кабинете.

Я опустилась в мягкое кресло и еще раз внимательно оглядела комнату. Под диваном валялся какой-то предмет. Преодолев непонятное чувство страха, я приблизилась к месту, где мертвым сном спала Лариса, стала на колени и заглянула под софу. Да, их домработница не слишком хорошо убирает. На пыльном полу лежал флакон из-под чудодейственных таблеток для снижения веса, причем абсолютно пустой. Я повертела находку в руках и снова села в кресло. Интересно, вчера Люлю показывала мне пузырек, заполненный больше чем наполовину. Может, у нее было две упаковки? Я стала читать ярлычок: «Новые таблетки для корректировки фигуры. 400 капсул. Ежедневный прием: по 8 капсул после каждой еды. Перед употреблением посоветуйтесь с лечащим врачом и изучите листок-вкладыш». Открыв пузырек, поднесла его к носу — пахло лекарством, довольно противно и резко. Я вздохнула, крышечка соскользнула с колен и провалилась между сиденьем и ручкой. Чертыхаясь, засунула руку в тесное пространство, хорошо помню, как вогнала себе иголку под ноготь, когда проделывала ту же операцию дома. Крышечка выскальзывала, проваливалась глубже. Наконец удалось подцепить ее вместе с какой-то бумажкой и вытащить наружу.

Бумажка оказалась счетом, выписанным служащим архива загса. В отличие от большинства квитанций, эту заполнили крупным аккуратным почерком: «200 рублей за просмотр книги записи актов бракосочетаний за январь 1947 года». Интересно, что могло заинтересовать Люлю в старых документах? Но меня сейчас волновали таблетки, поэтому, сунув листок в карман, я еще раз оглядела комнату. Так, Лариса скрыла от домашних, что пьет новое лекарство, значит, явно не держала его в общей аптечке. Куда спрячет женщина пузырек? Куда ни за что не станет заглядывать муж? Мои бывшие супруги никогда бы не полезли в пакеты с дамскими прокладками.

Я вновь открыла шкаф и пощупала упаковки «Олвейс». Мягкие, мягкие, мягкие, а в этой чтото есть! Точно! Внутри мешочка обнаружилась полная упаковка и листок-вкладыш. Ага, фирма-изготовитель настоятельно рекомендует не принимать два курса сразу. Сначала 400 таблеток, потом трехмесячный перерыв. Люлю решила не послушаться и выпить 800 капсул подряд, во всяком случае — вот один пустой флакон и один непочатый. Непонятно только, вчера подруга трясла передо мной почти полным пузырьком. Не съела же она все сразу? А вдруг проглотила и поэтому умерла? Нет, так оставлять дело нельзя.

Я выскользнула из комнаты, бросив взгляд на умершую. Люлю смотрела в потолок остекленевшими глазами.

Дом словно вымер, только внизу в холле маялась в инвалидном кресле Фрида.

— Это правда? — кинулась она ко мне.

— Что? — удивилась я.

— Правда, что Лариска умерла? — осведомилась старуха.

Мои глаза внимательно посмотрели на нее. Нельзя же так радоваться, следует соблюсти хоть какие-то приличия. Но Фрида отнюдь не собиралась торжествовать по поводу безвременной кончины невестки. Наоборот, лицо старушки сморщилось, откуда-то из глубины кресла она вытащила носовой платок и принялась вытирать глаза.

— Конечно, — говорила Фрида, шмыгая носом, — она была безродной нахалкой, на которой мой сын женился по чистому недоразумению. Мезальянс совершенно не нравился нам с отцом. К тому же Лариса обладала отвратительным характером, настоящая плебейка и хамка.

— О мертвых говорят только хорошее, — сказала я.

— Да, — согласилась Фрида, — у нее были хорошие задатки. Можно сказать, питомник только и держался ее усилиями. Степан обожает всякие новомодные штучки, так у него собаки дохли, как мухи. Электрические поилки, автоматические раздатчики корма, синтетические подстилки, вроде все по последнему слову, а кобельки тоскуют, сучки воют, и щенки мрут. Люлю постелила в вольерчиках теплые соломенные тюфячки, велела раздавать корм вручную, гладить животных почаще. Выяснилось, собакам не хватает любви. И ветеринаром она была от Бога. Весь городок к ней живность таскал, кого только не лечила: кур, коз, кошек, попугайчиков! Где, интересно, научилась! Что теперь будет? Степе одному не справиться. Как несправедлива жизнь: умереть такой молодой, оставить сиротой ребенка...

И старуха покатила в свою комнату, тихо всхлипывая. Я в полном обалдении смотрела ей вслед. Надо же, Фрида, оказывается, по-своему любила Люлю.

Я взглянула на часы и пошла к себе в комнату — одиннадцать ночи. Если полковник не на работе, то скорей всего он спит. Набрав знакомый номер, стала ждать ответа. Александр Михайлович отозвался лишь на десятый звонок. Я вкратце изложила ему суть дела и услышала легкий шорох у двери. Кто-то явно подслушивал. Бросив трубку, на цыпочках подкралась к входу и с размаху толкнула дубовую створку. Но в коридоре никого не было, только пахло лавандовым мылом. Интересно, кто в доме такой любопытный? Сколько вообще сейчас тут народу? Серж и Лена, Петя и Анна, Кирилл и Диана, Степан, Маша, Миша, кухарка, домработница, Фрида? Нет, Фрида не в счет.

Три года назад старуха Войцеховская совершенно обезножела. Приглашенные специалисты не обнаружили у нее никаких болезней, кроме старости. Обожавший жену Владимир Сигизмундович заказал роскошное инвалидное кресло и переделал все дверные проемы первого этажа. Коляска работает от электромотора, и Фрида управляет ею при помощи пульта, похожего на телевизионный. Вдова может запросто выезжать на улицу, к парадному входу пристроен специальный пандус. В хорошую погоду лучшее развлечение Фриды — поездка в кондитерскую или аптеку. Впрочем, так же запросто добирается она и до рынка, расположенного на другом конце городка. Вот только второй этаж старинного дома недоступен калеке. Коляска при всех примочках не умеет шагать по довольно крутым ступенькам.

Я пошла в комнату к Марусе. Она и заплаканный Миша рассматривали гигантскую поваренную книгу. Увидев меня, мальчик отвел глаза, я молча погладила его по голове, машинально отметив, что волосы у него материнские — рыжие и кудрявые. Вообще сын удивительно походил на мать — белокожий, голубоглазый, с мелкими, словно нарисованными веснушками. От Войцеховских только большой, клювообразный нос.

— Машенька, — ласково сказала я, — хочу поговорить минутку с тобой.

— Пойду спать, — тут же отреагировал Мишка и тенью выскользнул из комнаты.

— Завтра рано утром съезжу в Москву, не волнуйся, к обеду вернусь.

— Зачем? — удивилась Маня.

— Хочу посоветоваться с полковником.

— Тебе что-то не нравится, — протянула Маруся, — думаешь, Люлю умерла не от сердечного приступа?

— Не знаю, — пожала я плечами, — только странно, как можно точно установить причину смерти, просто глядя на тело. Лариса ведь ничем не болела!

— Мусечка, — пробормотала дочь, — не вмешивайся в это дело. Тут все думают, что Люлю скончалась от болезни сердца. Да и кому нужно было ее убивать? Это просто твоя любовь к детективам. Давай лучше вернемся поскорее домой.

Я возмутилась:

— Лариса моя подруга. Так неужели я могу оставаться спокойной, если даже не установлена причина ее смерти? Нет уж, этого я не допущу.

Мы довольно долго спорили, потом Машка залезла в кровать, а я посидела немного возле нее, короче, когда пошла к себе, стрелки часов показывали половину второго. В доме стояла пронзительная тишина. За всеми треволнениями нам забыли подать ужин, и сейчас желудок настойчиво напоминал о себе. Я решила спуститься на первый этаж и поискать какой-нибудь еды. Из комнат не доносилось ни звука. Все спали или притворялись, во всяком случае, нигде не пробивался свет. У двери Люлю я замедлила шаг. Интересно, дремлет ли Степан? И как он себя чувствует, зная, что в соседней комнате лежит мертвая жена?

Вдруг в будуаре послышался легкий шорох и тихий звук отодвигаемого предмета. Я так и подскочила от неожиданности! Конечно, Кирилл профессиональный доктор, но вдруг Люлю уснула летаргическим сном и сейчас пытается проснуться? Тихонечко потянув за ручку, приотворила дверь и посмотрела в щель.

В свете полной луны комната великолепно просматривалась. Несчастная Лариска так и лежала на диване с открытыми глазами. Похоже, к покойной никто ни разу не зашел.

У шкафа, спиной ко входу, стояла Анна и рылась на полках. Секунду я смотрела, как она перекладывает вещи умершей, потом аккуратно притворила дверь и, забыв про голод, пошла к себе. Стало противно. Анна явно искала спрятанное Владимиром Сигизмундовичем сокровище. До сих пор они с Петькой не могли спокойно орудовать в будуаре Люлю. Теперь Анна воспользовалась представившейся возможностью. И никакие покойники ее не смущали. Нет, просто отвратительно! Следовало проучить нахалку.

Я закуталась в простыню, на голову нацепила наволочку и стала похожа на куклуксклановца в белом одеянии. Тапочки скинула, босиком прошлепала к будуару, резко отворила дверь и взвыла замогильным голосом:

— Что ты делаешь в моей комнате, Анна?

Женщина резко повернулась, со стуком выронила какую-то коробку и оцепенела. Продолжая выть, я тихонечко подбиралась к ней. Внезапно Анна издала дикий вопль и, чуть не сбив меня с ног, ринулась в коридор. Она неслась по коврам, гудя, как паровоз. Не ожидая такого сногсшибательного эффекта, я быстрее молнии юркнула к себе в комнату.

Раздались голоса, захлопали двери. Я вышла в коридор. Там уже собрались почти все обитатели дома. Анна, серая, как лондонский туман, повисла на Пете.

— Дорогая, что тебя так напугало? — спрашивал он.

— Там... там, — промычала Анна, — там ходит Лариса.

— Абсурд, — безапелляционно заявила Лена, и я заметила, что среди проснувшихся нет Сержа.

— Она там, — продолжала блеять Анна, — вся в белом и говорит, как из бочки.

Кирилл уверенным шагом двинулся к двери, распахнул ее и зажег свет. Лариса тихо лежала на диване. Лицо ее пожелтело и покрылось какими-то пятнами.

— Вот, — внезапно заорала Анна, — видите коробку? Когда я проходила мимо комнаты, дверь раскрылась, и привидение, уронив шкатулку, жутко завыло.

Все уставились на пол. Я усмехнулась, надо же, какая лгунья! И главное, не могу ее уличить.

— А что ты делала ночью в коридоре? — внезапно поинтересовался Кирилл.

— Пошла в аптечку за лекарством, сердце заболело, — не моргнув глазом соврала нахалка.

— Ладно, — прошелестел Степа, — все перенервничали и издергались. Нечего сказать, хорошие праздники получились. Надо ложиться.

— Бедная мамочка, — внезапно зарыдал Мишка, — лежит совсем одна.

Доктор взял мальчика под правый локоть, Маруся под левый, и они повели сироту в спальню. Петр стал подталкивать Анну. Степан исчез. Остались только я и Лена.

— Бред какой-то, — проговорила девушка резко, — вы верите в привидения?

Я покачала головой и пошла вместе с ней по коридору.

— Ладно, — пробормотала Лена, — пойду подремлю.

Она толкнула дверь, и я увидела в большой кровати Сержа, вполне по-семейному читавшего книгу. Поняв, что любовник обнаружен, Лена быстренько скользнула внутрь. Да, похоже, со смертью хозяйки все в доме перестали стесняться.

Глава 6

Снег прекратился, дорога подсохла, и я добралась до Москвы очень быстро. Ночью не сомкнула глаз, поэтому выехала рано и ворвалась в кабинет к полковнику около девяти утра.

— Да, дело, очевидно, серьезное, если ты встала в такую рань, — захихикал приятель.

Пропустив мимо ушей подковырку, я постаралась спокойно изложить суть дела. Тот посерьезнел, а к концу рассказа пришел в негодование:

— Ну профессионалы! Позор просто.

Он помолчал и после паузы продолжил:

— Тут есть небольшая сложность. С чего бы это мне вмешиваться в дела провинциалов? Вот если поступит жалоба на неправильно ведущееся следствие, тогда дело другое. Знаешь, садись, пиши заявление на мое имя, изложи факты.

— Зачем? — искренне удивилась я.

— Милиционеры жуткие бюрократы, — ухмыльнулся приятель, — зарегистрирую бумагу и с полным основанием сделаю отбивную котлету из оригиналов, определивших причину смерти на глазок.

Так и поступили. Александр Михайлович позвонил в местное отделение милиции и устроил жуткий разнос, пообещав взять дело под личный контроль.

— Все, — сказал он, опуская трубку на рычаг, — теперь по крайней мере произведут вскрытие. Возвращайся спокойно назад.

И я снова покатила к Войцеховским. В доме творилась жуткая суматоха. Внизу у входа стоял небольшой фургон, санитары запихивали в него носилки. На улице толпились зеваки. Я загнала «Пежо» под навес и вошла в дом.

— Вот она, — заорал Петька, весьма невежливо тыча в меня пальцем.

— Объясните, зачем побежали в уголовку с дурацкими заявлениями, — крикнула Анна.

— Боже, какой позор, — стонал Степан, — теперь все подумают, что Люлю покончила с собой, раз начато расследование! Какой стыд! Ну кто тебя просил вмешиваться, кто уполномочил действовать от имени нашей семьи? Ясно как божий день, что Люлю скончалась от сердечного приступа. Ну к чему ненужные дознания!

Я удрученно молчала, кажется, все в доме хотят побыстрей закопать несчастную Лариску и забыть о происшедшем.

— Ну-ка, замолчите, — раздался за спиной громовой голос, и Фрида вкатилась в гостиную, —

это я велела Даше съездить в Москву и потребовать, чтобы расследованием занялись настоящие профессионалы, а не наши придурки!

— Мама, — в один голос вскрикнули Степан и Петя, — ты совсем из ума выжила.

— А ну молчать! — рявкнула Фрида, и сыновья тут же заткнулись. — Не я сумасшедшая, а вы полные идиоты. Да те же соседи начнут за спиной судачить, что Войцеховские убили невестку и сделали все, чтобы избежать ответственности. К вашему сведению, от нас сегодня ушла домработница. Приехала ее мать и сообщила, что не может разрешить дочери работать в доме, где убивают людей. А так мы получим бумагу, где черным по белому будет написано, что Лариска умерла в результате болезни. И тогда рта никто не посмеет открыть. Так что, ослы, извинитесь перед Дашей и поблагодарите ее за хлопоты. И еще, советую обращаться со мной уважительно, дом приватизирован на мое имя. Будете хамить — завещаю его приюту для собак.

С этими словами старуха выкатилась в коридор. Никто не проронил ни звука.

— Мама становится невыносимой, — вздохнул Степан. — Прости, Даша, мы не знали, что все придумала Фрида. Жаль, конечно, что ты нас не предупредила, но ничего не поделаешь. Кстати, милиционеры велели всем находиться дома, хотят каждого допросить.

Я покинула гостиную и пошла искать Фриду. Старуха сидела в своей комнате и раскладывала мулине. Несмотря на свои восемьдесят, вдова сохранила острое зрение и вышивала небольшие картины для родственников и знакомых в качестве подарков на Новый год и дни рождения.

— Люлю была моей подругой, — начала я оправдываться прямо с порога, — и хотелось...

— Прекрати, — прервала меня Фрида, — абсолютно правильно поступила. Люлю — противная баба, но она носила нашу фамилию, а Войцеховские никогда не были замешаны ни в одной грязной истории.

Извинившись перед старухой, я решила еще разок заглянуть в будуар Ларисы: вдруг найду что-нибудь стоящее. Но только принялась оглядывать полки, как послышались шаги, и кто-то вошел. Ужасно! Еще подумают, что ищу сокровище! Я быстро залезла под кровать, но из-за длинного покрывала сумела рассмотреть только элегантные темно-серые лодочки на изящном каблуке. Женщина села на диван. Интересно, что она делает? Ничего не видно, ноги неподвижны.

Тут дверь снова открылась, и появились мужские ботинки — коричневые, из крокодиловой кожи, с небольшими пряжками. Я услышала звук запираемого замка и увидела, как мужские ботинки приблизились к туфлям. Все происходило в полном молчании. Я терялась в догадках. На пол упали юбка и нижнее белье. Туфли и ботинки остались пустыми, зато начал тихо поскрипывать диван. Ситуация стала пикантной. Больше всего я боялась чихнуть или кашлянуть, чтобы не испугать до полусмерти незадачливых любовников. Господи, зачем им понадобилась для этого комната покойной?

Парочка между тем тихонько оделась и покинула поле страсти. Постанывая, я вылезла из-под кровати. Не так уж комфортно лежать на холодном, пыльном полу. Искать улики расхотелось, и я вернулась в гостиную, намереваясь выпить в неурочный час чашечку кофе. Там я застала Лену, с рассеянным видом искавшую что-то в большой коробке с пуговицами. В глаза мне бросились ее практичные бежевые мокасины.

— Неприятная история, — пробормотала Лена, не поднимая головы.

— Вы ведь ее племянница? — решила я завести разговор. — Но насколько мне известно, у Люлю не было братьев и сестер?

— Она просто звала меня племянницей, — грустно проговорила девушка, — хотя на самом деле моя бабушка приходилась сестрой ее бабушке. Вот такие дальние родственные связи.

В гостиную медленно вошла Диана.

— Ну и скучища, — сказала она, — ничего себе праздники. Хозяйка умирает, хозяин запирается в кабинете, а гости ждут допроса.

Мы с Леной промолчали. Девушка искала пуговицу, а я во все глаза глядела на элегантные темно-серые лодочки Дианы. Так, Джульетта обнаружена. Кто же Ромео? Он не заставил себя ждать. В гостиную буквально влетел Петька со словами:

— Приехали менты, собираются учинить всем допрос.

Коричневые ботинки из крокодиловой кожи с золотыми пряжками совершенно не гармонировали с его синими брюками и черным свитером. Значит, Диана и Петька? Славная пара: жук и жаба. Понятно, почему эти Тристан с Изольдой спрятались в будуаре. Боялись грешить в спальнях, куда в любую минуту могли войти их супруги.

На следующее утро я предложила отвезти к себе домой Мишу с Машей. Степан обрадовался:

— Чудесно, мальчишка слишком сильно переживает. Сегодня отдадут тело, и через несколько дней похороним Люлю.

Но Степан ошибся. Ларису не отдали. Более того, когда во второй половине дня я вернулась, в гостиной царило необычайное возбуждение. При вскрытии в организме Люлю было обнаружено такое количество стрихнина, что его хватило бы для убийства десятерых солдат.

— Причиной смерти явилось отравление, — смущенно объяснял пожилой милиционер. — Лариса Войцеховская оказалась абсолютно здоровой, только небольшие камни в желчном пузыре. Скажите, у нее были причины для самоубийства?

— Никаких, — фыркнул Степан. — Мы чудесно жили, вполне успешно занимались бизнесом, вообще Лара обладала на редкость жизнерадостным характером, почти никогда не унывала, не помню ее плачущей. Нет, жену отравили, и я хочу знать, кто это сделал!

— Не так давно Люлю купила банку отравы для крыс, — спокойно сообщил Петр, — один раз она уже перепутала упаковки и «посолила» стрихнином суп. Может, еще раз ошиблась и положила себе в чай яд вместо сахара? Лариска накладывала в чашку по пять ложек песка!

Милиционер прилежно записывал сведения в блокнот.

Ближе к вечеру я стала упаковывать сумку. Хватит, больше не могу, поеду домой. Вещи валились из рук. Ладно, схожу к местному мяснику, привезу детям в подарок пару банок чудесного паштета.

Я спустилась на первый этаж и пошла на кухню спросить кухарку, у кого она покупает волшебный паштет. Но кухарки не было, зато я увидела там Петю и Диану, которые о чем-то шептались.

Ужасно любопытно, вход в кухню в самом конце темноватого коридора, никто не заметит, если подслушаю.

— Ты уверена, что нашла алмаз? — взволнованно спросил Петя.

— Гляди, — отвечала Диана, — видишь, какой большой! Даже не представляю, сколько карат. Надо съездить в Москву, оценить.

— Молодчина, — обрадовался Петя, — давай его сюда, завтра же с утра и отправлюсь.

Диана тихонько засмеялась:

— Нет, дорогой, нашла-то я, мне и оценивать. Что в завещании сказано? Сокровище принадлежит тому, кто его отыщет. И если это настоящий брильянт...

— То что? — ухмыльнулся Петька.

— То нам вовсе не обязательно рассказывать всем о находке. Просто исчезнем, и все, начнем новую жизнь.

Послышался звук поцелуя.

— Как ты думаешь, — спросила через секунду Диана, — кто убил Ларису?

— Язык у нее длинный был, — сообщил Петя, — вечно намекала, что в курсе всех гадостей. Мне с этакой ухмылочкой сообщила, что я изменяю Анне. «Знаю, знаю, — говорит, — с кем проводишь свободное время». И Лене что-то сказанула, сам видел, как девица из ее комнаты вылетела вся красная. Ладно, пошли отсюда.

Я быстро побежала в холл. Как ни печально, но Петька прав. Была у Люлю такая слабость — намекать людям на их тайны. Конечно, шантажисткой ее не назовешь, потому что выгоды от этого она не имела никакой. Но удовольствие получала колоссальное. Помню, как Лариса в присутствии одного незнакомого мне мужчины всерьез рассуждала о том, что венерические заболевания передаются из поколения в поколение, как ни лечи. То есть если ваша бабушка болела сифилисом, то и вы получите рано или поздно эту болячку.

— Знаю как врач, — уверенно щебетала подруга, — это новые данные, просто революция в науке.

Гость стушевался и быстро откланялся. После его ухода я спросила у Лариски:

— Что за чушь ты только что несла о венерических заболеваниях?

Люлю радостно рассмеялась:

— Здорово он удрал, в момент исчез. До чего же противный! Все набивается к Степке в друзья, деньги без конца одалживает. И вдруг маленькая птичка принесла на хвосте пикантную подробность. Его мать, оказывается, скончалась в больнице для хроников от незалеченного сифилиса. Надеюсь, больше никогда не встретимся.

Наверное, поэтому у Лариски было так мало подруг. Ну кому хочется в разгар приятного вечера услышать о себе полную правду. Ладно бы избавлялась таким образом от врагов. Так нет же, порой просто не могла удержаться. Огневы перестали появляться в доме после того, как Люлю намекнула, что знает о трех годах, проведенных женой за решеткой. Комаровы исчезли в результате невинного сообщения о том, что многие дети умирают, не дожив до года. А позднее я узнала о таинственной смерти несколько лет тому назад сына Наташи Комаровой. Младенец задохнулся во сне, оставшись наедине со своим отчимом. И уже совсем непонятно, почему обиделись Волковы. Лариска крайне мило рассуждала об умственных способностях различных рас, отметила тщательность китайцев, вежливость англичан и глупость негров. Кто мог подумать, что дедушка Гены Волкова выходец из Алжира, да еще и негр в придачу? Тут вообще не на что обижаться! Печально другое — и Огневы, и Комаровы, и Волковы добрые друзья Войцеховских, и, если бы не любовь Люлю к безудержному выбалтыванию чужих тайн, дружба длилась бы и по сию пору.

Интересно, что и кому сказанула Ларка накануне своей гибели? У кого в доме есть страшная тайна, для сохранения которой понадобилось убить болтунью? И как вообще ее отравили, куда насыпали яд? Обедали мы без нее, уставшая Люлю заснула. Степан послал за женой Мишу, но мальчик не стал будить мать. Утром все завтракали вместе. Насколько помню, в тот день подали омлет с сыром, тосты, джем, масло, сахар, кофе и чай. Омлет лежал на большом блюде, и каждый сам брал понравившийся кусок. Скорей всего никакого яда там не было. Глупо засовывать отраву в еду, которая может не достаться «клиенту». Кофе насыпали из общей банки, чай пила только Маруся, масло мазали все, да и джем тоже. Сахар, конечно, безвреден. Нет, за завтраком все было в порядке. И потом, слопав слоновью порцию отравы, Лариска не сумела бы принять тяжелые роды. Что ела и пила несчастная между завтраком и несостоявшимся обедом? Я пошла на кухню. Кухарка Войцеховских, необъятная Катька, лакомилась кофе со сгущенкой.

— Угостите чашечкой Nescafe, — стала я подбираться издалека к цели своего визита, оглядывая гору посуды, оставшуюся после ужина.

Приветливая Катерина налила большую кружку ароматного напитка и принялась причитать:

— Бедная Лариса, вот ужас! Как она отравилась?! Ума не приложу.

Всхлипывая, Катька поведала, что Люлю терпеть не могла возиться на кухне. И это очень устраивало кухарку. Хуже нет, когда хозяйка вечно сует свой нос в кастрюли. Лариса же только заказывала меню и никогда не ругалась, если Катерина вдруг вместо предполагаемого мяса подавала рыбу. Люлю не делала замечаний и не давала советов. Сама становилась к плите крайне редко. Именно в тот день, когда Катя отправилась на похороны своей матери, Люлю и перепутала стрихнин с солью.

— Владимир Сигизмундович кричал, что она решила его отравить, — сплетничала кухарка, — но, по-моему, он сам в это не верил. Люлю такая беспечная! Побежала травить крыс в питомнике, потом поставила банку на стол и давай суп готовить. А банки-то все одинаковые.

И она показала рукой на ряды белых фарфоровых емкостей.

— Надо же было догадаться и насыпать отраву в одну из них, — недоумевала Катька, — а накануне она крепко поругалась со стариком. Уж не знаю, что у них там вышло, но я заглянула вечером в столовую, а они почти в темноте шипят друг на друга, как змеи. Увидели меня и замолчали, — старик красный, как помидор.

— Не помните, в день смерти Лариса заходила на кухню?

— Забегала.

— А зачем?

Кухарка замялась, потом махнула рукой и рассмеялась.

— Ладно уж, расскажу, теперь все равно. Лариса давно пыталась похудеть, старуха ее изводила, то коровой назовет, то лошадью! Вот и травилась всякими препаратами, да без толку. А тут прибегает, веселая, и таблетки показывает: «Смотри, Катерина, никому не говори, теперь точно стану стройной. Хочешь попробовать?» Меня Господь тоже телом не обидел, но есть лекарства не собираюсь, так и сказала. А хозяйка рассмеялась и давай капсулы глотать. За тем и приходила, чтобы никто не видел, что она новое средство нашла, и не насмехался над ней.

Посудачив еще немножко со словоохотливой Катериной и выслушав ее сетования о глупых домработницах, боящихся невесть чего, я пошла к себе.

Капсулы, вот что ела Лара! И скорей всего, отраву подсыпали именно туда. Кстати, а где сейчас хранится банка с ядом? Пришлось вернуться на кухню.

— Степан Владимирович велел держать отраву в кладовой, — сообщила Катя, — стрихнин насыпали в небольшую стеклянную банку с притертой пробкой и наклеили на нее бумажку «яд», чтобы опять не ошибиться.

Я заглянула в небольшое помещение, где стояли коробки со стиральным порошком, средства для натирки полов и мебели, разнообразные аэрозоли. Но нигде на полках не обнаружилось ничего похожего на банку с отравой. Яд простонапросто испарился.

Глава 7

Искать убийцу следовало среди домашних. В этом я была абсолютно уверена. Пока узнала только одну тайну, известную Люлю, — Петя и Диана любовники. Но это показалось мне слишком мелким, подумаешь, изменяют супругам, эка невидаль. Немного больше надежды я возлагала на квитанцию, найденную в кресле. Что искала Люлю в хранилище?

Утром, сославшись на неотложный визит к зубному врачу, помчалась в архив. В просторном читальном зале не было ни души, только миловидная средних лет служительница, поглощенная чтением. Взяв у меня 200 рублей, женщина принесла довольно тяжелую книгу. Я открыла пахнущий старой бумагой переплет. Перед глазами замелькали фамилии тех, кто в январе 1947 года сочетался браком. Я листала страницы, недоумевая, что могло тут заинтересовать Люлю. Наконец глаз наткнулся на знакомые имена: 16 января, 13.15, Владимир Войцеховский и Фрида Капстыньш, адрес жениха — Комарово, адрес невесты — Хлебный переулок. Свидетели: Софья Михайлова, проживающая на улице 8 Марта, и Константин Косов — Хлебный переулок. Возле фамилий свидетелей тоненький восклицательный знак. Я нашла то, что интересовало Люлю.

День сегодня выдался чудесный, больше похожий на весенний. Резко потеплело, снегопад прекратился, из-за туч выглянуло веселое, яркое солнце. Я села в «Пежо» и, закурив, стала рассматривать подробную карту Москвы.

К моему глубокому удивлению, дом в Хлебном переулке стоял, как и в 1947 году. Правда, теперь его украшала вывеска «Отель». Конечно, гостиницей здание можно было назвать лишь с большой натяжкой. Маленький двухэтажный домик. Правда, фасад аккуратно выкрашен. Внутри, в небольшом холле уютно выглядели два кожаных дивана и кресла, слева дверь, украшенная табличкой «Главный администратор». Распахнув ее, я увидела за серым офисным столом приятного юношу.

— Что желаете? — спросил он, улыбаясь.

Я тоже улыбнулась.

— Вы навряд ли мне поможете. Нет ли среди служащих людей пожилого возраста?

— Сомневаетесь в моей компетенции? — удивился парень. — Впрочем, если надо, могу позвать хозяина, хотя работаю тут уже пять лет и до сих пор справлялся.

— Нет, нет, — успокоила я его. — Просто разыскиваю одного человека. Он жил в этом доме в 1947 году.

— Да, — засмеялся администратор, — меня еще и на свете-то не было. А кого, если не секрет?

— Константина Косова.

— Ха, — мальчишка в ажиотаже стукнул кулаком по столу. — Это ведь мой дед, и вы, кстати, вторая дама, которая разыскивает его.

— А как выглядела первая?

— Полная такая, высокая и веселая тетка в бежевом пальто. Прикатила на темно-зеленом «Вольво».

Так, все верно, иду по следу Люлю.

— Можно увидеть вашего деда?

— Запросто, сейчас позвоню, и старик обязательно вас пригласит, он обожает гостей, в особенности женщин.

Парень принялся тыкать пальцем в кнопки телефона, и через пару минут я уже поднималась по узкой лестнице. Последняя дверь в конце коридора распахнулась, и на порог ступил высокий, стройный мужчина, совершенно непохожий на дедушку. Сколько же ему лет? Если в 1947 году он был свидетелем на свадьбе, значит, сейчас ему где-то около семидесяти, не меньше. Но как здорово выглядит.

— Это вы прелестная особа, разыскивающая дряхлого Константина Сергеевича Косова? — хорошо поставленным голосом спросил мужчина и засмеялся, приглашая меня войти. За дверью оказалась не комната, а целая квартира. В небольшой кухоньке кипел чайник, наполняя резким свистом прелестную гостиную, куда Косов провел меня.

Необыкновенно уютная комната, но сразу видно, что здесь живет холостяк. Пепельница полна окурков, на спинке стула висит пиджак, посередине круглого обеденного стола разлегся крупный персидский кот. Ни одна хозяйка не потерпит такого беспорядка в ожидании неизвестной гостьи.

— Хлебнете коньячку? — предложил хозяин.

— Спасибо, за рулем.

— Подумаешь, — отмахнулся Константин Сергеевич, — рюмочка не повредит.

— Нет-нет, лучше кофе.

— Кофе так кофе, — покладисто сказал Косов и заварил немыслимую бурду, куда щедро налил сливок и насыпал четыре ложки сахара.

Из кухни появился второй кот и прыгнул мне на колени. Константин Сергеевич достал кекс и хлеб с изюмом.

— Угощайтесь, — радушно пропел он, — уж я-то знаю, как девочки любят сладкое.

В мои сорок с хвостом я, видимо, показалась ему совсем юной. В гостиной с нераздвинутыми до конца тяжелыми гардинами было темновато. Я маленькая, щуплая, с короткой стрижкой, вот и смотрюсь подростком.

— Чему обязан? — церемонно осведомился хозяин, откидываясь в кресле.

Отхлебнув немыслимый напиток, я спросила:

— Знали ли вы когда-то Фриду и Владимира Войцеховских?

Косов удивился:

— Вот уже вторая дама интересуется моими друзьями. Да, я хорошо знал Вольдемара и даже был свидетелем на их свадьбе.

— И часто потом встречались?

— Очень близко дружили до поездки Вольдемара в Ленинград, а потом он вернулся, женился на Фриде, и они отправились в Ригу, так что я потерял с ними связь.

Я тряхнула головой, пытаясь оценить информацию:

— Вольдемар часто ездил в Ленинград?

— Да нет, если знаете, он служил ветеринаром, работал в Подмосковье, кстати, хорошо зарабатывал. Поездкой в Ленинград его премировали за ударную работу. Была такая форма поощрения сотрудников.

— Не знаете, где они познакомились с Фридой?

— О, это романтическая история. Оказались рядом на концерте в Питерской консерватории, оба обожали классическую музыку. Фрида — латышка, все ее родственники погибли в войну, во время бомбежки, и бедная калека осталась одна-одинешенька.

— Калека?

— Вы не знали? Фрида слепая на один глаз, а второй еле-еле видит, к тому же с трудом переносит яркий свет, поэтому девушка постоянно ходила в темных очках.

— Как? — оторопела я, вспомнив, что только вчера «полуслепая» старуха громко выговаривала кухарке, обнаружив в масленке волос.

— Ужасная трагедия! Во время бомбежки в Риге у Фриды на глазах погибли отец, мать и сестры. Молодая женщина от шока потеряла зрение, — истерическая слепота. Потом, к счастью, один глаз почти восстановился. Сейчас покажу фотографию, мы снялись на память после бракосочетания.

Пока я в растерянности переваривала услышанное, мужчина вынул из секретера большой альбом и продемонстрировал слегка пожелтевший снимок. Молодой Вольдемар в старомодном пиджаке с невероятно широкими лацканами и белой гвоздикой в петлице нежно держал за руку очаровательную Фриду. Надо же, какая красавица! Ни за что бы не подумала. Просто Мерилин Монро. Белокурые волосы, чудесный рот. Роста она была небольшого, едва доставала мужу до плеча, с осиной талией, которую, казалось, можно обхватить двумя пальцами. По бокам с гордым видом стояли свидетели — буйнокудрявый Константин, тоненький, похожий на барашка, ребенок и крупная девушка со слегка лошадиным лицом.

Господин Косов грустно похлопал себя по лысине:

— Да, были когда-то и мы рысаками. Расчески просто ломались, не то что теперь — замшевой тряпочкой лысинку полирую. Смотрите, вот у Фриды темные очки, пол-лица закрывают, а жаль, она такая хорошенькая.

— Как Владимир Сигизмундович познакомил вас с Фридой?

— Просто. Привел сюда, в Хлебный переулок. Видите ли, у меня по тем временам была непозволительная роскошь — собственная квартира. Вот эта самая. Москвичи после войны жили просто в ужасающих условиях, сплошные коммуналки. Номер в гостинице, конечно, не достать. Только командированные по броне проживали. Отвезти Фриду к себе домой Вольдемар не мог. Снимал комнату у хозяйки, и та запрещала приводить женщин. Так Фрида оказалась у меня и жила, раздражая Соньку, до самой свадьбы.

— Кто такая Сонька?

Константин Сергеевич ткнул пальцем в снимок, указывая на девицу с лошадиным лицом:

— Вот она, Соня Михайлова, Софья Петровна. А рядом сынок — Федька. Походил на ангела, а на самом деле сущий чертенок, я из-за него и не женился на Соне, пришлось бы это сокровище воспитывать. Конечно, Соньку злило, что здесь поселилась посторонняя девушка, к тому же такая хорошенькая и воспитанная. Соня-то из деревни, все ложкой ела, а Фрида из Риги, по тем временам — жуткая заграница. Только обедать сели, гостья и спрашивает: «Простите, можно салфетки?» Я было к буфету, а Сонька и сообщает: «А на фига тебе салфетки, поешь и умоешься, еще деньги на бумагу тратить». Я так и покатился от хохота. А Фрида только улыбнулась и вежливо произнесла: «Вы правы, умыться намного экономней». Гостья прожила две недели, а после свадьбы они отправились в Ригу. Вроде там у новобрачной остался дом и какое-то наследство. Короче, подробностей не знаю. Уехали и как в воду канули: ни писем, ни открыток. Странно даже, одно время думал, они умерли.

На самом деле непонятно! Интересно, что сказал бы Константин Сергеевич, узнай он о местожительстве Войцеховских? Почему приятель наврал о переезде в Ригу и прекратил всякие отношения?

— Софья Петровна жива? Не знаете?

Косов вытащил легкие ментоловые сигареты и со вкусом закурил.

— Что ей сделается? Жива-здорова. Вышла замуж за сельского жителя, поселилась в Комарове, коров держит. Ну да там ей и место.

— В Комарове? — изумилась я. Ну надо же, какое совпадение.

И, узнав у Косова адрес, поехала к Михайловой.

Судя по всему, та не бедствовала и вполне успешно занималась фермерством. Большой добротный дом, в глубине участка кирпичный коровник, два гаража, у центрального входа стоят блестящие «Жигули».

В холл меня впустила девочка возраста Маши. Потом появился ее отец. Я сразу узнала его. Тщедушный, похожий на барашка мальчик превратился в грузного, красномордого мужика. Но глупые бараньи глаза навыкате остались теми же. Следом за сыном и внучкой вышла, вытирая руки о фартук, Софья Петровна, крупная, с большой челюстью и внушительным носом.

— Проходите на кухню, — проговорила она. — Костя позвонил мне и сказал, что хотите поговорить о Войцеховских. Только никак не возьму в толк, зачем они вам понадобились?

И она уставилась на меня в упор семейными выпученными глазами. Надо же, какая подозрительность. Пришлось спешно придумывать весомый повод.

— Адвокатская контора поручила разыскать Фриду или каких-нибудь ее родственников. Речь идет о наследстве, — торжественно соврала я.

— Деньги к деньгам, — вздохнула Софья Петровна и хитро спросила: — И давно ищете?

Я растерялась.

— Недели две, а что?

— А то, — захихикала старуха, — что Войцеховские живут совсем рядом. Их кухарка покупает у меня творог, сметану и сливки. Наши продукты даже в Москве известны. Бедные москвичи, редко удается им полакомиться настоящим молоком. Хотите попробовать?

И она стала наливать из красного кувшина белую жидкость. Я вздохнула. Ненавижу молоко, пить его просто так не могу вовсе, а вид пенки вызывает рвотные судороги. Здесь же передо мной оказалась огромная кружка, сверху плавал желтый остров. Отказаться невозможно, старуха обидится и не скажет ни слова. Стараясь не дышать, я в три огромных глотка осушила емкость, чувствуя, как скользкий комок пенки медленно стекает в желудок. Софья Петровна смотрела на меня во все глаза.

— Правда вкусно?

Еле переведя дух, я утвердительно кивнула.

— Хотите еще? — и ее рука опять потянулась к кувшину.

Я в ужасе затрясла головой:

— Нет-нет, очень сытно, просто как пообедала.

Софья Петровна расплылась в довольной улыбке:

— Это молоко от Марианны, оно и впрямь жирное, как сало.

Меня передернуло, и выпитое содержимое кружки стало медленно подниматься наверх. Судорожными глотками отправив его снова вниз, я сказала:

— Как же так? Живут рядом, а вы не общаетесь, да и господин Косов уверен, что Владимир Сигизмундович с Фридой живут в Риге! Почему они от него скрылись, вроде хорошие друзья!

Софья Петровна от души расхохоталась:

— Костя! Да он жуткий бабник, до сих пор при виде любой юбки дрожит! Спорю, строил вам глазки! Только сейчас-то силы подрастерял, а в молодости никого не пропускал. Я поэтому за него замуж и не пошла, хотя была бедной девчонкой, а у него квартира. И правильно сделала! Константин пять раз женился, и все жены убегали, не прожив с ним и года. Как только Вольдемар привез эту хитрюгу Фриду, Костик сразу хвост распушил. Только она притворялась полуслепой латышкой и делала вид, что ничего не понимает.

Тогда он распустил руки. Фрида пожаловалась Вольдемару, и дружба врозь.

— Почему вы решили, что Фрида прикидывается?

Софья Петровна прищурилась:

— И решать-то нечего, все видно. Во-первых, вещи. Я заглянула в ее саквояж. Две кофты, одна юбка и пара белья — все новое, купленное в Москве, даже чулки наши. Знаете, как после войны было с чулками? Ни за какие деньги не купить! Их привозили контрабандой из Риги. Вся Москва щеголяла в рижских фильдеперсовых. А эта латышка где-то раздобыла московские! Разве не странно? Логично было прихватить с собой целый чемодан чулок, чтобы потом не бегать по черному рынку. Так нет! Губная помада и пудра тоже наши, и обувь такая, как у всех!

Фриде удалось Вольдемару мозги запудрить, и Костя тоже поверил в сказочку о погибших родственниках, все жалел нахалку! А уж что она из себя корчила! Утром двадцать минут моется, вечером — полчаса! Просто как шахтер. Сели ужинать — эта цаца без ножа есть не может, салфетки потребовались, туалетная бумага. Я без всего этого великолепно обходилась. И никакая она не латышка, и видела превосходно, кругом одна ложь.

— А это почему? — поинтересовалась я.

— Моя сестра училась на парикмахера, и ей подарили журнал с прическами. Картинки, фотографии, а внизу описание, как стричь. Нужная вещь, Надька все расстраивалась, что прочесть не может, — издание на латышском языке. Так он у нас и валялся без толку. Только Фридка появилась, я к ней, — переведи! Та журнал в руках повертела и сообщает, что плохо видит, шрифт слишком мелкий. Но я настырная, давай, говорю, вслух прочту. А эта «латышка» принялась смеяться: произношение неправильное, и ничего она не разбирает. Только, по-моему, просто языка не знала. Да еще с Вольдемаром в кино ходила. Хороша слепая! Правда, потом говорили, что Фрида в кино ничего не увидела. Но меня не проведешь! Никакая она не латышка!

— А кто? — изумилась я, окончательно растерявшись.

— Немка! После войны немцев ненавидели, а в Риге их много было. Вот Фридка и соврала, чтобы жить спокойней. Только сейчас ложь потеряла всякий смысл. К немцам хорошо относятся, позабыли про Гитлера и войну. Так нет, твердит до сих пор, что латышка, смех!

Глава 8

Записав хорошо известный мне адрес Войцеховских, я поехала к ним и успела как раз к обеду. Суп подали ровно в пять. Все молча расселись. Только Степан опустил половник в супницу, как в столовую вкатилась Фрида и швырнула на стол газету. Издание угодило прямо в салат, и жирные пятна майонеза попали Петьке на пиджак.

— Мама, — возмутился тот, — ты с ума сошла?

— Я нормальная, — неожиданно спокойно сообщила Фрида, — псих кто-то из вас. Прочитайте!

Степа вытащил газету, обтер ее салфеткой и зачитал вслух сообщение, жирно обведенное красным фломастером:

— «Трагедия в семье Войцеховских. Лариса Войцеховская, хозяйка питомника йоркширских терьеров, найдена мертвой в своей спальне. Несчастную отравили крысиным ядом. Наш репортер взял интервью у господина Криппена[1], который проводит в доме новогодние праздники. «Господин Криппен, что вы можете рассказать о происшедшем?» — «Всю правду. Лариса оказывала разнообразные услуги китайской разведке. Шпионские сведения передавались в коробках с собачьим кормом. В частности, она продала Пекину рецепт и технологию производства хлебного кваса, который является национальным достоянием России. К тому же Люлю состояла в противозаконной связи с послом Пекина в России господином Жэньминь Жибао. Вполне вероятно, что от женщины решили избавиться маоисты». — «Откуда Лариса знала китайский язык?» — «Разве вам не известно, что ее мать китаянка?» — «Нет, мы только предполагаем, что Фрида Войцеховская латышка». — «Тогда вы знаете не всю правду. Мать Ларисы — китаянка, а отец — странствующий эскимосский проповедник». — «Вы рассказали обо всем милиции?» — «Нет, сообщил вашей газете эксклюзивные сведения». Читайте наши новости, только мы получаем новейшую информацию. Ольга Семенова, специальный корреспондент».

Секунду все растерянно молчали. Потом Диана захихикала и спросила:

— Вот это да! Кто же из вас господин Криппен?

— Не нахожу здесь ничего смешного, — процедила старуха, — половина городка — идиоты. Они поверили заметке. То-то на меня так стран-

---

[1] Харви Криппен, лондонский врач, убивший в начале века с особой жестокостью свою жену, был разоблачен и казнен. Имя Криппена стало таким же нарицательным, как имя Джека-Потрошителя.

но смотрели на почте и в аптеке. Ну, быстро признавайтесь, в чью голову пришла светлая идея так пошутить?

Кирилл развел руками:

— Каюсь. Когда ненормальная репортерша налетела на меня с диктофоном, сразу назвался Криппеном. Думал, поймет и тут же отстанет. Смотрю, проглотила и как ни в чем не бывало вопросами сыплет. Решил подшутить над дурой. Полагал, что вернется в редакцию, а там начальники прочтут интервью и дадут идиотке по шапке. Ну кто мог подумать, что эти кретины все напечатают? За версту видно, что бред!

— Тебе видно, — завелся Петька, — а нам тут жить. Мать права, чертовы провинциалы начнут пальцами в нас тыкать. Пришло же в голову так пошутить!

— Надо дать опровержение, — заметил врач.

— Правильно, — подхватил Степан, — Кирилл сейчас пойдет в редакцию и скажет, что пошутил.

— Ага, и буду выглядеть полным идиотом, — буркнул Кирилл.

— Ты подумал, как выглядим мы? — вспылил Петька. — Да Мишке в школе дети проходу не дадут. Пойми, здесь не Москва, где поговорили и забыли. Тридцать лет тому назад молочница Верка убила своего мужа. Суд оправдал ее, муженек был пьяной свиньей и регулярно избивал бедняжку до полусмерти. И что ты думаешь, кое-кто до сих пор не покупает у нее молоко, а внук вынужден посещать школу в соседнем городке. Одноклассники все спрашивали его о бабушке-убийце. Тридцать лет помнят! Идиотская шутка.

— Опровержения не помогут, — сообщила Лена, — все и так уже поверили в китайскую шпионку. Ладно бы на похороны могла приехать мать

Люлю. Глянули бы и поняли, что никакая она не китаянка. Так тетя Маргарита умерла! Лучше всего, если милиция отыщет киллера. Тогда он расскажет, зачем убил Люлю, и все заткнутся.

Наступило молчание. В тишине лишь позвякивали столовые приборы. Молчание нарушила Диана:

— Смотрите! — Женщина вытащила из кармана большой брильянт и положила на стол. Огромный, размером с крупное куриное яйцо камень переливался всеми цветами радуги. Свет от люстры дробился в многочисленных гранях, и корунд горел словно елочная лампочка.

— Да, — выдохнул Степа, — ты нашла наше сокровище, где?

— В чучеле совы, — ответила Диана. — У тебя в кабинете стоит жутко грязная сова, ужасная вещь, никогда бы не смогла стать таксидермистом. Хотела взять книгу, подвинула чучело. Оно показалось слишком тяжелым. Я распотрошила его, и, пожалуйста, забирайте брильянт, мне чужого не надо. У нас с Кириллом и так все есть, правда, дорогой?

Кирилл кивнул, не сводя глаз с драгоценного булыжника. Я молча глядела на Диану. Значит, она сегодня съездила в Москву, оценила камень, узнала, что это подделка, и решила продемонстрировать Войцеховским свою преданность и честность. Анна спокойно ела суп, Петька мирно намазывал хлеб маслом. Фрида протянула сухонькую ручонку и ухватила корунд, внимательно оглядела его и произнесла:

— А я все гадала, куда подевалась пробка от кувшина.

— Что ты хочешь сказать? — изумился Степан.

— Ничего, кроме того, что это стекляшка. Вольдемар велел огранить хрустальную пробку. Здорово получилось, на первый взгляд не отличить. Но, если приглядеться, смотрите. — И старуха, взяв острый нож, кончиком чиркнула по алмазу. На сверкающей грани появилась длинная царапина.

— Ну и шутник был ваш покойный муж, — рассмеялся Серж. — Первый раз встречаю такое!

— Отцу приходили в голову дикие идеи, — разочарованно вертя в руках пробку, сообщил Степа. — Жуткий авантюрист. Вот ему, наверное, понравилась бы шутка Кирилла, как раз в его духе.

Фрида усмехнулась:

— Вольдемар был веселый, озорной человек, до седых волос мальчишка. Моложе всех вас, вечно смеялся, никогда не ныл, как Петя, и не делал серьезного лица, как Степа. С ним я чувствовала себя молодой, а с вами — старухой.

Анна попыталась предотвратить ссору:

— На десерт ванильный крем и мороженое.

Степан отмахнулся:

— От всех дурацких шуток у меня пропал аппетит. Пойду отдохну после обеда.

Он быстрым шагом вышел из столовой, Анна последовала за ним. Петька закурил вонючую сигару и пробормотал:

— Ну и шутники.

Кирилл тоже встал и, отказавшись от десерта, вышел. Остальные в молчании доели сладкое и пошли отдыхать.

Вечер прошел тихо. Степа не высовывался из спальни. Петя и Диана играли в гостиной в нарды, старуха громовым голосом пела в комнате песни своей молодости. Серж и Лена опять уединились в кабинете. Поужинали рано и улеглись. Я дочитала привезенный с собой детектив и где-то около часу решила сходить в кабинет. Помнится, на полках внизу стояло несколько криминальных романов.

Кабинет расположен между комнатой Лены и пустой спальней. Когда-то здесь находились покои прежней хозяйки. И комнату Лены отделяет от кабинета крохотная, метра три, ванная с унитазом и небольшой раковиной. Через ванную можно из кабинета попасть в комнату, и наоборот. Дверь замаскирована небольшим ковриком, и я, первый раз оказавшись в гостях у Люлю, испугалась, услышав звук льющейся из-за гобелена воды. Осталось непонятным, почему Степка, кардинально переделав весь дом, оставил эту дверь в нетронутом состоянии.

Я мирно рылась на полках, колеблясь между «Отрубленной головой» и «Кровавыми пальцами», когда в ванной послышался голос Лены:

— И как поступить?

— Не знаю, — ответил Серж, — тебе решать!

— Господи, — завела Лена, — если мы найдем сокровище, проблемы исчезнут.

Серж не отвечал, за дверью послышался звук спускаемой воды.

— Ты спишь? — спросила Лена.

Ответа не последовало.

— Серж, — настаивала девушка, — проснись!

Но мужчина молчал, послышались тихие шаги и звук открывающейся двери. В мгновение ока я оказалась на пороге кабинета и увидела, как Лена прошмыгнула в будуар Люлю. Любопытство погнало меня к комнате Ларисы. В замочную скважину было хорошо видно, как племянница лихорадочно роется в ночной тумбочке и, тихо чертыхаясь, перебирает бумажки. Внезапно дверь ее спальни открылась, высунулась встрепанная голова, и Серж свистящим шепотом спросил:

— Лена, ты где?

Нахалка замерла, я в ужасе отскочила от двери и в два прыжка, как кенгуру, отлетела в противоположный конец коридора. Свет не включали, и я надеялась, что ни Лена, ни Серж не заметят меня, вжавшуюся в стену. Но получилось еще лучше. Девчонка, как ошпаренная, выскочила из комнаты покойной и, не вглядываясь в глубь коридора, побежала в свою спальню. Я подождала, пока закроется дверь, и отправилась в будуар. Что искала тут Лена? Явно не сокровище. Девица просматривала бумаги, но той, что была ей нужна, в тумбочке не оказалось. Интересно! Я пролистала небольшое количество книг, стоящих на шкафу, и засунула еще раз руку между подушками кресла — ничего. Насколько я знаю, Лариса очень не любила, когда кто-то заходил в будуар. Ей вообще требовалось какое-то время проводить в одиночестве. Раньше, когда старуха еще могла ходить, будуар всегда запирался, что служило поводом для бесконечных подколов и шуток со стороны Владимира Сигизмундовича и Фриды, но Люлю твердо стояла на своем. «Мой будуар — моя крепость», — говорила подруга. И где-то в крепости спрятана вещь, которая страшно нужна Лене.

Ночь стояла божественная. За окном в полной тишине падали крупные хлопья снега. Он налип на ветви деревьев, и они выглядели как на картинке. Да, такой холодной, снежной зимы в Москве давно не было, и я, облокотившись о подоконник, залюбовалась зимним пейзажем. Красота, как в мультиках Диснея. И тишина, тишина...

Внезапно послышался тихий скрип. Под моими локтями слегка покачивался подоконник. Подергав его, я обнаружила, что, похожий на мраморный, он на самом деле сделан из пластика. Дальше — больше. Нажав на подоконник, я поняла, что доска поднимается, и обнаружила внутри тайник, где стояла небольшая плоская коробка. Только я ее схватила, как за дверью послышался шорох. Холодея от ужаса, я залезла под кровать.

В комнату босиком вошел мужчина. Опять перед глазами только ноги, причем в полумраке. Ступни приблизились к окну, раздался скрип подоконника, потом сдавленное ругательство и легкий щелчок. Ноги прошлепали к выходу, и дверь закрылась.

Я вылезла на середину комнаты. Кажется, это становится моим хобби — валяться под кроватью Люлю. В доме никто и не думает спать, все ищут. Кто сокровище, кто бумаги. Приотворив дверь, я выглянула в коридор — никого.

Оказавшись наконец в своей комнате, раскрыла коробочку и принялась перебирать добычу. Она оказалась невелика — маленький ключик с биркой, на которой выбито «К-9-98», сложенный листок бумаги и небольшая карточка-реклама. Последняя бумажка выглядела кошмарно: белая бумага с золотыми уголками. В левом углу нарисована девица с гипертрофированными бедрами и грудью. В правом — игривая надпись: «Наши девушки помогут расслабиться». Все ясно — реклама массажного кабинета, а по сути — публичного дома. Вот только непонятно, зачем она понадобилась Ларисе. Листок удивил еще больше, аккуратными печатными буквами в нем было написано: «Павел Степанович Буйнов, ул. 2-я Аэропортовская, д. 7/15, кв. 353. Ольга Петровна Никишина проживала там же. Москва». Кто такие Никишины? Какое отношение имели к

Ларисе? Туман сгущался. Если Лена искала коробку, то что ей понадобилось — ключ, карточка или записка? И кто из мужчин знал про тайник под подоконником?

Глава 9

На следующий день, прихватив найденную добычу, я отправилась домой. Дети обнаружились в кабинете. Там же стоял и питбуль Банди. Маня, сопя, обмеривала его шею сантиметром.

— Пиши, — приказала она Мише, — обхват 48 см.

Потом увидела меня и обрадованно заорала:

— Мамулечка, ты приехала! А мы готовим доклад для Ветеринарной академии «Первичный осмотр собак». Только зря Банди взяли, он совершенно не желает показывать горло и не дает измерить температуру. Вот что, — обратилась она к Мише, — тащи сюда Черри.

Мальчик послушно побежал за пуделем. Увидев, как он беспрекословно повинуется Машке, я вспомнила жалобы Ларисы на то, что сын постоянно молчит.

— Другие дети как дети, рта не закрывают, — сетовала подруга, — а мой молчит как пень, только улыбается. И легко попадает под чужое влияние. Хорошо, если друзья положительные, а вдруг наркоманы какие встретятся, так он и за ними пойдет, словно теленок.

Оставив детей разбираться с собаками и слушая недовольное ворчание Черри, которой пытались измерить температуру, я спустилась в гостиную и позвонила по телефону в массажный кабинет.

— Клуб «Бабочка», — бодро отозвался веселый девический голос.

— У моего брата день рождения, и я хотела сделать сюрприз...

— Прекрасно, — обрадовалась девица.

— Вот только не знаю, что придумать...

— Приезжайте к нам, подберем развлечение на любой вкус, — обрадовалась приемщица и продиктовала адрес.

Я ожидала увидеть в массажном кабинете розовые кокетливые шторы, бархатные диваны и полуголых девиц. В действительности же бордель напоминал гостиницу средней руки: офисная мебель и дама лет тридцати пяти в строгом английском костюме с неброским макияжем. Я исполнила песню о брате, которого хочу порадовать в день рождения. Администраторша поколебалась минуту и предложила:

— Хотите стриптизерку? Есть настоящие артистки. Одна работает с удавом.

— Нет, как-то слишком традиционно, — кривлялась я.

— А ваш брат какой направленности? — осведомилась дама.

— Что вы имеете в виду?

— Ну, может, он бисексуал, и тогда можно заказать пару «день-ночь».

— Кого, кого?

— Белого парня и негритянку. Выделывают умопомрачительные вещи!

— Это слишком. На вечеринке будут гости, что-то невинное, пожалуйста.

Дама призадумалась:

— Еще есть «коробка с сюрпризом», правда, дорого!

— А это что?

— Вам привозят гигантскую коробку с бисквитным тортом. Когда хозяин начинает резать его, изделие взрывается, и оттуда вылезает наша девочка. Очень эффектно, но и стоит соответственно.

— Она же вся будет в креме, — изумилась я.

— Да, — захихикала дама, — ее можно облизать, но за отдельную плату.

Меня едва не стошнило. Боже, платить кошмарные деньги за то, чтобы облизывать незнакомую и, вероятно, не совсем чистую девицу! Хуже извращения не придумать, на этом фоне даже любовь с козой выглядит мило.

Заметив на лице клиентки отвращение, администраторша сказала:

— А почему бы вам не вызвать к брату просто стриптизерку? Гости уйдут, а она и массаж может сделать. Какой хотите. Китайский, европейский, тайский, индийский. У нас настоящие профессионалки. Посмотрите наши альбомчики.

Она вытащила толстую книгу и сунула мне в руки. Каждая девушка занимала целую страницу. Сначала фото в одежде, потом без нее. Профиль, анфас, вид сзади. Лица проституток прикрыты масками, под снимками псевдонимы: «Мадемуазель Огонь», «Мадам Страсть», «Кармен», «Лолита», «Госпожа Бонасье», короче — на любой вкус и даже цвет. В альбоме мелькали изображения негритянок и китаянок.

— Да, — протянула я, — на любой вкус. Опытный у вас хозяин.

— У нас хозяйка, — улыбнулась дама, — она на самом деле очень деловая и активная. Бизнес процветает. Так кого вам прислать?

— Стриптизерку, — я ткнула пальцем в первую попавшуюся девицу, не понимая, зачем понадобилось прятать визитку массажного кабинета, вон их сколько лежит на блюдечке — бери не хочу. Из задумчивости меня вывел голос служащей, требовавшей назвать адрес.

Сообщив ей первые пришедшие на ум улицу и дом, я снова впала в задумчивость. Ну совершенно ничего странного здесь нет — бордель как бордель.

— А имя, имя вашего брата? — вопрошала администраторша, явно полагая, что заказчица слегка тронутая.

— Сергей Радов, — пробормотала я и тут же спохватилась, но было поздно, дама уже записала инициалы клиента. И что мне теперь сказать? Ах, простите, перепутала имя родного брата? Думаю, профессор никогда об этом не узнает. Дама сказала, что стриптизерша прибудет сегодня в одиннадцать вечера, вручила квитанцию, и мы мило распрощались.

Следующий визит был к полковнику на работу. Откровенно говоря, мне хотелось поболтать с экспертом Женей, поэтому мимо кабинета приятеля я кралась на цыпочках. Александр Михайлович страшно не любит, когда я ввязываюсь в какие-нибудь истории, и не делится никакой информацией.

Женька восседал возле большого лотка, в котором лежало что-то крайне неаппетитное. Увидев меня, он заулыбался:

— Рад встрече, опять нашла труп?

— Нет, нет, и как только тебе в голову приходят подобные мысли?

Женя ухмыльнулся:

— Насколько я знаю, у тебя дар влипать в неприятности. Что на этот раз?

Я порылась в сумочке и вытащила ключик с биркой.

— Скажи, не знаешь, где может быть замок к этому ключу?

Эксперт задумчиво почесал в затылке, потом позвонил по телефону:

— Лева, зайди на минутку.

Через секунду появился незнакомый мне Лева в зеленом халате. Женька показал ключ. Лева ухмыльнулся:

— Обычно ищут ключ к замку, а вы наоборот. Что, положили миллиард в банк и не помните, в какой?

Я закивала головой, словно китайский болванчик. Лева хитро прищурился:

— Нехорошо обманывать милицию. Этой штуковиной нельзя открыть банковскую ячейку. Ключик от абонентского ящика на почте.

— Ужас, надо ездить по отделениям и спрашивать, чей ключ?

— Зачем? — изумился Лева. — Вот на бирке выбито К-9-98. Это почтамт, ящик № 98. А что вы там спрятали? Расчлененку?

И он весело засмеялся. Милицейский юмор очень специфичен, мне шутка не показалась веселой. Дождавшись, пока Лева уйдет, Женька сообщил:

— Лучший специалист по замкам, а с тебя сочинение «Молодые годы Гаргантюа» к понедельнику, шесть страниц.

Женина дочь, Алиса, учится на втором курсе заштатного технического вуза. Девочку устраивало все, кроме... иностранного языка. Не секрет, что технарям язык преподают, как правило, ужасно. Вдолбят в головы тридцать-сорок расхожих фраз — и привет. Правда, и зачеты ставят беспрекословно. Но Алисе не повезло. Ей досталась въедливая старушка, искренне считавшая, что обязана обучить студентов. Бедные дети со стоном заучивали неправильные глаголы, боролись с домашним чтением и пели песни. Отчаявшись, студенты решили пойти испытанным путем: скинулись, положили сумму в конверт, подарок завернули в коробку конфет и преподнесли мучительнице. Бабулька тут же вскрыла ассорти, обнаружила взятку, порвала купюры, вышвырнула шоколадки в окно и велела читать Рабле в подлиннике. Отсюда и сочинение про детские годы Гаргантюа.

— Будет тебе сочинение, — успокоила я Женьку.

Внезапно эксперт спросил:

— Ключик откуда?

— Да так, — предпочла я отмахнуться.

— И все же, — продолжал настаивать Женя, — как он связан с делом Изабеллы Радовой?

— С каким делом?

— Той женщины, которую ты нашла застреленной возле телевизора, помнишь?

Да уж, такое не забудешь! Я изумилась до предела:

— Разве Изабелла не покончила с собой? Все ведь было ясно с первого взгляда — сидела в кресле, пистолет валялся рядом.

Женька погрозил пальцем:

— Ох, Даша, пытаешься выведать у меня служебные тайны. Да полковник небось давно рассказал и про отпечатки, и про раневой канал.

— Про что?

— Отпечатки пальцев, которые оставила на револьвере Изабелла Радова, очень странные. Если верить им, она держала пистолет мизинцем и большим пальцем, причем ухитрилась выстрелить не нажимая на спуск. На спусковом крючке не обнаружено никаких следов! И еще одна непонятная вещь. Получается, что она сначала положила голову на спинку кресла, слегка запрокинув ее, и лишь потом послала пулю в висок. Крайне неудобная поза, ни разу не встречал такую. К тому же трудно определить время смерти! Обычно помогает разобраться с достаточной точностью содержимое желудка, но несчастная мадам весь день ничего не ела, а незадолго до кончины славно поужинала стаканом коньяка со снотворным. Не совсем обычный коктейль. Если помнишь, в тот день стояла жуткая погода, и в гостиной у Радовых на полную мощность работали два огромных электрообогревателя, просто турецкая баня, тело почти не остыло. Короче, все против эксперта.

По дороге на почтамт я ужасно злилась на Александра Михайловича. Ну надо же, ничего, совершенно ничего мне не рассказать. Как ему только не стыдно! А интересно, кто убил Изабеллу? Оставила ли она завещание, кому достанется ее имущество? Обязательно спрошу у Сержа. Вдруг она была богата и убийца — наследник? Такое часто случалось в моих любимых детективах!

Поглощенная своими мыслями, я проскочила перекресток на красный свет и была немедленно остановлена милиционером. Пока он оформлял квитанцию, я мусолила в голове на разные лады полученную от Жени информацию. Кем бы ни был таинственный убийца Беллы, это явно не Серж. Ведь в то время, когда Изабеллу убивали, я как раз сшибла психолога на мосту. Железное алиби.

— Девушка, — послышался настойчивый голос, — девушка, скажите, наконец, адрес и телефон.

Я принялась диктовать почтовые координаты, продолжая думать о своем.

— Ничего не понимаю, — обозлился гаишник, — адрес в Комарове, а телефон московский!

Господи, машинально сказала ему координаты Войцеховских. Быстро исправив ошибку, увидела, отъезжая, озабоченное лицо стража порядка. Скорей всего решил, что нарушительница хочет обмануть его, дабы не платить штраф.

На почтамте, проплутав довольно долгое время по залам, я обнаружила наконец стрелку с надписью «Отделение абонентов», и пришлось спуститься в подвальное помещение. Стало немного страшно. Гул толпы исчез, внизу царила тишина. Ни души, только ряды серых контейнеров разной величины, освещенные яркими лампами дневного света. Ячейки почти все были открыты, демонстрируя пустые внутренности. Девяносто восьмая оказалась последней и самой маленькой. Ключик легко скользнул внутрь замочной скважины, и перед глазами предстала... пустота. Я принялась шарить руками по дну и нащупала небольшой плоский конверт серого цвета. Запихнула его в сумочку и пошла к машине.

«Пежо» спокойно поджидал на стоянке. Я залезла на водительское место, закурила и стала разглядывать находку. Конверт как конверт, куплен, очевидно, в каком-нибудь газетном киоске. Внутри что-то твердое, плоское и тоненькое. Я отодрала заклеенный клейкой лентой клапан, потрясла, и мне на колени упал советский паспорт старого образца. Тот самый «серпастый, молоткастый» мышиного цвета. Когда-то, очень давно, у меня был такой же, который потом обменяли на вишнево-красный. Я отогнула обложку — Никишина Ольга Петровна, год рождения 1916-й, прописана — улица 2-я Аэропортовская, д. 7/15, кв. 353, невоеннообязанная, зарегистрирован брак с гражданином Буйновым Павлом Степановичем, русская, место рождения — город

Москва. Детей и особых отметок в документе не было.

Я уставилась на находку — опять Никишина! Кто она такая? С фотографии смотрело абсолютно незнакомое лицо шестнадцатилетней девочки-подростка. Длинные, кажущиеся черными косы, высокий, слегка шишковатый лоб, довольно изящный нос и толстые щеки. Девица явно обладала избыточным весом и страдала юношескими прыщами. Хотя, кто знает, может, к моменту брака с Буйновым гадкий утенок оперился и превратился в лебедя? Интересно, где она сейчас? Скорей всего в могиле. Год рождения-то — 1916-й. Как ее паспорт раздобыла Люлю? Зачем спрятала документ в таком необычном месте?

Я медленно катила к дому. Завтра поищу эту 2-ю Аэропортовскую.

Дома сразу пошла на кухню, налить чашечку кофе, и остолбенела: в углу, на мягкой подстилке, рядом с кошкой Клеопатрой мирно спал йоркширский терьер.

Вызвав Марусю, я учинила дочери допрос.

— Ты ее не узнаешь? — удивилась девочка. — Так ведь это Маркиза.

— Какая такая Маркиза? — удивилась я.

— Неужели не помнишь? Грустная собачка из питомника Люлю. Они еще решили усыпить ее, потому что не может рожать кондиционных щенков.

— А, — догадалась я, — ты пожалела ее и притащила сюда. Только как? Ведь, когда отвозила вас с Мишей, никакой Маркизы и в помине не было.

Маруся потупилась:

— Была, в сумке спала, я тебе не сказала. Мамулечка, не ругайся, она такая миленькая, молодая и здоровая. Представляешь, как жалко, если ее убьют? Сейчас кончатся каникулы, и кто-нибудь из девочек в лицее обязательно заберет Маркизу.

Она умоляюще сложила руки. Я вздохнула, Маруська всегда вьет из меня веревки. И тащит в дом всякую живность. Кто у нас только не жил! Гигантский паук, жуки, тритоны. Последние просто довели до обморока приходящую домработницу. Бедная девушка до ужаса боялась ящериц. Поняв, что мы и не собираемся с ними расставаться, она решила сама избавиться от кошмара. Дождавшись, когда все ушли, замела на совок тритонов, спустила в унитаз и с чувством исполненного долга пошла пить кофе. Для дальнейших событий просто необходима камера Хичкока. Не успела безобразница вкусить ароматный напиток, как услышала тихое шуршание. Обернулась и лишилась дара речи. Утопленные тритоны благополучно ковыляли по кафельному полу. Девушка не знала, что ящерицы обожают воду и купание в унитазе восприняли с благодарностью. Несчастная лишилась чувств и уволилась от нас.

Посмотрев на Машкины умоляющие глаза, я согласилась. В конце концов, где три собаки, там и четвертой найдется место.

Я поглядела на часы и стала собираться к Войцеховским. Милиция просила всех гостей пожить несколько дней в доме, а я ушла с самого утра.

Снова испортилась погода, и на обратную дорогу пришлось потратить больше времени, еле-еле успела к ужину. В десять часов все разбрелись кто куда. Анна смотрела телевизор, Фрида сидела рядом с вышиванием. Я дремала на диване. Вдруг прозвучал звонок.

— Интересно, кого принесло в такой час, — проговорила старуха и покатила к двери.

Через пару минут в холле послышались голоса, и в гостиную влетела немыслимого вида девица. Сначала мне показалось, что она забыла нацепить юбку, но потом глаз обнаружил под длинной, надетой на голое тело ажурной кофтой узенькую полоску голубой ткани. На ногах у девицы ловко сидели высокие черные сапоги с золотой шнуровкой. Каблукам, казалось, нет конца. Так же как ногтям на руках, покрытых таким бешено-красным лаком, что казалось, будто с кончиков пальцев капает кровь. К тому же на каждой руке красовалось штук по восемь колец, а открытая шея, плавно переходящая в пышную грудь, не стесненную лифчиком, была обмотана цепями, бусами и шнурками, которые звякали при малейшем движении. Это странное существо ни минуты не пребывало в покое, то и дело поправляя копну крашеных белокурых волос, похожих на стог гнилой соломы.

— Вот, — ошарашенно произнесла Фрида, — к Сержу явилась гостья, говорит, он ее ждет.

— Да, — пискнуло небесное создание, — думаю, Серж страшно обрадуется. — И она захихикала, кокетливо поводя голубыми глазами.

Анна побежала за Сержем. Профессор спустился в гостиную и уставился на девушку. Та, медленно покачивая бедрами, приблизилась к нему и промурлыкала:

— Дорогой, поздравляю! Друзья никогда не дадут тебе забыть день своего рождения.

И она запечатлела на губах психолога сочный поцелуй. Потом обвела взглядом комнату и спросила:

— Это все гости?

— Нет, — изумленно ответил Серж.

— Зови остальных, — распорядилась девица и

плюхнулась в кресло, расставив ноги так, что стали видны черные подвязки.

— Ничего не понимаю, — пробормотал обескураженный профессор.

— Это тебе подарок на день рождения, — ухмыльнулась красотка, — угости меня рюмочкой, дорогой!

Радов покорно пошел к бару.

— Надо же, — проговорил вошедший Кирилл, — вы скрыли от нас свои именины!

— Вообще-то я родился 15 января, — сообщил Серж.

— Познакомь нас со своей новой подружкой, — подхватил появившийся Петька.

Анна и Фрида хранили гробовое молчание.

— Честно говоря, — промямлил Серж, — я что-то не припомню, как зовут даму, и понятия не имею, когда пригласил ее сюда.

— Ну ты даешь! — восхитился Петя. — Представляю, что скажет Лена.

Девица тем временем достала из сумочки гигантский мундштук, воткнула в него сигарету и закурила. Комната наполнилась удивительно вонючим дымом.

— Что вы тут делаете? — осведомился спустившийся Степа.

— Рассматриваем еще одну даму господина Радова, — съехидничал Кирилл.

— Вовсе я не дама, — оскорбилась гостья. — Я на работе.

Все уставились на нее.

— Не понял, — пробормотал профессор, — о какой работе вы толкуете.

— Я профессиональная танцовщица, — защебетала девица, — и сестра господина Радова наняла меня сегодня, чтобы украсить день его рождения. Как только все соберутся, включим музыку, и я покажу вам номер.

— Ай да прикол, — взвизгнул от восторга Кирилл, — ваша сестра, Серж, просто чудачка.

— Нет у меня никакой сестры, — взревел профессор, — и танцев не надо. Кто только додумался до такого! И как узнали, что я здесь. Фантастика!

Во время разговора я сидела тише воды, ниже травы, стараясь осознать случившееся. Надо же быть такой идиоткой! Машинально назвала в борделе адрес Войцеховских и имя Сержа! И вот, пожалуйста, заказ прибыл. Господи, хоть бы не догадались, кто автор затеи. Сообщала ли я администраторше свое имя? Убей бог, не помню. Просто катастрофа. Тем временем события развивались по нарастающей.

— Что происходит? — спросила Лена, входя в гостиную.

Увидев ее, девушка вскочила и побледнела под слоем штукатурки. Лена тоже изменилась в лице.

— Ну-ка, пошла вон отсюда, — заорала она не своим голосом.

Проститутка в мгновение ока выскочила из гостиной и понеслась к двери. Раздался шум двигателя. Кирилл выглянул в окно.

— Однако негодяйки отлично зарабатывают, — констатировал он, — лично мы с Дианой не можем позволить себе «Феррари».

— Кто-нибудь объяснит, что произошло? — недоуменно спросила Фрида.

— Друзья решили подшутить над Сержем и вызвали ему на день рождения стриптизерку, — пояснил Степан. — Идиоты!

Я поглубже вжалась в кресло, ну кто знал, что у профессора на самом деле через несколько дней именины! Роковое стечение обстоятельств.

— Думала, наглая тварь никогда не уберется отсюда и заставит нас смотреть стриптиз, — сквозь зубы процедила Анна.

— Да уж, — откликнулся Петька, — девчонка рассчитывала на чаевые, но Ленка быстренько ее вытурила. Молодец, сразу дала понять, кто тут хозяин.

Лена нервно засмеялась и плеснула в бокал немного коньяка. Ее взвинченное состояние можно было объяснить раздражающим визитом проститутки и ревностью, но мне показалось, что путана и Лена хорошо знакомы. Причем сегодняшняя встреча стала для них неожиданной, неприятной и пугающей.

— Теперь можно спокойно отправляться спать, — сообщила Фрида, выруливая к выходу.

— День выдался богатым на события, — отметил Кирилл, зевнув.

— Спокойной ночи, — сказал Петька, — надеюсь, сюрпризов больше не будет.

И тут раздался оглушительный грохот и визг кошки. Проклятая картина, произведение гениального дедушки, опять рухнула на пол.

— Ох, быть беде, — проговорил Степан, — «Старуха» всегда рушится в преддверии несчастья.

— Не каркай, — оборвал его брат.

Глава 10

Я глубоко раскаивалась в содеянной глупости. Надо же, разволновала всех, будут теперь гадать, кто автор дурацкого розыгрыша. Может, пойти и честно признаться во всем Сержу? В конце концов, я никому не выдала его тайну, пусть сохранит и мою. Помучившись еще немного, я все же решилась и, натянув джинсы, поскреблась в дверь профессорской спальни. Ответа не последовало. Я открыла дверь: комната пуста. Ну да, конечно, он у Ленки в кровати, а рассказывать им обоим про собственную глупость сил нет.

Комната, куда поселили Радова, была переделана из бывшей веранды. В свое время Степану показалось, что на втором этаже веранда как-то ни к чему, и он велел заложить лишние окна и утеплить стены. Получилась милая спальня, правда, в ней всегда на несколько градусов было прохладней, чем во всем доме. Зимой это особенно ощущалось. Понятно теперь, почему Радов предпочел спать у любовницы. Подождать его или бессмысленно? Скорей всего он не появится в своей спальне. Я пошла к двери, как вдруг в коридоре послышался быстрый шепот Лены. Идиотское положение! Кажется, идет сюда! Как объяснить мое присутствие в спальне профессора? Девочка, видимо, очень ревнива, вон как шуганула проститутку. Не хватало только скандала, и я быстренько залезла в шкаф. Дверцы закрывались неплотно, и в образовавшуюся щель прекрасно просматривались вошедшие влюбленные голубки.

Сейчас на их лицах была написана нешуточная озабоченность.

— Завтра следует съездить в пробирную инспекцию, — сказала Лена.

— Какой тяжелый, — удивился Серж, вынимая из кармана брусок желтого металла, — думаешь, настоящее золото?

— Похоже, — ответила Лена, — хотя Владимир Сигизмундович мог опять какую-нибудь шутку учинить. Спрятано было совсем на виду.

— Где? — спросил Серж.

— У табуретки на кухне откинулось сиденье,

смотрю — лежит. Любой мог наткнуться, кто табуретку возьмет. Жидковат тайник, наверное, подделка, но оценить надо, вдруг золото.

— Сколько же оно может стоить? — поинтересовался профессор.

— Жуткие деньги, — сообщила Лена, — хватит и на приличную квартиру, и на машину. Купим апартаменты, хочу шесть комнат и хороший «Мерседес», а не раздолбанную «копейку». Ты ко мне переедешь, а твою сдавать станем.

Она подошла к профессору и обняла его. Серж поцеловал девушку:

— Слушай, пойдем в твою спальню, здесь просто могила.

Серж положил брусок в карман, и они умелись прочь. Я выскользнула из шкафа. Стало ужасно противно, ну и люди! В коридоре было темно, хоть глаз выколи, поэтому я ужасно испугалась, когда наткнулась на что-то большое и мягкое возле лестницы. Оно взвизгнуло и уронило какой-то предмет, со стуком покатившийся по ступенькам вниз.

— Кто здесь? — изумилась я и, нашарив на стене выключатель, зажгла лампу.

Щурясь от яркого света, в атласном, расшитом драконами халате стояла Анна. Внизу у подножья лестницы лежал барометр. Раньше он украшал коридор второго этажа. Барометр — старинная игрушка Владимира Сигизмундовича — представлял собой довольно широкий деревянный ящик со стеклянной колбой. Сейчас хрупкая часть разбилась в пыль.

Анна виновато поглядела на меня:

— Вот пошла в туалет, поленилась свет зажечь. А тут ты напугала, барометр и упал.

Дурацкое объяснение. Прибор висел в коридоре у окна, и, чтобы уронить его, следовало сначала снять. Анна явно хотела изучить ящичек на предмет сокровищ.

Сделав вид, что поверила, я пошла к себе. Дурдом, да и только.

Проворочавшись в кровати почти до утра, я составила план действий. Кто мог убить Лариску? Только свои: домашние или гости. Посторонних вообще не было в доме. А в мифического злоумышленника, тайком проникшего к Войцеховским, верится с трудом. За что ее убили? Да за длинный язык. Небось выведала чьи-то секреты и принялась, как всегда, намекать и хихикать. Значит, если узнаю, кто и что скрывает, сразу найду убийцу. Просто, как апельсин. Дело за малым — узнать чужие тайны. Итак, Серж Радов, Лена, Кирилл, Диана, Петя, Степан, Фрида, Анна, с кого начать? Да, еще есть кухарка и сбежавшая домработница. Голова пошла кругом. Ладно, станем действовать по порядку и изучим господина профессора, а заодно наведаюсь на 2-ю Аэропортовскую и поспрашиваю аборигенов. Вдруг кто-нибудь помнит Ольгу Петровну Никишину.

Утром за завтраком я, прикинувшись полной идиоткой, спросила Сержа:

— Где вы преподаете?

— В Социологическом колледже на Полянке, в Гуманитарном университете и еще в паре мест, а что?

— Да моя кузина хотела поступать на психологический, думала, может, вы ее проконсультируете.

Серж отодвинул тарелку с сосисками.

— Вообще говоря, не имею никакого отношения к вступительным экзаменам и не слишком часто появляюсь на работе.

— А как же заработок, — продолжала я интересоваться, — всегда думала, что чем больше занятий, тем выше оплата.

Профессор хмыкнул. Лена с жалостью поглядела на меня:

— Вы что преподаете?

— Французский.

— И сколько стоит урок?

— Десять долларов час.

Лена засмеялась:

— Тогда вам и правда надо весь день носиться, а Серж классный психотерапевт. Специалист такого класса берет двести долларов в час. Так что нет необходимости стаптывать подметки.

— Дашке с ее миллионами франков тоже не надо носиться, высунув язык, — сообщил Степа.

Лена, изогнув бровь, посмотрела на старшего Войцеховского. Тот уткнулся в овсянку и не пояснил своих слов.

— И большая у вас клиентура? — беззастенчиво поинтересовалась я.

— Хватает, — улыбнулся Серж, он явно не собирался распространяться на эту тему, но я решила не отступать.

— Интересно, что за люди обращаются к психотерапевту? И как им можно помочь, разговорами?

— Дорогая, — спокойно произнес Серж, — этим, так сказать, разговорам обучают в университете целых пять лет. А люди приходят самые разные, и проблемы у них тоже не одинаковые — от пропавшей потенции до клептомании.

— Боже, — восхитилась я, — и всем можно помочь?

Радов внимательно поглядел на меня и без улыбки ответил:

— Всем помогал только Христос, но многим можно значительно улучшить качество жизни.

Я примолкла, надеясь, что не переборщила, изображая заинтересованную идиотку.

Сразу после завтрака, сославшись на визит к зубному врачу, двинулась в Социологический колледж, основное место работы профессора Радова.

В учебной части словоохотливо объяснили, что у господина Радова в сессию всего один экзамен и в настоящий момент он отсутствует. Я прикинулась огорченной.

— Вот незадача, так надеялась найти его поскорей.

— Что случилось, — заинтересованно спросила инспекторша, — может, я помогу?

— Да все племянница, бедный ребенок болен клептоманией, знакомые посоветовали господина Радова, говорят, чудеса творит.

— Чудеса, чудеса, — закачала женщина головой, оглядывая мои простые джинсы и курточку на искусственном меху, — знаете, сколько стоит лечение у психотерапевта?

— Примерно.

— Лучше знать точно, — вздохнула инспекторша, — называют разные суммы. Как вы понимаете, Сергей Владимирович сам ничего не рассказывает...

— Кто не рассказывает? — перебила я словоохотливую даму.

— Сергей Владимирович Радов, а что?

— Ничего, просто он представился как Серж.

— А, — засмеялась тетка, — он у нас дамский угодник, ловелас, все хочет казаться помоложе. Одевается прямо как студент, никакой солидности. Ну девушки и мрут от восторга. Стоит Радову на кафедре появиться, тут же прибегают студентки и щебетать начинают. А Сержем он себя на иностранный лад называет.

— И много у него обожательниц? — поинтересовалась я.

Инспекторша вздохнула:

— Да любая готова, и преподавательницы тоже. Только он помоложе предпочитает, курс третий, второй.

— А как же Лена, она аспирантка?

— Лена? Ах, Ковалева! Ну это ненадолго, — сплетничала дама, — она ему совершенно не подходит, ни по возрасту, ни по воспитанию. Леночка у нас дикий человек, цветок помойки.

Очевидно, дама недолюбливала Лену, потому что минут десять рассказывала о том, как девушка появилась в колледже несколько лет тому назад в самовязаной кофте и трикотажной юбке.

— А теперь, поглядите, английская королева, да и только. Шуба, косметика, духи, но скоро эта невоспитанная нахалка надоест профессору. Удивительно, что он до сих пор не разобрался в ней. Вокруг столько умных, интеллигентных женщин, а Сергея Владимировича бог знает на что тянет, — и инспекторша грустно вздохнула.

Решив разузнать еще что-нибудь, я поинтересовалась:

— Не знаете, кто лечился у Сергея Владимировича? Вы, наверное, правы, прежде чем платить такие деньги, следует проверить, помогает ли?

— Кто же станет рассказывать о клиентуре, — гордо сказала дама, — знаю только, что у профессора обширная практика.

— Да, — лицемерно вздохнула я, доставая из сумочки кошелек, — моя сестра велела заплатить тому, кто поможет найти пациентов Сергея Владимировича, сто долларов. Нет, ничего особенного, просто хотели поговорить, узнать подробности. На курс нужно четыре тысячи выложить, как-то боязно.

— Это минимум, — сообщила моя собеседница, — четыре тысячи — за десять сеансов, некоторым требуется пятнадцать, а то и больше. Ладно, давайте сюда деньги, — и она быстро спрятала приятно шуршащую банкноту, — всех не знаю, могу назвать только трех: Федор Степанович Круглов, наш преподаватель экономики, хотите поговорить с ним? Он сейчас в 15-й аудитории. Еще Римма Борисовна Селезнева — очень известный гинеколог, светило. И Павел Геннадьевич Шитов — он из шоу-бизнеса, директор какой-то дурацкой группы.

Взяв у жадной дамы координаты Селезневой и Шитова, я пошла в 15-ю аудиторию. Федор Степанович скучал за столом на кафедре.

— Вы ко мне? — обрадовался он.

Я постаралась побыстрей изложить цель визита.

Федор Степанович насторожился:

— Почему вы решили обратиться ко мне? Кто вообще насплетничал, что я лечусь у психотерапевта? Все неправда. Никакими лекарствами, кроме аспирина, не пользуюсь. Вас обманули.

Минут пять я пыталась подъехать к нему с разных сторон, но мужчина остался непреклонен. Пришлось уйти, не добившись результата. Если и остальные будут так же приветливы...

Лучше сначала поискать 2-ю Аэропортовскую. К моему изумлению, улицу с таким названием я нашла сразу. По нынешним меркам она находилась почти в Центре, около метро «Аэропорт». Но в 40-х здесь, скорей всего, был малоблагоустроенный район. Проплутав какое-то время по улицам с односторонним движением, по обе стороны которых стояли кирпичные, явно кооперативные, дома, я неожиданно вырулила на Аэропортовскую. Показалось, что попала в иной мир — маленькие домишки с облупившейся краской располагались буквой «П». Внутри типично московские дворики с деревянными столами и столбами с веревками. Летом тут среди развешанных пододеяльников сражаются почти трезвые доминошники.

Дом 7/15 ничем не отличался от остальных, и дверь в нужную квартиру была обита таким же, как у всех, черным дерматином. Кое-где из-под обивки выглядывала грязная вата. На косяке болтался звонок. Вздохнув, я нажала на кнопку. За дверью зашлепали тапки, и на пороге возник абсолютно пьяный мужик.

— Тебе чего? — ласково спросил он.

Беседовать с таким не имело смысла.

— Можно позвать вашу жену?

— Баба на кухне, — сообщил мужик и нетвердой походкой двинулся в комнату.

Я пошла на кухню. В маленьком, метров шести, не больше, помещении клубился едкий пар. Несмотря на регулярно приезжающую тетю Асю, тут явно предпочитали белье кипятить.

Худая, прямо-таки изможденная женщина, тыча деревянными щипцами в бак, без всякого энтузиазма поинтересовалась:

— Опять школу прогуливает?

— Нет, нет, — поспешила я успокоить ее, — ищу тех, кто знал Ольгу Петровну Никишину, жившую здесь в 1945 году.

— Мы позже въехали, — вздохнула женщина, — спросите у Веры Андреевны, она тут раньше поселилась. Ее комната последняя, только стучите громче, а то бабулька крепко спит.

В этот момент на кухне появился муж.

— Маманька, — осведомился он, — когда жрать будем?

— Сейчас, погоди, — отмахнулась баба, и мужик безропотно ушел.

— Надо же так напиться! — посочувствовала я.

— Да он не пьяный, — удивилась тетка.

— Как не пьяный? — удивилась в свою очередь я.

— Так ведь стоит на ногах, ходит, а когда пьяный — лежит, — сообщила жена, вытаскивая вонючий пододеяльник.

Меня разобрал кашель, и пришлось убежать в коридор.

Бабулька Вера Андреевна не спала. Страшно обрадовавшись гостье, она насыпала в вазочку твердокаменных карамелек и принялась потчевать спитым чаем. На мой вопрос старушка радостно проговорила:

— Всю жизнь тут прожила, в 1945-м комнату дали, после войны, как орденоноске. Так не поверишь, детка, на ящиках спала. А теперь смотри, все есть — и стенка, и диван, и телевизор, и холодильник. Соседи замечательные. Василий, когда не пьет, все по дому делает, Анюта убирает. Живу как у Христа за пазухой. Они на работу, бывало, а я с их дитями сижу, как бабка. Не поверишь, большие уже, одни живут, а как приедут — все мне «бабуля», «бабуля» и конфет привезут. Другие люди лаются в коммуналках, а мы бы друг без друга пропали.

Я попробовала направить словесный поток в нужное русло:

— Не помните случайно Ольгу Петровну Никишину? Вроде жила тут в конце 40-х?

Вера Андреевна зацокала языком:

— Разве такой ужас забудешь? Никогда в жизни, страсть господняя. Это ведь я милицию вызывала, мне, бедняжке, и отмывать все пришлось!

— Что тут случилось? — попыталась я поторопить старушку.

— Убивство, — серьезно ответила та, — ты меня не мельтеши, дай по порядку рассказать.

Рассказ потек плавно, изредка убегая в сторону. Из сказанного складывалась страшная картина. Вера Андреевна въехала в квартиру первой, а через месяц появились еще жильцы и заняли остальные комнаты. Павел и Ольга. Павел — нелюдимый, вечно раздраженный, сторонился соседей. Ольга — черноволосая, отчаянная хохотушка, любительница погулять и поплясать. Иногда муж, приревновав жену, поколачивал подругу жизни. Но Ольгу ничего не брало, запудрив синяки, женщина продолжала весело хихикать, опираясь на народную мудрость «бьет — значит любит». Странная, не подходящая друг другу пара прожила бы, наверное, долго вместе, но тут Павел заболел. Стал худеть, кашлять. Врачи не находили никаких болезней, но мужчине делалось все хуже. Из-за болезни Павел совсем ожесточился и начал бить каждый день не только жену, но и пятилетнюю дочку. Ольга постепенно теряла веселость и однажды даже плакала в комнате у Веры Андреевны. Развязка наступила в декабре, как раз в Новый год. Утром Никишин избил жену так, что соседка пригрозила вызвать милицию. Павел буркнул: «Зови» — и ушел в комнаты. Вера Андреевна помогла Ольге умыться и заторопилась, в 1946 году опаздывать на работу не рекомендовалось. Уходя, женщина услышала истошный детский крик, отец принялся учить уму-разуму дочь.

В тот памятный день Вера Андреевна работала до пяти, ради праздника дирекция завода отпустила сотрудников чуть раньше, но домой женщина вернулась только около семи. Простояла по очередям, приобретая нехитрое угощение к новогоднему столу. Нагруженная авоськами и страшно довольная тем, что удалось на сахарную карточку получить конфеты, женщина вошла в квартиру. Поразила непривычная тишина, в нос ударил неприятный запах. Не подозревая ничего плохого, Вера Андреевна зажгла свет на кухне и закричала от ужаса. На линолеуме лежала окровавленная, мертвая Наденька. Очевидно, ребенок, умирая, ползал по кухне. Кровавая дорожка вела от плиты к холодильнику. В чистенькой кухне повсюду виднелись бурые пятна, словно жертва металась, пытаясь спастись. На ящиках, раковине, подоконнике тоже были багровые брызги. Не помня себя от ужаса, Вера Андреевна кинулась в комнату к соседям, распахнула дверь их спальни и второй раз за вечер заорала не своим голосом: на кровати совершенно спокойно лежал Павел. Руки сложены на груди, ноги ровно вытянуты. Казалось, мужчина спокойно спит, ужасало только одно — полное отсутствие головы. Шея обрывалась кровавыми лохмотьями, из которых торчали непонятного вида трубки.

Как Вера Андреевна не лишилась чувств, непонятно. Но у нее хватило сил вызвать милицию, дождаться приезда специальной бригады и только тогда рухнуть на пол.

Трупы увезли, комнаты опечатали. Через неделю пришел участковый и велел убрать вещи Никишиных. На берегу Москвы-реки обнаружили пальто, платье и белье Ольги, сверху лежала придавленная камнем записка: «Господь простит мне все». Уголовный розыск долго не занимался совершенно ясным делом. После войны из всех щелей полезла всякая дрянь, и милиции стало недосуг расследовать обычную бытовуху. Ну убила баба мужа с ребенком, потом утопилась. Эка невидаль. Труп так и не нашли. То ли он зацепился за камни, то ли унесло течением.

Дрожащими руками Вера Андреевна вымыла комнату Никишиных, мебель разобрали соседи. К приезду новых жильцов ничто не напоминало о трагедии.

Спустя два-три года, уже в начале 50-х, в дверь позвонил приятного вида мужчина и спросил Павла Буйнова. Привыкшая считать соседей Никишиными, Вера Андреевна даже не поняла сначала, кого он имеет в виду. Потом, конечно, рассказала гостю о трагедии. Тот повел себя странно, сказал: «Собаке — собачья смерть» — и попросил стакан воды. Женщина повела мужчину к себе. И здесь он рассказал ей, что ищет Павла Буйнова с 1944 года. Оказывается, Павел на самом деле носил имя Андрея Пивоварова. Он служил полицаем и активно помогал гитлеровцам в Белоруссии. Но, очевидно, обладал достаточной прозорливостью, потому что незадолго до освобождения Минска убил ювелира Павла Буйнова, забрал его документы и исчез. Вместе с бумагами пропали царские золотые десятки, несколько дорогих камушков и колец. Почти семь лет понадобилось младшему брату Павла Буйнова, чтобы найти убийцу. Да только поздно. Враг лежал в могиле. Гость настойчиво спрашивал Веру Андреевну, не видела ли она золота, когда убирала комнату. Женщина объяснила, что Никишины жили очень просто, ели скромно, одевались как все. Вряд ли они имели большие деньги. Золота же в комнате никакого не было, только старая мебель и нехитрый скарб.

Мужчина оглядел байковый халат Веры Андреевны, старенькую софу, застеленную простым покрывалом, колченогие стулья и, очевидно, поверил женщине. Больше они никогда не встречались. И о Никишиных старушка стала забывать, история поросла быльем. Изумило ее то, что совсем недавно приехала красивая, высокая, полная дама в бежевом пальто. Разрезав принесенный торт, гостья назвалась сестрой Ольги Никишиной и попросила о ней рассказать. Бесхитростная старушка выложила всю правду.

Я попросила разрешения закурить. Значит, Люлю тоже знала историю убийства Буйнова и девочки. Ну и что? Полученная информация решительно ничего не прояснила.

— Никто больше не интересовался погибшими?

— Последнее время только эта дама, — пробормотала старушка.

— Что значит последнее время? — удивилась я.

— Ровно через год после их смерти пришла девушка, красивая, как картинка, блондинка с перманентом. Только сильно накрашенная, — стала рассказывать Вера Андреевна.

Удивило ее и то, что девушка, несмотря на темный зимний вечер, нацепила солнечные очки. Красавица сообщила, что скорей всего въедет в одну из комнат, и пришла ее посмотреть. Вера Андреевна не удивилась. Соседи, занимавшие бывшую жилплощадь Никишиных, только что съехали, получив квартиру, и комнаты стояли пустые. Молодая женщина пошла в бывшую спальню и все там внимательно осмотрела. Потом зазвонил телефон, и Вера Андреевна вышла. Когда же минут через десять снова решила зайти к соседке, дверь оказалась запертой. Женщина не стала волноваться, красть там нечего, одни голые стены. Через какое-то время незнакомка вышла на кухню и сообщила, что случайно захлопнулся замок и она с трудом сообразила, как открыть.

Комната ей не понравилась: темная, окна выходят прямо на соседний дом. Она простилась с хозяйкой, пошла к входной двери, взялась за ручку, и тут Вера Андреевна заметила у нее на запястье весьма необычный браслет. Штук тридцать маленьких черепов из желтого металла, похожего на золото. Глазницы сверкали камушками — зелеными, красными, синими. Никогда Вера Андреевна не видела ничего подобного ни до, ни после. Браслет поражал каким-то отталкивающим великолепием — это была не та вещь, которую хочется иметь и носить постоянно. Но о вкусах не спорят, Вера Андреевна ничего не сказала. Потом в освободившиеся комнаты въехали Василий, Анюта и дети, жизнь завертелась колесом, старушка забыла о несостоявшейся соседке. Вспомнила о ней почему-то, лишь когда ее неожиданно посетила красивая гостья с тортом. Люлю, оказывается, очень заинтересовалась браслетом и попросила бабулю еще раз его описать...

Покалякав еще немного с говорливой бабулькой и выслушав весь набор жалоб, начиная со здоровья и заканчивая ценами, я стала прощаться.

Погода испортилась окончательно, в лицо сыпал мелкий снег, ледяной ветер пробрался за воротник. Я вскочила в машину, включила печку и посмотрела на часы. Надо же, всего пять часов, а уже темно. День выдался напряженный, хотелось отдохнуть в тишине, и я поехала к Войцеховским.

Но, едва открыв дверь гостиной, поняла, что покоя здесь не найти. Все самозабвенно ругались.

— Ну сама ты, Анька, виновата, — горячилась обычно апатичная Диана, — не хотела говорить, а ты в душу лезешь, вот и получай, что заслужила! Ты Пете надоела!

— Закусывать надо, когда пьешь, — огрызнулась Анна, — пойдем, Петя, собирайся домой.

— Никуда я не поеду, — заявил непокорный муж.

— Нет, поедешь, — завелась Анна и стала вытаскивать супруга из кресла.

Завязалась потасовка.

— Отстань от него, — зашипела Диана.

— Не указывай, как мне с родным мужем обращаться, за своим приглядывай, — окончательно вышла из себя Анна.

— Ты ему сто лет не нужна, — процедила Диана.

Кирилл совершенно спокойно читал газету, как будто это ругалась не его жена.

— Уж не ты ли меня заменишь? — ехидно спросила Анна.

Диана покраснела и, покосившись на Кирилла, сказала:

— Я честная женщина, мне чужого не надо.

— Ха-ха-ха, — очень внятно сказала Анна.

Диана вспыхнула свекольной краснотой и, топнув от злости ногой, вылетела из комнаты. Петька побежал за ней. Анна залилась злыми слезами.

— Пойди скажи своей жене, — закричала она Кириллу, — чтобы оставила моего мужа в покое. Слышишь?

И, подскочив к доктору, женщина вырвала у него из рук газету. Кирилл неожиданно спокойно произнес:

— Аня, не волнуйся, все обойдется. Лучше выпей валокордина или, если хочешь, рюмку коньяку, чтобы расслабиться.

— Мне не надо расслабляться, — завизжала Анна, — хочу, чтобы ты призвал к порядку свою жену, которая трахается с моим мужем.

— Дурдом, — вставила Лена. — Успокойся,

Анюта, никому твое сокровище косорылое не нужно.

Дебоширка неожиданно рухнула в кресло и стала громко причитать:

— У него язва желудка, простатит, а корчит из себя белого и пушистого.

Кирилл вздохнул:

— Да не переживай ты так! Дианка тебя нарочно дразнит. Ничего у них с Петькой нет, натура у нее такая вредная, любит исподтишка дергать. Если хочешь знать, ей кровать до лампочки.

«Вот тут ты, милый, ошибаешься», — подумала я, вспоминая недавнюю сцену в Ларискином будуаре.

Доктор продолжал успокаивать Анну:

— Не обращай внимания, не дергайся, Диане от этого одно удовольствие. Сделай вид, что тебе наплевать, она и отвяжется от Петьки.

— Дать ей разок в нос, — продолжал Степа, — сразу угомонится. Ты бы Кирилл, правда, урезонил бабу.

Кирилл вздрогнул:

— Я для нее пустое место, слушать не станет. И вот ведь парадокс: не красавица, не умница, любовница аховая, хозяйка ужасная, а мужики липнут, словно мухи к говну.

Серж крякнул:

— Зачем вы с ней живете? Не в Италии находимся, развод разрешен, что мешает освободиться?

Доктор безнадежно махнул рукой и вышел. Наступило молчание. Потом его нарушил Степан:

— Дианин папа был такой замухрышистый инженер, всю жизнь на ста рублях в НИИ чах. А как перестройка началась, неожиданно занялся компьютерами. Оказалось, у него просто талант, за два года разбогател. Несколько магазинов, сервисный центр, куча мелких точек. Диана до тридцати лет в девках сидела, никто на такое сокровище не польстился. Баба она гадкая, вредная, капризная. Папа увидел, что на руках перестарок зреет, и купил Кирилла. Помог ему с работой, устроил в модную клинику. Зарплата в валюте, квартира у них с Дианой роскошная, дача в Переделкине, — а все Дианин папка, и блага жизни записаны на дочку. В случае развода Кирюха нищий, в одних штанах останется. Его благоверная это знает и издевается над мужем как хочет. То молчит целыми днями, то болячки у себя находит и в больницу укладывается. Не соскучишься. Жаль мужика.

— Видели глазки, что покупали, теперь ешьте, хоть повылазьте, — резко встряла в Степин монолог Лена.

Анна продолжала судорожно всхлипывать. Серж подошел к ней, обнял за плечи.

— Дорогая, — вкрадчивым, ласковым голосом завел психолог, — представляю, как тебе обидно. Вложить всю душу и сердце в Петю и оказаться в таком дурацком положении, да еще при посторонних.

Анна перестала рыдать. Серж помог ей подняться из кресла и повел в коридор.

— Сейчас он ее успокоит, — сказала Лена, — неприятная ситуация. Все и так знают, что Петр изменяет жене направо и налево, незачем концерт устраивать. Отвратительно, когда человек не может держать себя в руках. — И она стала наливать чай.

Мне расхотелось пить чай, настроение испортилось окончательно. Порывшись в сумке, я нашла телефон гинеколога Селезневой и договорилась о визите на завтра.

Глава 11

Римма Борисовна работала в ведомственной поликлинике. Кабинет походил на гостиную: мягкие диваны, глубокие кресла, огромный телевизор. Гинекологическое кресло и аппараты вокруг него напоминали центр управления космическими полетами — везде мигают зеленые лампочки, колеблются стрелки, и слышно мерное попискивание. Само светило, дама неопределенного возраста, была под стать кабинету: крупная, с царственной осанкой. Она прямо-таки благоухала безумно дорогим парфюмом от Диора. Немного выбивалась из общего великолепия пачка «Беломора», лежащая на столе. Такой мадам подошло бы другое курево.

За визит следовало отдать пятьдесят долларов, и, спрятав конверт, Римма Борисовна принялась расспрашивать о дамских проблемах.

Я решила изобразить богатую, скучающую кретинку, не понятую мужем, поэтому жалобы выглядели соответственно. Пропал интерес к жизни, ничто не радует. Исполнение супружеского долга превратилось в пытку, непонятные боли внизу живота, может, опухоль?

Римма Борисовна произвела тщательный осмотр, ловко щелкая всяческими кнопками. Потом, тщательно вымыв руки, усадила меня в кожаное кресло и, велев хорошенькой медсестре подать кофе, вынесла вердикт:

— Дорогая, по женской части вы абсолютно здоровы, сейчас редко встретишь женщину без каких-либо признаков воспаления.

И, отрабатывая гонорар, пустилась в медицинские советы. Успокаивающий травяной сбор, расслабляющие ванны, легкий массаж, витамины. Еще предписывалось съездить отдохнуть, полноценное питание и пятьдесят грамм коньяка на ночь.

Грустно покачав головой, я объяснила, что все меры уже испробовала, а результат нулевой. Просто руки на себя наложить хочется.

Гинеколог успокаивающе похлопала меня по плечу:

— Ну, ну, милая, выбросьте дурь из головы. Могу посоветовать чудесного специалиста — психотерапевта.

— Вы считаете меня сумасшедшей? — прикинулась я окончательной дурой.

— Упаси Бог, — засмеялась Римма Борисовна, — ну почему российские люди так боятся психотерапевтов? В Америке собственный консультант все равно что собственная зубная щетка. Чудесный доктор, профессор — Сергей Владимирович Радов. Кстати, когда у меня начались кое-какие жизненные неприятности, воспользовалась его услугами. Не поверите, проблемы решились моментально, наладился сон, аппетит. Нет, Серж — кудесник. Но принимает только по рекомендации. Хотите, составлю протекцию?

Великолепная идея! Попасть к Радову на лечение и попробовать найти ответы на вопросы, но мне нельзя идти к нему, нужен кто-то посторонний. Ладно, отправлю к волшебнику невестку. Пусть Зайка разнюхает, что к чему.

— Ну так как? — поинтересовалась Селезнева.

— Отличное решение, конечно, согласна.

— Тогда скажите ваше имя, отчество. Фамилия Васильева, правильно?

— Ольга Евгеньевна. А когда можно попасть на прием?

Светило пообещало связаться с доктором в ближайшее время и велело звонить ей в среду.

Покинув поликлинику, я понеслась домой. Маруся с Мишей где-то пропадали, Аркадий сдавал экзамен, Ольга сидела дома одна. Я очень люблю свою невестку, она платит мне взаимностью. Сколько раз мы выручали друг друга в разных ситуациях. Случился в нашей жизни странный день, когда Аркашка по ложному обвинению попал в тюрьму, были моя болезнь и тяжелая операция, автомобильная катастрофа, в которую угодила Зайка. И вообще много чего было. В результате мы стали отлично понимающими друг друга подружками. Правда, Аркашка утверждает, что нас роднит отсутствие мыслительных способностей.

Я поскреблась к Зайке в спальню и открыла дверь. Ольга сидела в кресле, и мне показалось, что глаза у нее опухли.

— Поругалась с Аркадием?

— Ничего не замечаешь? — вопросом на вопрос ответила девушка.

— Нет, а что?

— Второй такой дуры, как я, нет на свете, — в отчаянье сообщила Зайка.

— Слушай, а почему сидишь в темноте?

— Зажги люстру и не смотри на меня, — всхлипнула Зайка.

Вспыхнувший свет выхватил из сумерек Ольгино личико, что-то было не так. Приглядевшись, я ахнула: белокурая Зайка выглядела настоящей Мальвиной. Короткие волосы платиновой блондинки отливали ярко-голубым цветом.

— Как ты это сделала? — изумилась я. — Впрочем, выглядит эффектно, только необычно.

Выяснилось, что Ольга решила придать своим кудрям ореховый оттенок. Купила широко разрекламированную краску, наложила ее на волосы и, педантично следуя инструкции, держала сорок минут. Потом взглянула в зеркало и лишилась дара речи. Голова пламенела костром. Такого пронзительно-апельсинового цвета просто не существует в природе. Бешеная морковка! Заливаясь слезами, несчастная Зайка кинулась в ближайшую парикмахерскую. Мастера поцокали языками и намазали волосы новым красителем. Эффект не замедлил сказаться. Волосы приобрели приятный лягушачий оттенок. Зарыдав еще раз, страдалица купила тюбик «светлый каштан», подумав, что более темный цвет закроет огрехи. Не тут-то было. Волосы замечательно посинели. И вот теперь, выключив свет, она в отчаянии дожидалась возвращения из института Аркадия.

Мы попробовали пополоскать волосы в крепком растворе чая — безрезультатно, затем сунули их в растворимый кофе. Кобальтовая синева превратилась в каурую лошадиную масть. На этом решили остановиться и пошли заедать горе пирожными с кремом.

Откусив сразу половину эклера, я попросила:

— Заинька, сделай доброе дело.

— Завтра побреюсь наголо, — сообщила Ольга и спросила: — Что надо?

— Отправишься на сеансы к психотерапевту Сержу Радову, большому любителю дамского пола. Но, думаю, с таким цветом волос тебе ничто не грозит.

Зайка хихикнула и осведомилась:

— И зачем его посещать?

— Надо узнать, где он живет, как обращается с пациентами, разведать, нуждается ли в деньгах, и попытаться вычислить, есть ли у него какие-нибудь тайны. Ну что-то вроде убитой им бабушки!

Ольга всплеснула руками:

— Как же я это узнаю? Надо же такое придумать.

Я огорченно вздохнула:

— Не знаю, но пока единственное, что пришло в голову, запустить тебя к нему. Может, увидит молоденькую и язык распустит. А я попробую выяснить все о его любовнице — Лене Ковалевой. Ларису убил тот, кто боялся ее длинного языка. Пока что выяснила только один секрет: Петька спит с Дианой. Но вчера оказалось, что, во-первых, они этого не скрывают, а во-вторых, всем известно об их амурах. Причем Кириллу наплевать на похождения супруги, а Анна получает удовольствие, разыгрывая из себя жертву. Такая версия лопнула! Вот и хочу узнать профессорские тайны.

Зайка с сомнением покачала головой:

— Ладно, попробую, вдруг и правда разговорю психолога, даже интересно, кто кого? Он меня или я его? Борьба тигра с носорогом.

Мы со смаком закурили, когда во дворе послышался шум мотора. Вернулся Аркашка. Через пару минут сын влетел в столовую и поинтересовался:

— Пирожные уничтожаете? А что-нибудь посущественней будет?

Зайка кротко глянула на муженька:

— Кешик, ничего странного не замечаешь?

Супруг принялся вертеть по сторонам головой, потом спросил:

— Занавески новые? Миленькие, старые выглядели слишком аляписто.

Мы переглянулись. Драпировки покупали год назад и с тех пор не меняли.

— На меня посмотри, — велела Ольга.

Аркадий уставился на жену во все глаза, потом хлопнул себя по лбу:

— Олюшка, прости, совсем забыл, у нас что, годовщина свадьбы?

— Да, — огрызнулась Зайка, — пятнадцать лет!

— Сколько? — изумился сын. — Почему пятнадцать?

— Потому что с тобой год за пять идет, — возмущенно прошипела жена и покинула столовую.

И чего она так расстроилась? Ни один из моих четырех мужей не замечал никаких изменений в моей внешности. Хорошо, хоть утром узнавали, сразу вспоминали имя.

Кешка плюхнулся в кресло:

— Конечно, виноват! Надо подарок купить! Мать, ты что посоветуешь?

— Заглянуть в свидетельство о браке.

— Зачем? — растерялся Кеша.

— Там стоит дата свадьбы, — сообщила я.

Аркадий в полном недоумении пошел за документами. Я поглядела в окно. Опять стеной валит снег, а мне надо ехать к Войцеховским, забрать сумку и попрощаться. Хватит, нагостилась. Расследовать Ларискино убийство можно и живя дома.

В Комарово я прибыла перед ужином. Фрида как раз отчаянно ругала Катерину, переварившую картошку.

— Не умеешь готовить, не берись, — гремела она на весь дом, — как прикажешь есть эту кашу?

Кухарка лепетала что-то, оправдываясь, я прошла в гостиную. Серж, покачиваясь в кресле Владимира Сигизмундовича, читал газету. Петька и Диана хихикали на диване, Степан и Кирилл уставились в телевизор, Анна вязала, не было только Лены.

Захлебывающимся от возбуждения голосом диктор рассказывал об очередном заказном убийстве. На экране возникло изображение обезображенного тела.

— Кого взорвали? — оживился Петька.

— Депутата, — сообщил Степан, — дело взято под контроль президентом.

Я вздохнула. Бери дело под контроль, не бери дело под контроль — все равно не найдут! Где уж тут милиции разбираться со смертью какой-то Ларисы Войцеховской. Тем более что все родственники в один голос твердят о ее рассеянности и привычке держать на кухне банку со стрихнином! Скорей всего прикроют папочку — и в дальний уголок, с глаз долой. Вон сколько забот: то депутата кокнут, то банкира придушат. И никому, кроме меня, нет дела до бедной Лариски. Все уже забыли. Степка весело хохочет, Фрида ругается, а моя подруга до сих пор в морге, даже похоронить нельзя. Милиция почему-то не отдает тело.

Грустные мысли вертелись в голове, и стало невыносимо тоскливо. Ну кто же из этих милых, интеллигентных людей убийца?

Громкий треск прервал мрачные размышления. Серж вылез из кресла-качалки и заглянул под него. Одна из паркетин отскочила. Профессор попробовал было приладить деревяшку на место, потом сунул руку в образовавшуюся щель и вытащил круглую, заклеенную липкой лентой железную коробку. Внутри что-то громыхало.

— Давайте сюда, — потребовал Степан.

— Почему? — удивился Серж. — Я первый нашел.

— Какая разница, — полез в драку Петька, — сокровище наше, и вы тут совсем ни при чем!

— В завещании сказано, что сокровище достанется тому, кто его обнаружит, — сообщила Диана.

Степан злобно уставился на нее.

— Да, — сказал Серж, — именно так, — и потряс находку.

— Просто непорядочно забирать чужое, — произнесла Анна, — отдайте коробку, она принадлежит Войцеховским.

— Не тебе рассуждать о порядочности, — заявила появившаяся на пороге Лена. — Владимир Сигизмундович четко определил: клад достанется тому, кто найдет, значит — Сержу.

От возмущения лицо у Степана пошло красными пятнами. Он подскочил к Радову и попытался выхватить «клад», но профессор быстро опустил коробку в карман брюк.

— Думаешь, он с тобой поделится? — спросил Петька у Лены.

Та молча дернула плечом.

— Отдай коробку, ученый, — тихо произнес Степан.

— Нечего с ним разговаривать, — сказал Петька. — Хватай за руки!

Братья стали подбираться к Радову, Ленка кинулась защищать любовника, Анна дернула ее за руку. Назревала нешуточная драка. Внезапно Серж со всего размаху бросил алюминиевый кругляш в угол. Диана ловко подскочила и схватила его. Ломая ногти, женщина в мгновение ока отодрала скотч, сняла крышку, и взору ее открылась... россыпь разнокалиберных пуговиц и какой-то листок.

Кирилл взял у жены бумажку и медленно прочел:

— «Мои возлюбленные родственники! Принялись ломать пол, значит, я не ошибся в вас. Думаю, что уже обнаружили кое-какие сюрпризы: алмаз, жемчуга, изумруды, золотой слиток и рубин. Надеюсь — переругались до смерти. Но я все же люблю вас, поэтому сообщаю, не крушите дом. Все равно ничего не найдете. Ваш Владимир Сигизмундович».

— Чертов шутник, — взревел Степан и изо всех сил пнул вожделенную коробку. Пуговицы брызнули во все стороны. Петька разочарованно вздохнул. Ленка шлепнула Анну по рукам:

— Отпусти кофту!

— Драться будешь? — возмутилась Анна, изо всех сил дернув рукав.

— Отвяжись! — заорала Лена.

— Кому ты нужна! — взвизгнула Анна.

Ленка попыталась высвободиться, и в тот же момент рукав оторвался, обнажив белое плечо, украшенное татуировкой.

— Фу, — проговорила Анна, — ты похожа на проститутку с этой картинкой.

Девушка побледнела.

— Лучше быть честной путаной, чем лживой женой, — заявила она.

— Что ты имеешь в виду? — вскипела Анна. — Я, порядочная женщина, двадцать лет живу с мужем, а ты путаешься со стариками.

Серж молча уселся в кресло. Я попыталась успокоить страсти:

— Давайте ужинать, кушать хочется.

— Я с этой профурсеткой не то что есть, срать на одном поле не сяду, — сообщила Анна, — мне не пристало находиться рядом с гетерой!

— С кем? — вытаращил глаза Кирилл.

— С гетерой, — по буквам произнесла Анна.

— Кто это такая? — спросила Диана.

— Шлюха времен Римской империи, — пояснил Кирилл.

— Абсолютно верно, — подтвердила Анна, — низкопробная шлюха, которой не место среди нас, женщин, которые шли под венец, сохраняя невинность души и тела. Мы в свои двадцать не валялись по чужим койкам, а ждали своего единственного, принца, если хотите.

Петька приосанился. Кирилл хмыкнул, я опять попыталась восстановить мир:

— Пошли в столовую, а то здесь прохладно.

— По-моему, наоборот, жарко, — хмыкнул Степан, — Ань, хватит злиться, давайте ужинать.

Но невестку понесло:

— Ужинать, но только в приличной компании. Лариса была страшно неразборчива в друзьях. Вечно к вам в дом всякая шваль лезла.

Тут Ленкино терпение лопнуло, и девушка неожиданно спокойным голосом прощебетала:

— Анечка, хватит комедию ломать. Люлю мне рассказала о Карлосе.

— Все ложь, — немедленно отозвалась Анна.

Лена засмеялась и закурила тоненькую коричневую сигарету:

— Ложь, не ложь, но одна маленькая птичка принесла на хвосте интересное сообщение.

И Ленка принялась сыпать невероятной информацией. Люлю близко дружила с Зиной Громовой, сотрудницей Министерства просвещения. Как-то раз Зинка гостила у Войцеховских, а тут приехали Петька с Анной, они как раз только что поженились и ворковали, словно голубки. Зина взглянула на новобрачную, подняла брови, дождалась, пока молодожены удалились, и поинтересовалась у Лариски, давно ли Петя знаком с Анной. Люлю точно не знала. Тогда Зинуля, хихикая, сообщила, что к ней в министерство часто приходил знойный мексиканец Карлос, все продлял срок аспирантуры. Пару раз он показывал Зине свои фотографии с разными бабами, без конца хвастаясь победами над русскими девушками. В одной из любовниц Зинуля узнала Анну.

— Правда? — спросил Петька.

— Вранье, — продолжала твердить жена, но по

ее побледневшему лицу было ясно, что это чистая правда.

— Ой, не могу, — простонала Диана, — наша ханжа из гулящих!

— Люлю все посмеивалась, когда Анна заводила разговоры о порядочных женщинах, — неслась, закусив удила, Ленка, — но ничего не рассказывала. Нравится этой дуре невинность изображать — пожалуйста. Хотя очень смешно.

— Вы ничего не поняли, — попробовала отбиться Анна, — нас с Карлосом никогда, никогда не связывали любовные отношения. Он мексиканец, человек, остро чувствующий, романтический, тонкий...

— И поэтому ты от него к Томазгену сбежала? — выпалила Лена.

— К кому, к кому? — заинтересовался Степка. — К Бромгексену?

— К Томазгену, — спокойно объяснила Лена, — к эфиопу, он тоже, как и Карлос, в Университете дружбы народов учился, на медицинском.

Все замолчали, пребывая в некотором шоке.

— Во, блин, дает! — не выдержала Диана. — Эфиоп! Это что, негр?

— Точно, — пояснила Лена, — правда, с Томазгеном Анька недолго прокрутилась, ее Сяо Цзы отбил.

— Просто фестиваль молодежи и студентов! — восхитился Кирилл. — Ну и Анька, какой успех! Сплошные иностранцы в постели!

— И ты, — неожиданно взорвался Петька, — ты не подпускала меня к себе целую неделю после свадьбы? Все ныла, что боишься, потом рыдала три дня и называла животным? А я, дурак, верил, берег невинную девушку!

Анна побледнела до синевы и стала оглядываться по сторонам:

— Они никогда не были моими любовниками. Просто ухаживали — театр, кино, рестораны. У всех девушек такое бывает, мало ли, что там Лариска выдумывала. Я шла под венец чистой девушкой.

— Это уж точно, — встряла Диана, — догадалась помыться перед загсом.

Анна рухнула на диван и вытащила из кармана большой, почти мужской носовой платок.

— Тебе, Лена, стыдно повторять всякие сплетни. Лариса, хотя о покойных плохо не говорят, не прочь была пошантажировать кого угодно. Всякое вранье собирала. Ты еще совсем молодая, нехорошо так жизнь начинать, мы были...

Ленка махнула рукой:

— Только не начинай опять про скромность и невинность. Карлос показывал Зинке твои письма со страстными признаниями, хвастун. Одно из посланий Зинуля утащила и отдала Ларке, чтобы та знала, кого в родственниках имеет. Хочешь, принесу? Мне Лариска говорила, где оно лежит!

Анна внезапно посерела и стала хватать ртом воздух. Кирилл подал ей стакан воды. Не хотела бы я очутиться на ее месте. Так опозориться, да еще при всех. Петька встал и, не проронив ни слова, вышел из гостиной, жена бросилась вслед за ним.

Серж укоризненно поглядел на любовницу:

— Леночка, не надо было так резко...

Лена закивала головой:

— Ничего, в следующий раз подумает, прежде чем обзываться.

— У тебя правда есть письма Карлоса? — не выдержала я.

— Нет, — покачала головой Лена, — конечно, нет. Просто знаю, что Анька, дура, обязательно сочиняла какие-нибудь сладкие записочки. Пусть думает, что у меня имеются доказательства ее бурно проведенной молодости. И вообще, она первая начала, и еще надоело выслушивать постоянные намеки на мое легкомысленное поведение и восхищаться ее безупречной репутацией образцовой жены.

— Давайте ужинать, — вздохнул Степан.

Но мне совершенно расхотелось есть. Сославшись на нездоровье, я пошла собирать сумку. Захотелось побыстрей убраться из гадюшника.

Глава 12

В среду позвонила госпожа Селезнева и сообщила, что Серж ждет пациентку. Продиктованный адрес меня удивил — Ленинградский проспект. Может, там просто кабинет?

Необходимо было придумать какую-нибудь болячку. Мы перебрали многие и остановились на мигрени. Вполне безобидная штука, не рак и даже не аллергия. Ольга отправилась к Радову, а я решила заняться Леной и опять поехала на Полянку.

В отделе аспирантуры просматривала папки толстая девица с мрачным лицом. На мой вопрос, где можно найти аспирантку Ковалеву, она пожала плечами и без всякого энтузиазма сообщила:

— Прописана в общежитии, здесь рядом, а где на самом деле живет — не знаю.

Я пошла в общежитие, расположенное в соседнем здании. На вахте дремала старушка, настоящий божий одуванчик, она даже не пошевелилась при моем появлении. Длинный коридор явно нуждался в ремонте — пятна протечек на потолке, облупившиеся стены, потертый линолеум. Убого и грязновато. В первой комнате никого не было, четыре кровати и груда разбросанных мужских шмоток. Во второй встрепанная девица в тренировочном костюме поинтересовалась:

— Ковалева? Не помню! Какой курс?

— Она аспирантка.

— А, — протянула студентка, — тогда идите на пятый этаж, здесь первокурсники.

Пришлось наверх лезть по бесконечной лестнице, лифта здесь не существовало. Преодолев пролеты и задыхаясь, как выброшенная на берег рыба, я снова оказалась в длинном коридоре. Но здесь было чище и уютней, на полу подобие дорожки — неслыханная роскошь! Койку Ленки я нашла в седьмой комнате. Аккуратно застелена, подушка без наволочки, на тумбочке никаких вещей — впрочем, я и так знала, что девушка здесь не живет.

Ленкина соседка, долговязая, нескладная деваха, мучилась над заданием по французскому языку. Лучшего повода для знакомства просто не придумаешь. Через полчаса я решила ее проблему, девушка повеселела и предложила попить чайку. Я, естественно, согласилась, и на столе возникла оббитая эмалированная кружка с теплым, непонятного вида напитком.

— Когда Леночка придет? — лицемерно поинтересовалась я.

— Она тут не бывает, — радостно сообщила девица, — всего раз ее видела.

— Надо же, какая жалость. Ленина мама просила зайти, узнать, как дела.

Девушка призадумалась:

— Идите в 18-ю комнату, там живет Наташа Богданова, они вместе на первый курс поступали и до сих пор дружат.

Наташа Богданова явно собиралась уходить, потому что вертелась перед зеркалом, натягивая узенькие черные брючки. Узнав о моем желании передать Лене привет от матери, Наташа сощурилась и поинтересовалась:

— Вы, наверное, медиум!

— Почему? — оторопела я.

— С Ленкиной родительницей можно поговорить лишь во время спиритического сеанса. Она умерла, когда Лене исполнилось пять лет. Лену воспитывала родственница.

— Ее-то я и имела в виду, когда говорила о маме, — попыталась я выкрутиться.

— Тетка скончалась в прошлом году, — заявила Наташа и расхохоталась, — врете плохо!

Вот это был облом!

— Кто вы? И что вам нужно? — поинтересовалась Наташа. — Зачем Ленка понадобилась?

Мозги лихорадочно завертелись в поисках выхода.

— Ладно, — я плюхнулась на стул, изображая раскаяние, — извините за глупую ложь, но я вам сейчас все объясню. Мой сын сделал Лене предложение. Знаком с ней всего ничего, вот и решила посмотреть, где она живет, и разузнать о ней кое-что.

Наташа улыбнулась:

— Сколько лет сыночку?

— Двадцать пять.

— Можете не дрожать, Ленку ровесники не волнуют, ищет солидного мужика с положением, к тому же сейчас у нее бурный роман. Вашему сынуле ничего не светит.

— Деточка, вот родите детей, тогда и поймете, как болит материнское сердце. Вы ведь с Леночкой дружили, расскажите бога ради о ней.

Но Наташа оставалась безучастной. Пришлось выложить последний козырь:

— Заплачу за информацию.

Аспирантка сразу оживилась:

— За двести баксов сообщу всю подноготную.

Вздох облегчения вырвался из моей груди, но девушка истолковала его по-своему и сказала:

— Лучше один раз заплатить, чем потом долго мучиться. А рассказать есть что.

Я порылась в портмоне и вытащила две миленькие бумажки, в обмен на которые можно получить теперь все. Богданова придавила их пепельницей и начала рассказывать.

Лена родилась в маленьком, богом забытом городке Рязанской области. До Москвы чуть больше трех часов на поезде, но казалось, что столица находится в другом мире. Девочке не повезло с рождения. Мать беспробудно пила горькую и на вопросы ребенка о папе каждый раз называла другое имя. Зимой у них не было дров, теплой одежды и ботинок, летом становилось чуть легче, но есть девочка хотела постоянно. Когда ей исполнилось пять лет, мать ушла из дома и не вернулась. Ребенок, привыкший часто ночевать в одиночестве, первое время не расстраивался. Но через неделю, еле живая от голода, девочка вышла на привокзальный рынок и стала клянчить еду. Сердобольные прохожие отправили Лену в милицию, откуда путь пролег в детский дом. Из приюта девочку забрала невесть откуда взявшаяся тетка, сестра непутевой матери. Вздыхая и охая, женщина привела Ленку к себе на окраину города, в небольшой деревенский домик. Потом уже, став старше, Лена поняла, что доброта тетки имела вполне земное объяснение: взрослый сын женился, свекровь не ладила со снохой. Однокомнатная квартира, в которой была прописана Ленка, оказалась весьма кстати. Молодые отправились туда, а тетка стала растить племянницу. Женщина она была незлая, и девочка чувствовала себя вполне счастливой. Появились кое-какие игрушки, платья. А первого сентября Лена, как и все ее ровесники, отправилась в школу.

Учение давалось нелегко, к пятому классу дневник украшали одни тройки. В седьмом Лена заметила, что многие девочки сторонятся ее и никогда не зовут играть на переменах. В конце концов одна из одноклассниц, дочь главврача местной больницы и признанный лидер, пояснила: «Нам не разрешают с тобой играть. Вы с теткой на покойниках наживаетесь, и потом от тебя можно заразиться». Ленка пришла домой, глотая злые слезы. Тетка и впрямь подрабатывала в местном морге санитаркой и иногда приносила племяннице красивые платьица. Лена никогда не задумывалась, откуда тетка их берет. Недетские раздумья поселились в ее голове, и девочка наотрез отказалась идти в свою школу в восьмой класс. Она потребовала, чтобы тетка перевела ее в английскую, на другой конец города. «Или туда, или буду жить в своей квартире», — пригрозила девчонка. Испугавшись перспективы снова оказаться рядом с ненавистной снохой, тетка навязалась в школу уборщицей и устроила туда племянницу.

Ленка почти не разговаривала с одноклассниками. Да и некогда было. Сидя на последней парте, девочка грызла неподдающуюся науку. Впереди маячила заветная цель — аттестат с медалью и учеба в Москве, подальше от ненавистного городка. Она сделала невозможное. В десятом классе ее называли гордостью школы и ставили в пример на каждом собрании. Вожделенная медаль открыла двери Социологического колледжа, и Ленка определила новую высоту. Теперь хотелось защитить кандидатскую диссертацию, подцепить мужа с положением и квартирой в Москве.

— И откуда ты все это знаешь? — остановила
я поток информации, которую вылила на меня
Наташа. — Не врешь?

Девушка покачала головой. Нет, она ничего
не придумывала, просто в тот день, когда пришла
телеграмма о смерти тетки, Ленка впервые в жизни напилась до поросячьего визга и рассказала
товаркам всю свою подноготную.

На первых курсах Ленка ничем не выделялась
из толпы бедных студентов, считавших копейки в
институтском буфете. Но на втором произошла
разительная перемена. Откуда-то взялись новые
платья, дорогая косметика. Сокурсницам Лена
объясняла, что пристроилась работать в фирму,
но в какую — не сообщила.

Подруг у нее не наблюдалось. Что-то вроде
дружбы связывало Лену с Наташей Богдановой и
Милой Котовой. Причем с Котовой Ленка особенно сблизилась. Именно Мила сначала пристроилась на работу в таинственную фирму и стала щеголять в новой шубке, а потом уже помогла
получить приработок Лене. Наташу в долю не
взяли, чем обидели ее до крайности. Потом Ленка сняла квартиру и уехала из общежития, а совсем недавно по институту прошел слух о ее лю-
бовной связи с местным Казановой — профессором Сержем Радовым.

— Где можно найти Милу Котову? — поинтересовалась я.

Наташа развела руками:

— Милка закончила институт, а в аспирантуру
не пошла. Сказала, ей ни к чему. Сюда не приходила, хотите, дам телефон?

Записав номер Котовой, я поехала домой.
Зайка сидела в гостиной, пытаясь сложить стран-
ную мозаику.

— Ну, как у профессора? — накинулась я с вопросами.

— Непонятно пока. Квартира однокомнатная, хорошая, с большой кухней.

Профессор любезно угостил Зайку чаем и примерно с полчаса вел светскую беседу, потом плавно перешел на болячки. Выслушав жалобы на мигрень, сообщил, что она — болезнь века, но бороться нужно. Потом уточнил стоимость сеанса и попросил оплатить курс вперед. Ольга дала Сержу четыре тысячи долларов, и он провел ее в комнату, где усадил в мягкое, большое кресло, попросил закрыть глаза и... Больше невестка практически ничего не помнила. Ей показалось, что она сразу заснула. А когда открыла глаза, то не поверила. Сеанс длился два часа.

— Совсем ничего не помнишь? — удивилась я.

— Совсем, — удрученно сообщила Зайка, — просто закрыла глаза, потом... хлоп, открыла.

— Что у него на кухне, в комнате, как думаешь, один живет?

— Нет, — сказала Ольга, — в ванной висит женский халат, на полочке косметика, кремы всякие, на подоконнике цветы. Какая-то баба у него есть. Завтра попробую не уснуть.

Из холла послышался истошный собачий визг. Мы побежали вниз. Возле входной двери уже суетились Аркадий и Маруся, пытаясь вытащить из собачьей дверки застрявшего ротвейлера Снапа.

Мы купили дом без внутренней отделки. Фирма, осуществлявшая строительство, посоветовала пригласить дизайнера, чтобы достойно оборудовать жилище. Чувствуя себя полными профанами в деле оформления интерьера, мы с радостью согласились. Уже к вечеру по паркетным полам, заламывая в ажиотаже руки, носилось странное существо, похожее на кузнечика. Парень выглядел поразительно: ярко-желтый пиджак, синие брю-ки, длинные завитые волосы и, кажется, подве-денные глаза.

— По-моему, он «голубой», — сообщила Маня.

— Ерунда, — отмахнулся Аркашка, — просто художники все ненормальные.

В среду мы ошеломленно рассматривали про-ект. Из столовой изгонялся обеденный стол. Есть предлагалось за длинной доской, напоминавшей стойку бара, вместо стульев рекомендовались вы-сокие табуреты. Никакой уютной мягкой мебе-ли — сплошь хромированные железки и малень-кие подушки. В спальнях минимум необходимого и полное отсутствие занавесок. «Надо впустить свет», — ликовал кузнечик. Стены следовало по-красить в мертвенно-белый цвет и разместить в потолке светильники. Ковры изгонялись как класс, впрочем, торшеры и кресло-качалка тоже. «Это вульгарно», — отрезал дизайнер на робкое замечание Аркадия о том, что он любит читать, покачиваясь в дедушкином кресле. «Рухлядь — вон, — шумел художник, — мебель изготовили на заказ, стильно и модно. Да ваш интерьер попадет на страницы журнала «Дом и сад».

Но нам не нужна была слава, хотелось жить в милом, уютном доме. Поглядев на выставленный кузнечиком счет, Кеша крякнул и сообщил, что, к сожалению, проект не подходит.

— Весь проект, полностью? — искренне рас-строился мальчишка.

— Нет-нет, — поспешила его утешить Ма-ня, — замечательная вещь — дверка для собаки. Наши псы смогут сами выбегать и прибегать, ко-гда вздумается. Да и кошки захотят летом бро-дить по саду.

И мы поставили в гостиной велюровые крес-ла, в столовой — удобный стол, перевезли обожаемую Кешкой качалку. Окна завесили тяжелыми гардинами, на пол постелили мягкие ковры. Пришедший за гонораром дизайнер тоскливо вздохнул и сказал: «Да, пещера современного дикаря!»

Но дверку для собак все-таки сделали. Правда, выяснилось, что кошки ею пользоваться не хотят, а предпочитают утробно орать, требуя, чтобы им распахнули всю дверь. Собаки же покорно шныряли туда-сюда, пока однажды выросший и пополневший Снап не застрял посередине. Мы расширили лаз, но Снап, обладая отличным аппетитом, продолжал увеличиваться в размерах и сегодня снова застрял.

Он походил на Винни-Пуха в гостях у Кролика. Голова снаружи, а филейная часть внутри.

— Плохо дело, — сообщил Аркадий.

— Почему? — испугалась Зайка.

Снап тихо и равномерно подвывал, суча задними лапами.

— Он застрял по дороге на прогулку, — уточнил Кеша.

— Ну и что? — опять не поняла Ольга.

— Сейчас увидишь, — сказал супруг и потянул Снапа за задние ноги.

Пес завизжал во весь голос и описался. Гигантская вонючая лужа растеклась по холлу.

— Теперь сообразила? — усмехнулся муж. — Кстати, он утром не какал.

В подтверждение его слов Снап оглушительно пукнул. Маруся раскрыла дверь и попыталась вытащить бедолагу за передние лапы. Ротвейлер пищал, словно придавленная мышь, но не двигался. На вопли примчались пит, пудель, обе кошки и йоркширский терьер. Следующий час мы безуспешно пробовали вызволить несчастного. Толкали назад, тянули вперед — результат нулевой. Бедный Снап начал хрипеть, он уже выполнил всю программу: наложил большую кучу и еще два раза пописал, но с места не сдвинулся.

— Надо вызывать службу спасения, — крикнула Маня.

— Так они к собаке и поедут, — усомнилась Зайка.

Аркашка по телефону соединился с диспетчером. К нашему удивлению, тот проявил полное понимание и пообещал прислать бригаду. Спустя минут пятнадцать во двор въехала машина, и вышли люди в синих куртках.

— Попробуем сначала так вытащить, — сказал один, — а не получится, придется резать дверь.

Нам велели принести шампунь. Спасатели намылили пса и принялись одновременно толкать сзади и тянуть вперед. Снап взвыл и в ту же секунду, как пробка из бутылки, вылетел во двор и принялся носиться по саду, отряхиваясь и вздрагивая.

— Уведите собаку домой, — распорядился старший, получая деньги, — мокрый, простудится.

Ольга пошла ловить страдальца, добрые самаритяне двинулись к машине, и в этот самый момент ротвейлер вновь полез в дверцу, чтобы попасть домой. Теперь он застрял в обратной позиции: голова в холле — зад на улице. По счастью, спасатели не уехали. Снапа снова намылили, но на этот раз он не собирался освобождаться. Скоро весь пол в прихожей покрылся белой пеной. Маня притащила бутылочку масла «Джонсон беби», и ротвейлера намаслили. Скользкий до невозможности, он тем не менее сидел как пришитый. Все устали, запачкались и проголодались. В конце концов из багажника показался электрический резак. Прибор включили в сеть, поднесли к двери, и лезвие с ужасающим грохотом начало вгрызаться в дерево. Ротвейлер, до смерти боявшийся пылесоса, сдавленно всхлипнул, закатил глаза и потерял сознание. Через пять минут намыленного, намасленного и не проявляющего признаков жизни Снапа вволокли в холл и устроили на ковре. Спасатели, пересмеиваясь, опять получили деньги и отправились восвояси. Мы огляделись вокруг: распиленная дверь, три пустые бутылки из-под шампуня, одна от масла, несколько мыльных луж на полу, еще пара масляных. Ковер похож на жирный блинчик, ротвейлер при последнем издыхании. Пуделица Черри воет в голос, кошки мечутся по холлу, питбуль улегся в грязи, а йоркширская терьерица почему-то вымазана вареньем.

— Мне кажется, — робко заметила Зайка, — дверка для собаки не лучшее изобретение.

Ответом ей был громовой хохот домашних и лай очнувшегося Снапа.

Глава 13

Утром Ольга отправилась к Радову, а я принялась названивать Котовой. Трубку сняли на десятый звонок.

— Чего надо? — весьма невежливо осведомился грубый, похоже, пьяный мужской голос.

— Позовите Милу Котову.

— На кладбище твоя Милка, — просипел мужик.

— На каком? — оторопела я.

— Митинском, — уточнил пьянчуга и бросил трубку.

Посидев в задумчивости пару минут, я опять взялась за телефон. На этот раз ответила женщина. Придав голосу металлические нотки, я бесцеремонно закричала:

— Телефонная станция. Почему переговоры не оплачиваете? Сейчас отключим номер.

— Господь с вами, — испугалась женщина, — никуда не звонили по межгороду, только в Москве.

— Не знаю, не знаю, — сердилась я, — счет на 24.75 с октября лежит.

— Проверьте как следует, — попросила трубка, — точно не наш счет.

— Назовите адрес, — сменила я гнев на милость и через секунду узнала, на какой улице проживает Котова. Не ближний свет, район-новостройка из тех, что ближе к Петербургу, чем к Кремлю.

К визиту следовало подготовиться. В сумку положила бутылку водки, батон колбасы и коробку конфет. Встретит мужик — покажу пузырек, откроет баба — выну конфеты.

Дома оказались оба. Супружеская пара лет под пятьдесят. Он совершенно лысый, со специфическим красным носом, она с опухшим лицом и выбитым передним зубом. Конфеты тут явно не понадобились, «Столичную» встретили с тихим ликованием.

На грязной кухне, на покрытом липкой клеенкой столе появились три стакана и тарелка с кое-как нарезанной колбасой. Мои собеседники разом опрокинули емкости, потом мужик, переведя дух, спросил:

— Сама чего не пьешь?

— Нельзя, язва.

— Надо же, горе какое, — пожалела баба, — не отдохнуть по-человечески.

Они еще разок выпили, пожевали колбаски, и

только потом баба расслабленно поинтересовалась:

— Вы по поводу покупки квартиры?

— Да, — поспешила я согласиться.

— Комнаты у нас первый класс, — встрял мужик, — метраж большой. Рядом лес, река — красота.

— Зачем тогда продаете? — сорвалось у меня с языка.

— Деньги нужны, — посетовала тетка. — Ну пошли!

И они повели меня по квартире. Две невероятно запущенные комнаты и третья, маленькая, но довольно аккуратная, на узком диванчике— подушка и плюшевый слон. На стене полка с книгами, у окна письменный стол.

— Здесь кто живет, соседка?

— Нет, — всхлипнула баба, — дочка наша, покойница.

— Какой ужас! — вполне искренне воскликнула я.

— И не говорите, — зарыдала пьяными слезами мать, — такое горе, такое горе.

— Под машину попала?

— Нет, — продолжала всхлипывать баба, — таблетки с уколами доконали. Уж мы просили, просили, брось, дочка! Куда там!

— Пошли, помянем, — предложил мужик.

Мы вернулись на кухню и, не чокаясь, выпили.

— Болела дочка чем? — приступила я к допросу.

— Здоровая была, кровь с молоком, умная, институт закончила, думали: вырастили подмогу на старость, — запричитала мать.

— Таблетки тогда зачем пила?

— Наркота, — сухо сообщил отец. — Сначала все из коробочки ела, потом колоться стала. В больницу положили, в восемнадцатую, а там тюрьма! Вышла — и по новой.

Мать снова залилась пьяными слезами и принялась бессвязно рассказывать.

Выходило, что они с мужем всю жизнь проработали вместе в обувной мастерской. Он с молотком, она за швейной машинкой. Жили как все, пили как все. Из жизненных удач — одна, зато крупная. На самой заре перестройки, в конце 1985 года, им, очередникам с двадцатилетним стажем, неожиданно дали квартиру в новостройке. «Гуляли тогда, — причмокивал мужик, — целый месяц». В такой семье неожиданно выросла умненькая девочка, отлично закончившая школу, выучившая сама, без репетиторов, английский и поступившая без проблем в институт.

На первом курсе Милочка стала жаловаться, что одета хуже всех и денег никогда нет. Мать с отцом только разводили руками, чинить обувь стало так дорого, что народ перестал ходить в мастерскую. Мила поубивалась немного, потом вдруг откуда-то появились новые платья. Сначала на вопросы родителей девушка коротко отвечала: «Подруга поносить дала». Потом как-то раз заявилась в шубе и, протягивая изумленной матери сто долларов, сообщила, что устроилась на работу в американскую фирму, торговать гербалайфом. Родители пришли в полный восторг. Удивляло их только одно: на работу дочь отправлялась после девяти вечера, возвращалась под утро, а то и вовсе пропадала на два-три дня. «Езжу по провинции с товаром», — объясняла матери. Та, радуясь, что дочь регулярно приносит деньги, не лезла в душу.

Потом начались странности. Мила могла целый день ничего не есть, а ночью кинуться к холодильнику и смести все с полок. Девушку мучила постоянная жажда. Настроение у нее менялось сто раз на дню, бизнес перестал приносить прежний доход, дотации родителям сократились. Мила без конца глотала какие-то таблетки, ссылаясь на головную боль, но на работу все равно ходила исправно. И лишь когда отец нашел в помойке шприц с ампулами, у родителей открылись глаза. Ни отец, ни мать не находили ничего плохого в водке, частенько попивали, потом горланили песни. Но наркотики, по их мнению, были кошмаром. Проявив несвойственную твердость, предки поволокли девушку к врачу и запихнули в больницу. Наверное, Мила сама хотела избавиться от зависимости, потому что покорно выполняла все рекомендации и выписалась почти здоровой. С работы ее, конечно, уволили.

Повалявшись месяц дома на диване, она попыталась устроиться на разные места, но безуспешно. Однажды, уйдя с самого утра, она не пришла ночевать, а на следующий день позвонили из милиции и велели приходить на опознание. Милочка скончалась от передозировки. Нашли тело собачники, сумочка лежала рядом. В ней паспорт и кошелек с мелочью.

— Целый месяц после больницы не кололась? — уточнила я.

— Недолго продержалась, — сокрушалась мать.

— Как называлась фирма, где она работала?

Ни отец, ни мать не знали. Фирма и фирма, вон их сколько.

Поглядев на опухшие лица и водянистые глаза, я достала кошелек и велела мужику купить еще водки, а бабе притащить закуску. Алкоголики послушно взяли сумку и ушли, оставив меня в одиночестве.

Как только за ними захлопнулась дверь, я пошла в комнату Милы. Маленькая, метров десять, не больше. Из мебели старенький диванчик, книжная полка, небольшой платяной шкаф и письменный стол. Гардероб сиял пустотой. Родители-пьяницы скорей всего сразу продали оставшуюся одежду и шубу. На полке — обычный набор учебников и два дамских романа. Оставшийся без хозяйки плюшевый слон грустно глядел пуговичными глазами. Я взяла игрушку в руки. На животе элефанта обнаружилась молния, внутри небольшая записная книжка. Страницы пестрели именами, телефонами, цифрами.

Из коридора донесся шум. Вернулись сапожники. Сунув книжечку в карман, я попрощалась с ними, пообещав подумать о покупке квартиры. Уходя, услышала, как отец, чертыхаясь, распечатывал бутылку.

Домой я заявилась к обеду. Маруся прямо из лицея поехала в Ветеринарную академию, Аркадий испарился в неизвестном направлении, Оля только что вернулась.

Сегодня Радов предложил ей чашечку кофе и сладкие булочки. Дальнейшее все как вчера: комната с задернутыми занавесками, удобная подушечка под спиной и... глубокий сон в течение двух часов.

— Черт-те что, — изумлялась невестка, — точно решила не спать и моментально задрыхла. Даже не вижу, какая мебель в комнате. Захожу, а там почти полная темнота. Завтра нарочно приеду раньше, скажу, часы вперед убежали.

Я вздохнула: и как только профессор ухитряется вогнать бедную Ольгу в сон? Чудеса, да и только.

После обеда стала изучать маленькую черную книжечку, переполненную информацией. Мелькали сплошь мужские имена — Дима, Валера, Костя, Леня. Рядом с телефонами стояли непонятные цифры и скобки. Я тупо глядела на верхнюю строчку — Павлик — 155-75-46 (150-20-15-30). Первое, ясное дело, телефон, а второе что? Может, позвонить? И я набрала номер. Подошел мужчина:

— Вам кого?

— Павлика.

— Я.

— Вас беспокоит подруга Милы Котовой. Исполняется годовщина со дня ее гибели, хотим собрать друзей на поминки.

Парень помолчал, потом буркнул:

— Не знаю никакую Милу!

Я набрала один за другим еще три номера. Милу не знал никто. Но ведь записала же она зачем-то телефоны этих мужчин?

Утомившись, я спустилась в гостиную, где Зайка опять пыталась сложить непонятную мозаику.

— Что это у тебя?

Ольга зевнула:

— Ненормальная преподавательница по истории живописи взяла десять открыток с картинами великих мастеров, разрезала на мелкие кусочки, перемешала и велела сложить заново, наклеить на лист бумаги и сдать ей. Хочет, видите ли, проверить, насколько хорошо мы знаем живопись.

Куча мелких обрывков впечатляла. Части были разных цветов, изредка попадались более-менее распознаваемые объекты. Вот этот кусок явно от картины Эль Греко «Святое семейство». Но сложить все невероятно трудно.

— Завтра вечером сдавать, — безнадежно вздохнула Зайка.

— Неси сюда альбомы, — предложила я, — подумаем вместе.

Через пару часов мы имели два произведения Рубенса, одно Моне, портрет Гойи. Еще через полчаса разобрались с Шишкиным и Дега. Первого сразу узнали по медведю, второго — по балетным туфлям. Труднее пришлось с Пикассо, никак не могли правильно совместить квадратики. В результате к вечеру на столе остались только непонятные темно-коричнево-бордовые куски. Мы головы сломали, листая энциклопедии и альбомы.

— Больше не могу, — простонала Ольга, — пусть ставит незачет.

К нам подключился вошедший Аркашка и в конце концов обнаружил искомое.

— Смотрите, — воскликнул он, — это явно Рембрандт.

Мы стали листать раздел, посвященный великому голландцу. Замелькали бесконечные иллюстрации. Одна картина показалась странно знакомой. На мрачном темно-коричневом фоне уродливое мужское лицо, на голове — ночной колпак. Старик противно усмехается, глядя на зрителей прищуренными глазами садиста. На крючковатом носу бородавка, глубоко запавшие щеки бороздят морщины. Редкий красавец!

Я стала читать пояснение. «Рембрандт Харменс ван Рейн (1606—1669 гг.) — живописец, рисовальщик, офортист. Новаторское искусство Рембрандта отличается демократизмом, жизненностью образов. «Мужчина в колпаке» хранится в Лувре. У картины существовала пара — «Старуха со свечой». Полотно считается утерянным; несмотря на это, аукцион Сотби заочно оценил «Старуху» в два миллиона долларов».

Я подскочила на стуле. Любимая картина Владимира Сигизмундовича! Шедевр гениального предка! Бог мой, вот оно, сокровище. Сметая сложенное задание, под протестующие вопли Ольги я схватила телефон и сообщила Степану, что еду к нему, пусть не ложится спать.

— Может, завтра? — промямлил Степан.

Ждать столько времени, чтобы проверить догадку? Ну уж нет! И я завела «Пежо». Погода не мокрая, быстро доеду. Но не успела одолеть и полдороги, как в районе багажника застучало, машину повело. Я вылезла и обнаружила, что спустило заднее колесо. Задача простая для любого водителя, только не для меня. Нет, теоретически представляю, как и что, а вот практически просто не справиться с гайками. Придется нанять умельца. По счастью, неприятность произошла на оживленной улице, вокруг шныряли машины, и я остановила новенький, сверкающий джип. Передняя дверца распахнулась, высунулся парень, ровесник Аркадия. Почти бритый череп, шея как у пита Банди, кожаная куртка и золотая печатка на пальце.

— Слышишь, мамань, — обратился он ко мне, — сколько?

Вот уж не думала, что такие ребятки польстятся на копеечный заработок.

— Двести рублей.

Парнишка хохотнул.

— Они у тебя за такую цену что, резиновые?

Я обозлилась:

— Нет, деревянные и квадратные!

Браток так и покатился со смеху.

— Ну, маманька, ну, юмористка, показывай товар!

— Сзади.

Парень вылез из джипа, я ткнула пальцем в колесо:

— Вот!

Секунду он смотрел на спустившую шину, потом принялся всхлипывать от смеха:

— Ой, умора, вот парням расскажу, сдохнут. Ой, колесо!

Я не выдержала:

— Прекрати ржать как сивый мерин. Или меняй, или уезжай. И вообще, чего здесь смешного?

Кожаный утерся платком и сказал:

— Мамаша, ты погляди, где находишься. На самом бойком месте.

Я огляделась. Вокруг группками и поодиночке тусовались девицы весьма специфического вида. Многие стояли, прямо как я, опершись на машины.

Луч понимания забрезжил в голове:

— Ты принял меня за проститутку?

Бритоголовый хихикнул:

— Не, мамань, куда тебе. Честно говоря, подумал, девочек предлагаешь, только цена странная — двести рублей, а тут колесо.

— Ладно, — обозлилась я окончательно, — разобрались, теперь отваливай.

— Мамань, мамань, — забурчал парень, — не кипятись. Давно никто так не смешил. Поменяю колесо, мне это как два пальца обоссать.

Он скинул куртку, закатал рукава красивого фирменного пуловера и ловко принялся орудовать баллонным ключом.

— Сколько сейчас стоит девочка? — поинтересовалась я.

— Уж никак не двести рублей, — хмыкнул помощник, — долларов сто, как договоришься.

— Хорошо зарабатывают.

— Нет, — сообщил парень, — девкам едва двадцатка достанется, остальное забирает сутенер.

— И не боишься вот так на улице, а вдруг СПИД?

Браток вздохнул:

— Все равно скоро подстрелят, так и так сдохну. Да шучу, шучу, — продолжил он, заметив мое вытянувшееся лицо. — Была постоянная баба, два раза в неделю вызывал, через агентство. Так на иглу села и тапки отбросила. Жаль, красивая телка — Клитемнестра.

— Кто? — поразилась я.

— Клитемнестра. Называлась так, врала, конечно, кто такое имя ребенку даст. Да девки любят повыпендриваться, вот и выдумывают невесть что, кого только не встречал: Аэлиту, Нефертити, Суламифь — цирк! Ни одной Таньки!

— А эти сколько берут?

— Выездные дороже, зато спокойнее. У моей всего несколько клиентов и было, сама обзванивала, интересовалась. Дашь ей сто пятьдесят баксов — и порядок. Она тридцатку доктору, двадцатку шоферу, десятку диспетчерше, и все равно лучше, чем на улице.

Он выпрямился, порылся в джипе, вытащил бутылку минералки.

— Слей, мамань, на руки.

Вымывшись, браток сел за руль и, расхохотавшись, умчался.

Я осталась с раскрытым ртом на дороге. Вот чем занималась покойная Милочка Котова! А цифры в скобках — нехитрые расчеты — кому сколько. И, конечно, девушка представлялась клиентам под псевдонимом. Завтра проверю, а сейчас к Войцеховским.

Уставший Степан встретил меня не очень любезно. Пропустив мимо ушей его ворчание, я влетела в холл и замерла. Картина исчезла.

— Степа, — заорала я как ненормальная, — где «Старуха»?

— На помойку снес, — сообщил приятель, — надоела докука, падает и падает.

— Как только дотащил такую тяжесть один, — пробормотала я, снова натягивая куртку.

— Из рамы вырезал, трубочкой скатал и двумя пальцами унес, — поделился Степа.

— Быстро говори, где бачки.

Ничего не понимающий Войцеховский ткнул рукой в сторону улицы.

Я полетела к мусорникам. Железные контейнеры, переполненные отходами, выглядели отвратительно и пахли соответственно.

Пакеты из-под сока, молока, консервные банки, обрывки полетели в разные стороны. Жаль, что наши люди не упаковывают мусор в мешки. На втором бачке по спине у меня потек пот, шапка съехала на затылок, куртка украсилась жирными пятнами.

«Старуха» нашлась на самом дне, слегка помятая, но целая. Я торжественно втащила ее в дом и кинула на стол.

— Зачем эту грязь приволокла? — окончательно обозлился Степка.

— Пойди принеси из моей машины книгу «Великие художники», — велела я и стала разворачивать полотно. Так и есть, в левом нижнем углу еле разборчивая подпись и цифра 1661.

Вернулся Степка с книгой в руках. Я без слов раскрыла справочник на нужной странице и ткнула Войцеховскому под нос. Минут пять он переваривал информацию, потом заорал как ненормальный:

— Мама, Петька, Анька, сюда!

Прибежали домашние в разной степени одетости, вкатилась Фрида. Здесь же оказались и Кирилл с Дианой. Все уставились на «Старуху».

— Ну и вонища, — поморщилась Диана.

— Деньги не пахнут! — рявкнул Степка, выкладывая справочник.

Следующие пятнадцать минут все охали и хватались за голову.

— Вольдемар рассказывал, — пустилась в воспоминания Фрида, — что его родителям во Львове принадлежал дворец. Множество картин, скульптур, книг. Он не слишком хорошо помнил, потому что был ребенком, когда произошла революция. Правда, постоянно намекал, что спасший его повар ухитрился утащить кое-какие ценности. На них они и жили. Но про картину ничего не рассказывал, говорил, что семейная реликвия.

— Завтра поедем в Третьяковку и покажем специалистам, — решил Петька.

— Лучше в Пушкинский музей, — посоветовала Анна. — Интересно, сколько она может сейчас стоить?

— Миллионы, причем не в рублях, — сообщил Степа.

— На всех хватит, — отреагировал Петька.

— Картину обнаружила Даша, — заметила Фрида, — а в завещании Вольдемар четко распорядился: принадлежит нашедшему.

Я оглядела побледневшие лица Войцеховских и, преодолевая отвращение, успокоила братьев:

— Полотно ваше.

— Не сомневайся, Дашута, — заорали те в один голос, — выделим тебе процент.

Мне стало еще противнее, и я пошла в ванную отмывать воняющие помойкой руки.

Глава 14

Следующие дни не принесли ничего нового. Зайка по-прежнему ходила к Радову и исправно спала. Болячек у нее никаких не было, и мы не могли судить, эффективно ли лечение. Правда, Ольга приобрела какой-то невероятный, просто фарфоровый цвет лица и необычайную активность. Чувствовала себя прекрасно и летала по дому будто на реактивной метле, все горело у нее в руках, и превосходное настроение не покидало ее ни днем, ни ночью. Даже когда неловкий супруг разбил одну из коллекционных фарфоровых собачек, она не убила его, а, вздохнув, сказала:

— Таксу придурошную совсем не любила, туда ей и дорога.

Может, это следствие манипуляций Сержа? Но, честно говоря, думалось, что Ольге просто пошел на пользу дневной сон. Сегодня как раз завершился курс, и невестка, приехав домой, громогласно объявила:

— Ничегошеньки не узнала, даже мебели не увидела!

Я пила чай в глубокой задумчивости. Подобраться к Сержу оказалось крайне трудно. Попробую через Ленку. Носом чую, им есть что скрывать.

Записную книжку покойной Милы Котовой изучила вдоль и поперек. Попалось только одно женское имя — Светлана Александровна, и я решилась позвонить.

— Наркология, — ответила трубка.

— Скажите, можно поговорить со Светланой Александровной?

Раздался гул голосов, непонятные шорохи, потом приятный голос сказал:

— Слушаю.

— Я по поводу Милы Котовой.

— Сведения о больных сообщаем только работникам милиции и родственникам, — немедленно отреагировала собеседница.

— Капитан милиции Васильева, — сорвалось с языка явное вранье.

— Приезжайте, ежедневно до двух, — сообщила Светлана Александровна и шлепнула трубку. Пришлось набрать номер еще раз и выяснить адрес.

Следующий звонок сделала одному из бывших клиентов Милы. Долго листала книжку и наконец выбрала Романа.

— Рома, — вкрадчиво завела я, — здравствуй!

— Привет, — отозвался мужчина, по голосу лет тридцати.

— Давно не звонила, не соскучился?

— Кто это? — поинтересовался мужчина.

— Угадай. Твой любименький цветочек.

— Наташка, ты, что ли? — засмеялся голос.

— Нет, котик, не узнал, сладенький, свою ягодку?

— Господи, Антуанетта! А парни болтали, что ты померла.

— Все врут, котик. Когда встретимся?

— Да хоть сейчас приезжай! Слушай, цена прежняя?

— Дешевле стало. Только к тебе неохота, давай встретимся в другом месте.

— Ты с дуба упала? — спросил парень. — Хватит кривляться, жду.

— Слышишь, Ромчик, адрес забыла.

— Ой, ну ладно дурить, — сообщил клиент, — торопись, у меня только до пяти время.

И трубка противно запищала. Я оделась, причесалась, прихватила записную книжку Милы и, разыграв этюд «Неоплаченный телефонный счет», получила от возмущенного Романа адрес.

Клиент жил в самом центре, на Бронной. Поставив машину в маленьком дворе, я пошла искать 74-ю квартиру. Конечно, на четвертом этаже и без лифта. Пролеты старинной лестницы оказались гигантскими. Еле взобравшись наверх, я сопела, как простуженный носорог. Детектив должен иметь лошадиное здоровье, как там говаривали: холодный ум, чистые руки, горячее сердце? Я бы прибавила: и крепкие ноги. Большая лестничная клетка вид имела весьма неприглядный: выбитое стекло, выпавшие красно-белые плитки. Три двери под стать лестнице — древние, грязные, оббитые внизу. Четвертая же, явно металлическая, щеголяла новенькой зеленой обивкой и панорамным «глазком». За ней и проживал страстный Роман, поджидающий Антуанетту.

Звонок тихонько квакнул, и на пороге появился клиент. С виду мальчишка лет десяти. Я уже хотела сказать «позови папу», но, приглядевшись, увидела, что у «мальчишки» слегка потасканное лицо тридцатилетнего мужчины и уже намечается лысина. Он был до того мал, что я, имея метр шестьдесят пять сантиметров, смотрела на него сверху вниз.

— Вы к кому? — пискнул гномик фистулой.

— Антуанетту ждешь? Я вместо нее, поговорить надо.

Клиент захихикал.

— Старовата ты в сороковник по мужикам работать.

А вот это уже слишком! Вешу я пятьдесят килограмм, одеваюсь по молодежной моде, натуральная блондинка, стрижка короткая. Никто мне не давал моих лет. А этот сразу определил. Обозлившись, я вдвинула карлика в просторный холл, захлопнула дверь и, придав голосу металлические нотки, проговорила:

— Полковник милиции Васильева, где разговаривать будем?

Малыш недоверчиво спросил:

— Полковник?

Да, пожалуй, со званием перебор, хватило бы капитана, но делать нечего, и я обрушила на голову гномика меч информации:

— Перед смертью Котова сообщила, что вы снабжали ее наркотиками.

— Я?! — затрясся мужичонка. — Вы чего! Какие наркотики, какая Котова?

— Здесь говорить станешь или в комнату пойдем? — перла я танком.

Парень суетливо раскрыл дверь, и я увидела гостиную, кошмарней которой не встречала. Кругом позолоченная бронза. На стене невероятные пейзажи из числа тех, что продаются на метры, зато в дорогущих рамах красного дерева. Кресла на львиных лапах, в стенке теснится разноцветный хрусталь, на журнальном столике полуголая мраморная Афродита. С потолка свисает помпезная люстра, килограмм этак на пятьдесят. Довершала картину огромная, почти ростом с хозяина, сидящая фарфоровая собака породы далматин. Такие ужасающие фигуры я видела в ГУМе и удивлялась: неужели их покупают?

Парнишка рухнул в кресло, стилизованное под «чиппендейл», и робко осведомился:

— Кто такая Котова?

Я устроилась на кожаном диване цвета топленого масла и ответила:

— Антуанетта — псевдоним. В миру даму звали Мила Котова.

— Понятия не имел, — горячо заверил ловелас. — Когда бабу вызвал, она Антуанеттой представилась, а мне плевать.

— Долго вы с ней, так сказать, сотрудничали?

— Год или около того.

— Сколько Котова брала за визит?

— Сто пятьдесят долларов.

— Не дороговато ли? — осведомилась я.

— Мне — нет, — горделиво ответил парень, — получаю хорошо.

— Теперь расскажите, от какой фирмы работала Котова?

— Знать не знаю, — горячился клиент, — по телефону через диспетчершу вызывал.

— Давай телефон!

Деморализованная жертва взяла с письменного стола электронную записную книжку и принялась тыкать тонким, как спичка, пальцем в кнопки. Ручонка дрожала, и телефон не желал появляться в окошечке.

— Не дергайся, — успокоила я его, — ищи спокойно, подожду, сразу стрелять не стану.

Парень посерел и задрожал еще сильнее. Ну совсем шуток не понимает, бывают же люди без юмора! Наконец нужный номерок отыскался. Я сунула бумажку в карман и с чувством легкого раскаяния увидела, что под моими сапогами на белом ковре расплывается грязная лужа. Ну не снимать же обувь! Вы когда-нибудь видели, чтобы милиционер или врач из районной поликлиники, входя в дом, переобувался в тапки?

В машине я схватилась за телефон и напугала ответившую старушку счетом за переговоры с Америкой. Растерянная бабка сообщила адрес, оказалось совсем рядом, чуть ли не соседний дом.

Из-за двери нестерпимо несло кошачьей мочой.

— Иду, иду, — раздалось за дверью, и меня, ни о чем не спрашивая, провели в квартиру.

— Не боитесь, вдруг ограбят? — спросила я, оказавшись в комнате.

— Красть-то у меня что? — улыбнулась бабулька. — Только Барсика, а он как тигр, и кусается, и царапается. Если насильник какой придет, плюнет, молодую искать отправится. А ты, милая, откуда, из собеса или поликлиники? Не припоминаю что-то.

Жалко пугать бабку, но ведь иначе ничего не расскажет.

— Из налоговой инспекции. На вашем телефоне от фирмы работает диспетчер, а это незаконно.

Бабушка всплеснула руками:

— Доченька, а как выжить? Пенсия триста рублей, только на лекарства. Вот черт и попутал, взялась подрабатывать. Мне теперь штраф платить?

— Нет, нет, — успокоила я ее, — штраф станет платить ваш хозяин, а вам, наоборот, положена премия в пятьсот рублей, если сообщите адрес фирмы-работодателя.

Бабуся обрадованно понеслась к буфету, вытащила древнюю записную книжку и сообщила:

— Пишите, клуб «Бабочка».

— Послушайте, — не удержалась я, — вы хоть знаете, чем этот клуб занимается?

— И не говори, дорогая, — произнесла пожилая женщина, — на старости лет к прошмандовкам нанялась. Нищета проклятая.

— Все девушки связаны с фирмой?

— Нет, — потупилась бабуля и пустилась в объяснения.

Суть ее работы была проста. Телефон печатали в газетах «Из рук в руки», «Мегаполис», «Мистер Икс» и других. От диспетчерши требовалось записать номер потенциального клиента, сообщить ему вилку цен и попросить подождать. Потом она звонила в «Бабочку», и дальнейшее ее не волновало. Старушка получала сдельную оплату, поэтому уже по собственной инициативе оклеила весь район объявлениями. К делу подключились подружки-пенсионерки, храбро рекламирующие разнообразные массажные услуги среди внуков и внучек.

Как-то раз к диспетчерше пришла расфуфыренная девица и предложила сделку. Она дает бабкин телефон своим личным клиентам и платит старушке процент. Пенсионерка тут же согласилась. На сегодняшний день она работала на «Бабочку» и еще на пятерых проституток. Очевидно, диспетчерше хватало не только на хлеб с молоком, но и на котлеты.

Я поехала домой, пытаясь вспомнить, откуда знаю название «Бабочка». Дома Маруся с безумным криком носилась вокруг зависшего компьютера.

— Что делать? — кинулась она ко мне.

— Выключи и снова включи.

Дочь повиновалась и заорала:

— Пошел грузиться!

Я поднялась в спальню и вытянулась на диване. Требовалось пошевелить мозгами. Но тут в дверь постучали, и вошла Оля с непривычно бледным лицом.

— Мне нужен твой совет, — с порога завела она, — случилось ужасное несчастье.

Я зевнула во весь рот. В такую мерзкую погоду жутко хочется спать.

— Что произошло? Собачек разбила, с Кешей поругалась или незачет получила?

Но Зайка продолжала хмуриться:

— Говорю, ужасное несчастье, просто не знаю, что делать!

Я усмехнулась про себя: ну что у нее могло произойти?

— Выкладывай, не томи.

Ольга села на край кресла и спросила:

— Помнишь, как в позапрошлом году, в Париже, мы с Аркашкой поругались и я убежала на сутки из дома?

Конечно, помню, дело было 13 ноября, в Зайкин день рождения. Кеша, как всегда, намертво забыл о празднике. Бедная Ольга поджидала его весь день, наконец в десять вечера супруг заявился домой без букета и подарка. На робкий вопрос жены, где он пропадал, ласковый муженек завопил и сообщил, что а) терпеть не может, когда его допрашивают; б) у жены Пьера, Лауры, день рождения, и он был обязан ее поздравить. Всегда тихая, спокойная, даже кроткая, Ольга рассвирепела. Мало того, что про ее именины муж забыл напрочь, так еще ходил к Лауре, которую Зайка тихо ненавидела за мерзкую манеру прижиматься к Аркадию и целовать в губы при встречах. Скандал понесся на всех парах. Сын кричал, что не даст привязать себя к юбке, Ольга топала ногами и упрекала его в неверности. Добрались до внешности. Вспыльчивый Аркадий не удержался и сообщил жене, что ей следует слегка похудеть и не лопать пирожные на ночь, потому что она уже не выглядит в черных брючках так же эффектно, как Лаура. Это было уже слишком. Зайка закусила губу и внезапно умолкла. Муж, уверенный в своей правоте, отправился спать.

Утром мы обнаружили, что Оля исчезла. Я узнала о ссоре только за завтраком и, схватившись за голову, выдала сыну все, что о нем думаю. Пристыженный и присмиревший Аркадий кинулся в «Галери Лафайетт» за подарками. Когда он с шубой и золотым браслетом примчался домой, жены все еще не было. Вот тут все испугались по-настоящему и обратились в полицию. Через час беглянка нашлась, она сняла номер в гостинице и решила разводиться с супругом. Кое-как они

помирились, но после этого целых полгода Кешка таскал каждый день букеты и коробки пирожных, уверяя жену, что обожает полненьких дам.
Ну да и ладно, милые бранятся, только тешатся,
но при чем тут несчастье?

Невестка вздохнула и стала рассказывать.

В тот далекий день она вылетела из дома злая
на весь свет и с горя выпила в первом попавшем-
ся баре несколько рюмок ликера, потом добавила
коньяк, следом еще что-то и порядком опьянела.
Побрела по улицам, наткнулась на какую-то дис-
котеку, проплясала там до полуночи, познакомилась с мужиком и отправилась с ним в гостиницу,
абсолютно не соображая, что делает.

Утро было ужасным. Мало того, что мужик
попытался дать невестке денег, он еще оказался
японцем, командированным из Токио. Зайка не
знает английского, японец не владел француз-
ским, объяснялись они с утра на пальцах. Но
Ольга была абсолютно уверена, что вечером мило
болтала с кавалером. Короче, она в первый и последний раз изменила мужу.

— Ну и что? — удивилась я. — С чего тебе пришло в голову сейчас каяться? Было давно, случилось по глупости, с кем не бывает.

— Кеша меня не простит, — заревела дурын-
да, — бросит сразу.

— Зачем ему рассказывать? И сама забудь, подумаешь, ерунда, постель не повод для знакомства.

Зайка, продолжая всхлипывать, вытащила из
кармана кассету и включила магнитофон. Из динамика послышался ее слегка измененный голос:

— Меня зовут Ольга Евгеньевна Васильева,
девичья фамилия Воронцова. Родилась 13 ноября,
имею на теле особые приметы в виде шрама от
аппендицита и ожога на левой ягодице.

Дальше она каким-то странным, бесстрастным голосом принялась рассказывать историю своей супружеской измены.

Вот уж всем глупостям глупость! Мало того, что решила по непонятной причине ворошить быльем поросшую историю, так еще записала на кассету!

— Это пришло сегодня по почте, — тихо сказала Ольга, — хорошо еще, что Кешки не было дома. Внутри лежала записка.

И она подала листок с напечатанными словами «Слушай одна».

Примерно через час раздался звонок, и какой-то непонятный — то ли мужской, то ли женский — голос поинтересовался:

— Послушала?

— Да, — ответила Зайка.

— Пять тысяч баксов, и об этом никто и никогда не узнает. Иначе вторую кассету с признанием получит супружник. То-то обрадуется, бедолага, — издевался голос. — Позвоним завтра в одиннадцать утра, сообщим, где денежки оставить.

Трубка противно запищала. С Зайкой приключилась настоящая истерика, и вот теперь она прибежала за советом. Я потребовала, чтобы невестка вспомнила, кому и когда рассказывала про свое приключение. Ольга отрицательно покачала головой.

— Никому и никогда.

— Может, японец?

Зайка печально улыбнулась.

— Может, и проболтался, да только у себя в Японии, к тому же он даже не знал, как меня зовут, наверное, принял за эксцентричную француженку. Хвастается в Токио победой над парижанкой!

Но кто-то все же записал на кассету неприятное признание? Может, компьютерные штучки? Вроде слышала, что можно заставить машину говорить любым голосом. Или это информация из фильмов о Джеймсе Бонде?

— Что делать? — сокрушалась Ольга.

— Не реветь! — обозлилась я. — Слушай сюда. Мы заплатим шантажисту деньги, и всё.

— Так он и угомонится! — резонно заметила невестка. — Откусит кусок, потом еще захочет. Нет, лучше пойду признаюсь, будь что будет.

— Даже не думай, — запретила я, — в каждом мужчине живет первобытный дикарь-собственник. Делиться своим он не станет ни с кем. Нужно выбираться из ситуации по-другому: найдем шантажиста и прижмем негодяю хвост.

— Как? — изумилась заплаканная Ольга.

— Просто, ты понесешь деньги, а я прослежу за тем, кто придет. А сейчас не реви, утри нос и делай вид, что все в порядке.

На следующий день, ровно в 11 утра раздался звонок. Мы одновременно схватили параллельные трубки. Теперь казалось, говорил ребенок.

— Сегодня в 23.00 подъезжай к Сиреневому бульвару, между домом №34 и овощным магазином стоит телефонная будка. Повесь на крючок дамскую сумочку с деньгами и убирайся прочь. Позовешь ментов — пожалеешь. Будут доллары — спи потом всю жизнь спокойно.

— А вдруг обманешь? — поинтересовалась Зайка.

Абонент отключился без ответа. Мы уставились друг на друга. Потом решили действовать. Я отправилась в банк за деньгами. Получив необходимую сумму, посмотрела на часы и подумала, что вполне успеваю съездить к наркологу Светлане Александровне. Жаль, конечно, что у Зайки неприятности, но надо же узнать, кто убил бедную Лариску!

Наркологическая больница всем своим видом напоминала тюрьму. Решетки на окнах, окрашенные в темно-зеленую краску стены и нелюбезные медсестры. Светлана Александровна, замученная докторица климактерического возраста, устало пила в ординаторской дешевый индийский кофе.

— Капитан Васильева, — представилась я.

Нарколог указала на обшарпанный стул и устало спросила:

— Что на этот раз?

— История болезни Милы Котовой.

— Давайте запрос, сейчас изымем из регистратуры.

— Запроса нет, — нагло заявила я и выложила на стол сто долларов, — есть специальное разрешение.

Светлана Александровна уставилась на бумажку, потом, пряча ее в карман, уточнила:

— Вы ведь не из милиции. Да ладно, сейчас принесу.

Через пару минут она вернулась и протянула довольно объемистую папку. Внутри оказались странички, исписанные неразборчивым почерком, и куча анализов.

— Расскажите лучше сами о ней, — попросила я.

Нарколог налила себе чашечку кофе и принялась отрабатывать гонорар.

Мила поступила в больницу в состоянии ломки. Недостаток веса, больные печень и почки, язва желудка и анализ крови как у столетней старухи. Но девушка на самом деле хотела избавиться от зависимости и строго выполняла все врачебные предписания.

— Образцовая больная, — качала головой врач, — у нас ведь как: придут под влиянием минуты или родственники притащат силой. Два-три дня пройдет, и уже таблетки не пьют, от уколов бегают, косячки крутят. А Милочка старалась изо всех сил, даже зарядку по утрам делала, водой холодной обливалась. Поставила цель — вернуть здоровье. И, надо сказать, выписалась в хорошем состоянии, почти в норме. Говорите, она умерла от передозировки, да еще на улице?

Я утвердительно закивала головой.

— Очень странно, как-то не вписывается в структуру ее личности. Милочка хоть и была наркоманкой, но лица, так сказать, не теряла. У нас первый анализ на СПИД. Привела девушку в лабораторию, а она интересуется: «Шприцы одноразовые?»

Светлана Александровна удивилась, пациенты не обращали внимания на подобные мелочи. Милочка объяснила, что боится всякой заразы, не только СПИДа, но и гепатита, поэтому тщательно следит за чистотой. Никаких уколов через одежду на улице. Только в доме, при соблюдении стерильности. И она совершенно не собиралась снова «садиться на иглу». Наоборот, глубоко раскаивалась в содеянной глупости. Мечтала выйти на работу, найти мужа.

— Не надо было ее с Изабеллой в одну палату класть, — сказала нарколог, — мне их дружба с самого начала не понравилась. Скорей всего, Белла Милочку и сбила вновь на кривую дорожку.

— Кто такая Изабелла? — поинтересовалась я.

— Тот еще фрукт гнилой, — сердито проговорила Светлана Александровна, — с жиру бесилась. Чего не хватало? Дом — полная чаша, муж — профессор, красавец, душка. Так нет, жрала всякую дрянь горстями и плакала, что ее не понимают. Сергей Владимирович ее силком приволок. И такая хитрая, утром на процедуры ходит, вид несчастный, глазки в пол, ангел небесный. Стоит врачам уйти — обожрется, обкурится. Мы таких сразу выгоняем, только из уважения к Сержу и держала.

— Фамилия Изабеллы была Радова? — медленно спросила я.

— Да, — подтвердила врач, — кошмарная баба. За что ей такой чудесный муж попался? Более неподходящей соседки для Милочки трудно было придумать. Сначала поселила их вместе, потом решила перевести Котову в другую палату, но Сергей Владимирович очень просил этого не делать. Надеялся, девушка положительно подействует на супругу. Пошла навстречу, теперь жалею.

«Наверное, еще и приплатил тебе Радов как следует», — подумала я, укладывая в голове новую, такую неожиданную информацию. Значит, Изабелла Радова была наркоманкой, не собиравшейся бросать пагубную привычку. Что же Серж не вылечил жену? Или нет пророка в своем Отечестве?

Глава 15

Вечером мы с Ольгой разыграли настоящую комедию. Держались за головы, жаловались на безумную мигрень и сокрушались по поводу пропадающих билетов в Большой театр.

— Так хотели немного развлечься, — ныла я, поглядывая на Кешу, — и вот, пожалуйста, заболели.

Но сын никак не реагировал. Помощь пришла от Маруси.

— Мамусечка, — по обыкновению заорала дочь, — давай мы с Кешкой сходим! Ну, Аркашенька, пожалуйста, своди меня на балет!

Брат никогда не мог отказать сестре, поэтому, тяжко вздохнув, отправился выгонять машину. Как только шум мотора стих за воротами, мы стали готовиться. Положили деньги в небольшую сумочку. Я надела черные джинсы и черную куртку. От капюшона пришлось отпороть белый мех. На руках — черные перчатки, светлые волосы надежно спрятаны под лыжной шапочкой. От колготок «Омса-велюр» отрезали нижнюю часть, проделали в них дырки для глаз и натянули мне на голову. Теперь я походила одновременно на наемного киллера, бойца группы «Альфа» и главного героя мультфильма «Человек-паук». Впрочем, всех вышеназванных роднит одно желание — остаться незамеченными в темноте.

Ровно в 23.00 Зайка прибыла на Сиреневый бульвар и с демонстративным грохотом захлопнула дверцу «Опеля». Потом решительным шагом двинулась к телефонной будке, повесила на крючок небольшую дамскую сумочку с долларами, не оглядываясь, села в машину, завела мотор и немедленно уехала. На бульваре воцарилась тишина, иногда прерываемая шумом проезжающей машины.

Я приехала на место, определенное шантажистом, в 22.30. Загнала приметный «Пежо» во двор одного из домов и пристроилась в скверике напротив. Отсюда проследила за подъехавшей Зайкой, будка как на ладони. Меня же совершенно невозможно было заметить за толстым, старым деревом. Я с напряжением наблюдала, как невестка вешает сумку и уезжает. Сейчас появится какой-нибудь здоровенный амбал.

Но время шло, а никто пока не обнаружился.

Наконец из-за угла вырулила старая-престарая «копейка». Дребезжа всеми частями, она затормозила у дома 34. Дверца распахнулась, и из машины вылез водитель — самый обычный парень без особых, так сказать, примет! Бормоча что-то себе под нос, он спокойным шагом двинул к будке, взял сумку и пошлепал назад. Мирно устроился на переднем сиденье, дал газ, но «жигуль» и не думал трогаться. Парень выматерился, вылез, открыл капот и стал рассматривать грязные внутренности.

Я уже сидела за соседним припаркованным «Вольво» и с замиранием сердца ждала. Шофер дергал проводки, безуспешно пытаясь завести машину. Наконец этот тупоголовый догадался подойти сзади и заглянуть в выхлопную трубу. Настал мой час! Быстрее молнии я вскочила в оставленную открытой дверцу и скатилась на пол, под заднее сиденье. Такой простой и такой эффектный трюк — картофелина, засунутая в выхлопную трубу. В детстве мы частенько проделывали подобные штуки, вот и сейчас пригодилось! Я засунула картофелину, пока парнишка шарил в будке, и теперь, затаив дыхание, слушала, как он, поминутно матерясь, выковыривает ее. Наконец операция завершилась, водитель сел за руль, несчастная «копейка», чихнув пару раз для порядка, двинулась с места. Я лежала ни жива ни мертва, боясь даже дышать. Но через минуту парень включил музыку, и в салоне загремели жуткие звуки тяжелого рока. Я вздохнула и даже слегка пошевелилась.

Ехали довольно долго, «Жигули» то и дело подскакивали на кочках и рытвинах. Нет, у «Пежо» амортизаторы лучше, и в салоне не воняет бензином. К тому же шантажист вылил на себя, кажется, целый флакон одеколона, и в носу у меня защипало и засвербило. В тот момент, когда я почувствовала, что голова буквально раскалывается от сочетания этих, с позволения сказать, «ароматов», автомобильчик резко остановился, и послышался звук захлопнувшейся дверцы.

Через секунду я выглянула в окно: мелькнула спина шантажиста, исчезающая в подъезде высокого блочного дома стандартной постройки. Я попыталась вылезти наружу. Не тут-то было. Затекшие руки и ноги не повиновались, спина совершенно онемела, шея не поворачивалась. Кряхтя и постанывая, я все же перелезла на переднее сиденье и прямо-таки выпала на улицу. Вокруг высились совершенно одинаковые дома, как только жильцы находят среди них свой? На углу болталась вывеска «Весенняя улица, 21/2». Осталось совсем чуть-чуть. Узнать, в какой из квартир живет шантажист. Ничего, скоро выйдут на прогулку припозднившиеся собачники, и я выясню, кому принадлежат эти «Жигули». Записав на всякий случай номер «копейки», я вошла в подъезд. И здесь неожиданная радость — увидела за столом лифтершу. Толстая старуха в стеганом китайском пальто мирно дремала над газетой. Пришлось ее разбудить. Бабка разлепила глаза, секунду глядела на меня, потом отчаянно замахала руками и запричитала:

— Не убивай, миленький.

Странно! Что ее так напугало? Может, увидела страшный сон? И я как можно ласковей прощебетала:

— Будьте любезны, скажите...

Но бабулька тупо повторяла:

— Не убивай, миленький, внуки маленькие, дочка без мужа!

Ну надо же, сумасшедшая какая-то! Я устало провела рукой по вспотевшему лбу и ощутила пальцами эластичную ткань. Господи, забыла стянуть с головы черные колготки, неудивительно, что несчастная бабка приняла меня за киллера. Быстро сдернув маску с лица, я, хихикая, пояснила:

— Глупо, конечно, но это я берегу свою нежную кожу от мороза. Не бойтесь, бабулечка!

Старуха, держась за сердце, стала хватать ртом воздух, потом, придя в себя, укоризненно покачала головой:

— Тьфу на тебя! Напугала до усрачки. Третьего дня вот такие же, черномордые, в соседнем доме жильца убили. Ну, думаю, теперь ко мне явились!

Подождав, пока она успокоится, я спросила:

— Сейчас в подъезд вошел мужчина, как его зовут?

— А тебе зачем? — проявила бдительность лифтерша.

— Он парковал машину и мою стукнул, да убежал.

Бабка покачала головой:

— Никто сейчас не входил, ты первая. И чего по ночам шляешься, спать давно пора.

Я вытащила сторублевую бумажку и положила на стол. Старушка покосилась на купюру.

— Бабушка, поглядите на машину, может, вспомните, чья?

Лифтерша вылезла из-за стола и, шаркая огромными, явно не по размеру «дутыми» сапогами, выглянула во двор.

— Вон та, что ли, грязная?

— Она самая.

— Райкина.

— Чья?

— Рая на ней катается из 272-й квартиры, а мужики у нее каждый день новые. Уж извини, с которым теперь живет, не знаю. Артистка, танцует где-то, ночью на работу ходит. Все приличные люди домой, а она из дому.

— Фамилия как?

— Райкина? То ли Зверева, то ли Тигрова, как-то по-звериному.

Я вздохнула. Больше из бабки ничего не вытянешь, хотя нет:

— Метро какое рядом? И где домоуправление?

— Метро у нас еще не построили... «Митино» будет. А домоуправление за лифтом, приходи завтра к десяти, как раз Марию Геннадиевну застанешь.

Ровно в десять утра я открыла дверь домоуправления. Из-за письменного стола сурово глянула домоуправша. Представляю, как ее боятся бабки-лифтерши. Сто килограмм живого веса обтягивал темно-синий трикотажный костюм. Волосы, взбитые до невозможности, напоминали сахарную вату, глаза из-за накрашенных ресниц глядели как из-за решетки, кровавый румянец, толстый слой пудры, ярко-синие тени. Пухлые пальцы со слегка облупившимся на ногтях лаком украшали золотые кольца с большими рубинами. Каменное выражение лица довершало картину.

Я молча прошла в комнату, села на стул, достала сигарету и задымила.

— Здесь не курят, — моментально отреагировал монстр.

— Извините! Но я так волнуюсь, так нужен ваш добрый совет!

Мария Геннадиевна повела накрашенной бровью. Я продолжала плакаться:

— Понимаете, наша семья оказалась в ужасном положении. Всю жизнь посвятили любимому сыну. Муж — генерал, и мальчик воспитан идеально: послушный, аккуратный, закончил институт. Купили ему квартиру, машину, невесту подобрали. Чудесная девочка, дочь наших друзей. Оставалось только свадьбу сыграть. Так надо же, познакомился где-то с девкой, Раисой. И всё! Родителей побоку, невесту — вон, эта баба его словно околдовала. Ничего о ней не знаем, кроме того, что живет у вас в 272-й квартире. Помогите, пожалуйста, скажите, сколько ей лет, где работает, есть ли родители? Умоляю! Вы сама мать и должны понять меня. — С этими словами я положила перед Марией Геннадиевной пятьсот рублей. Домоуправша тяжело вздохнула:

— Очень хорошо вас понимаю. У самой парень лимитчицу приволок. Ни кола ни двора, трусы рваные, родители алкоголики! Рая из 272-й тот еще фрукт. Фамилия ее — Лисицына, лет — двадцать пять. Квартиру купила недавно, года не прошло.

Домоуправша покраснела и стала похожа на гигантскую свеклу. Сплетни лились из нее рекой.

Рая Лисицына аккуратно вносила квартплату и никогда не состояла в должниках. Это было ее единственным хорошим достоинством. Девица одевалась самым немыслимым образом, раздражала соседей дорогими шубами и невероятными драгоценностями. Работала в подтанцовках у известного певца Гарика Рахимова, возвращалась домой под утро, каждый раз с новым мужиком. Продукты покупала в дорогущем супермаркете, имела две машины: старенькие «Жигули» и вызывающе шикарный «Форд». Финансовый кризис совершенно не задел танцорку, только что купила новую кожаную мебель, холодильник и телевизор.

Мария Геннадиевна просто задыхалась от негодования, когда описывала гигантский четырехкамерный «Филипс», который еле влез в грузовой лифт.

— Сколько же жрать надо, чтобы купить такой холодильник, — качала она головой.

Я поблагодарила словоохотливую даму, и мы распрощались. Дома застала только Зайку, Аркашка с Маней пошли на занятия.

— Ну? — кинулась она ко мне.

— Пока ничего. Девицу зовут Рая Лисицына, надо найти ее знакомых через певца Рахимова и спросить у них, с кем она сейчас живет, только так подберемся к шантажисту.

Раздался телефонный звонок, побледневшая от ужаса невестка схватила трубку, но, услыхав голос Степана Войцеховского, успокоилась.

— Дашка, — сообщил он абсолютно будничным голосом, — идиотская милиция наконец отдала тело, завтра похороны. Отпевание в десять.

Я опустилась в кресло. Мог хоть волнение изобразить, а то совершенно спокоен. Интересно, как они жили с женой? Лариска при всей своей болтливости никогда не делилась интимными подробностями. Знаю только, что Степе не нравилась ее толщина и привычка есть перед сном в постели конфеты. Может, он сам и отравил Ларису? Хотя навряд ли. Больше всего на свете Войцеховский ценил свой бизнес, а Лариса была ветеринаром, как говорится, от Бога. Заменить Люлю трудно. Даже поругавшись с ней, Степа постарался бы сохранить Ларку в качестве специалиста. И потом, кажется, она его устраивала, уживалась с Фридой, была не слишком конфликтна и всю себя посвятила питомнику. Нет, убивать Люлю Степе было невыгодно, кто-то другой подсыпал ей стрихнин, но кто?

Лариску хоронили в чудесный, морозный день. Яркое солнце совершенно не по-зимнему сияло над головами. Толпа знакомых и родственников пестрела разнообразными букетами и венками. Людей собралось больше, чем я ожидала, половину из них я видела впервые. Серьезный молодой батюшка произнес последние слова, гроб закрыли, и неопрятного вида могильщик стал прибивать крышку. Гроб Люлю оказался дешевый, обтянутый почему-то светло-лимонной, цвета зефира материей. Странно, Войцеховские люди далеко не бедные, могли бы приобрести для Лариски домовину и поприличней.

Поминки устроили не дома. Степан снял зал ресторана «Витязь». Просто бред. Насколько я знаю, поминать положено либо на квартире, либо, в крайнем случае, на работе, но в ресторане?!

После длительного отпевания и поездки на кладбище народ устал и проголодался. Рассаживались за столами шумно, потирали озябшие руки. Мужчины сразу схватились за бутылки. Первые рюмки выпили, как принято, не чокаясь. Неизвестная мне женщина долго рассказывала, как Люлю спасла от смерти ее кошку. Потом выпили еще и еще, развеселились, налегли на горячее и к сладкому совершенно забыли, по какому поводу собрались.

Степан, с покрасневшим лицом, громко рассуждал о новейших антибиотиках, Петька сыпал анекдотами, Кирилл веселился от души, подложив в тарелку Диане пластмассовую муху, Фрида с торжествующим видом восседала во главе стола. Анна о чем-то сплетничала с какими-то бабами. Спасибо, хоть Серж, пришедший почему-то без Ленки, молча ел салат, да Мишенька, забившись в угол, рисовал на салфетках. Бедная, бедная Ларка! Так кто же из вас убийца, ребята?

От переживаний и выпитого началась головная боль, словно палка тупым концом воткнулась в висок, и я поняла, что дело плохо. Время от времени у меня случаются сосудистые спазмы. Притупляется зрение, потом слух. Левый глаз пронзает адская боль, вместе с тошнотой начинается сильное головокружение. В такой момент лучше всего очутиться в постели.

Серж Радов, бросив на меня взгляд, сказал:

— Вам плохо.

— Нет-нет, ничего, просто устала. Поеду домой.

— В таком состоянии нельзя садиться за руль, — предупредил Серж.

Конечно, он прав. Боль стремительно нарастала, и перед глазами пошли черные круги, я видела все словно в тумане. Крепкие руки подхватили меня под локти и потащили к двери. Еще через пару минут я лежала на заднем сиденье в машине Радова. Покачиваясь на неровной дороге, «Мерседес» ехал в сторону Москвы.

«Интересно, как ему с такими очками выдали права», — вяло подумала я и провалилась в сон.

— Даша, сядьте, — раздалось внезапно над ухом.

Веки разлепились, и, словно подернутое дымкой, возникло лицо Сержа. Висок нестерпимо ломило, потная спина чесалась, а ноги совершенно заледенели.

— Где мы? — пробормотала я, вылезая из машины.

— У меня дома, — ответил Серж, — пойдемте, сейчас все пройдет.

— Если приключается такая штука, ничего не помогает, — безнадежно сообщила я, следуя за профессором, — один раз промедол укололи, и без толку.

Серж, не отвечая, отпер дверь и втолкнул меня в гостиную. В тот день, когда мы нашли тут мертвую Изабеллу, комната выглядела аккуратней. Сейчас здесь пахло сыростью.

Радов усадил меня в большое кресло, сам устроился напротив и ласково спросил:

— Руки, ноги замерзли? Сейчас почувствуете, как они теплеют и становятся тяжелыми. Вам делается очень тепло, просто жарко.

Звук его голоса обволакивал, я чувствовала, что погружаюсь в горячую ванну. Руки моментально согрелись, приятное тепло разлилось по телу и проникло в несчастную голову. Перед глазами неожиданно возникло поле, усеянное васильками. По нему, раздвигая цветы, шла бабушка, ведущая на поводке давно умершего тибетского терьера Снапика. Стало удивительно легко и хорошо.

— Что вы видите? — спросил кто-то.

Язык помимо воли начал описывать видения. Картины сменяли друг друга. Откуда-то из глубин выплывали давно забытые воспоминания. Захлебываясь, я выкладывала самые дурацкие сведения. Потом все исчезло.

— Прошла голова? — спросил кто-то.

Я неожиданно поняла, что сижу в кресле, а Серж смотрит на меня в упор. Осторожно повертела шеей и изумилась: боль исчезла, испарилась.

— Как вы это делаете?

Серж рассмеялся.

— В двух словах не объяснить. То, что я с вами проделал, так сказать, скорая помощь, а не лечение. Просто убрал боль. Но если хотите навсегда избавиться от спазмов, следует пройти цикл лечения.

— Невероятно.

Радов пожал плечами.

— Ничего особенного, могу, если нужно, изменить формулу крови. Кстати, восстанавливал некоторых ученых после Чернобыльской аварии.

— И с раком справитесь?

Серж покачал головой.

— Вот миомы хорошо поддаются, воспаления всякие, я уж не говорю о депрессии, мигрени и давлении. С раком трудней. Хотя были случаи, когда у больных рассасывались небольшие опухоли. Но онкологических стараюсь не брать.

— А СПИД?

— Ни разу не приходил ВИЧ-инфицированный, — серьезно заметил профессор, — самому интересно попробовать. Ну, как голова?

— Великолепно, и бодра, как пташка.

— Прилив сил — обычное следствие сеанса.

Я вспомнила, какой активной стала Зайка, и поверила Сержу. Однако пора собираться домой. Посмотрев на часы, ахнула:

— Три часа утра? Сколько времени вы со мной возились?

Радов засмеялся:

— Немало.

— А мне казалось, всего минут десять!

— На сеансе время словно ускоряет свой бег.

Профессор встал и с удовольствием потянулся:

— Вот что, Даша, оставайтесь здесь на ночь. Домой ехать поздно, да и не отпущу я вас одну на такси. А проводить не могу — устал как собака.

— Наверно, вы правы, — согласилась я, — могу вот тут на диване.

— Нет-нет, — возразил профессор, — он очень неудобный. Лучше в кабинете, там вполне нормальная кровать, выспитесь как следует.

Глава 16

Проснулась я в шесть. Незнакомая обстановка действовала угнетающе. Мебель мрачная — два черных кожаных кресла, книжные шкафы с наглухо закрытыми дверцами, письменный стол.

Все покрыто пылью, видимо, здесь давно никто не был. Выйти из комнаты я постеснялась. Серж потратил на меня уйму времени, устал и сейчас спит, полежу, чтобы его не разбудить, тихонько почитаю книжку, вон их здесь сколько.

Стала шарить по полкам: Фрейд, Юнг, Фромм, Роджерс, Лурия, Леонтьев, «Психология личности», «Трактовка сновидений»... Неужели он ничего человеческого не читает? Ни одного детектива! Ниже обнаружила журналы «Психологические науки», «Психология». Просто караул! Вытащила наугад том, раскрыла посередине. Глаз выхватил строки: «В интересах дальнейшего развития теории, которая достаточно широка для того, чтобы вобрать в себя большинство существующих работ по агрессивному поведению, мы рассматриваем роль биологических и мотивационных факторов, хотя делаем явный акцент на важность влияния социального научения». Да уж! Каждое слово в отдельности понятно, но общий смысл фразы ускользает.

Полезла в другой шкаф и обнаружила там целую кучу аудиокассет. Вытащила одну и услышала легкий стук в дверь. Захлопнув дверцы, громко спросила:

— Кто там?

Створка приоткрылась, и вошел благоухающий одеколоном Серж.

— Уже проснулись?

— Да. Но не хотела вас будить, думала, книжку пока почитаю.

— К сожалению, мне пора уходить, — сказал профессор.

Так, ясно, выпроваживает. Быстренько собравшись, я вышла вместе с профессором на улицу, поймала такси, и, когда подъехала к дому, Маня как раз залезала в школьный автобус.

— Мама, — сказала она, — не корми Банди, у него что-то с желудком.

— Ладно, — пообещала я, отпирая дверь.

Домработница с кухаркой еще не приходили, и я отправилась на кухню выпить чайку в одиночестве.

Возле мойки лежал грустный пит Банди.

— Что, плохо дело? — спросила я его. — Опять в помойке рылся и теперь на диете сидишь?

Банди забил по полу длинным, тонким хвостом, умильно поглядывая на коробку с печеньем.

— Нет, дорогой, вкусное печенье дают тем, кто не жрет помои.

Пит сильней затряс хвостом, не выдержав, я сунула в разверстую пасть сдобные, жирные куски и призадумалась. Как подобраться к Рахимову? Да просто! Только понадобится Маня. Впрочем, подготовительную работу можно проделать и без нее.

Связавшись с Войцеховскими, я попросила, чтобы их шофер перегнал «Пежо» в Москву. Потом позвонила на телевидение в «Музыкальный обоз». Отозвалась девица.

— Дорогая, — вкрадчиво завела я, — моя дочь фанатка певца Рахимова.

— Адреса и телефоны звезд не даем, — отрезала девушка скрипучим голосом.

— И не надо, — успокоила я ее, — просто передайте господину Рахимову мой телефон и скажите, что желаю пригласить его на день рождения девочки, чтобы исполнил пару песен.

— Вы хоть представляете, сколько это стоит? — рявкнула трубка.

— Деточка, о цене договорюсь с самим Рахимовым, кстати, вы тоже получите сумму за посредничество, так что не волнуйтесь. Просто передайте телефон и скажите, что госпожа Сауд ибн Рашид ждет звонка.

Услышав арабскую фамилию, девица сменила гнев на милость. Ладно, крючок закинут, теперь надо ждать рыбку.

Голова чудесным образом не болела, но стало саднить в горле. В аптечке не нашлось ничего подходящего. Я натянула кофту, решив поехать за «Стрепсилс». Нащупала в кармане что-то маленькое и плоское. Сунула руку внутрь и вытащила аудиокассету. Откуда? Неужели машинально утащила у Сержа? Действительно, когда профессор постучал в дверь, я как раз держала ее в руках. Надеюсь, там не записана его любимая музыка. Надо вернуть. Я положила кассету на журнальный столик в гостиной и отправилась в аптеку.

Около пяти вечера позвонил мужчина, представившийся директором Рахимова. Мы договорились о встрече в Центральном Доме актера в семь. Теперь предстояло уговорить Маню.

Девочка сидела в комнате над таблицей «Нервная система кролика».

— Ты должна мне помочь, — налетела я на нее.

— Что надо делать? — осведомилась Маруся.

— Поедем в Дом актера, будешь изображать дочь «новых русских» и фанатку Гарика Рахимова.

— Мамусечка, — заныла Маня, — может, завтра? Совершенно нет времени, зачет по кроликам и две контрольных в лицее, и еще — Рахимов. Это чудовищно! Ты его хоть раз слышала? Нет, ни за что.

Но я была неумолима. Без ребенка директор мне не поверит, а очень нужно расспросить его о Рае Лисицыной. Попрепиравшись минут десять, мы пришли к компромиссу: Маруська поможет мне, а я разрешаю оставить в доме йоркширского терьера Маркизу. Навсегда! Честно говоря, не думала, что так легко отделаюсь. Как-то даже привыкла к Маркизе и не собиралась ее никому отдавать.

На встречу с директором следовало одеться под госпожу Саид ибн Рашид и выбрать «прикид» для Маняши. Переворошив шкаф, я натянула неприлично короткий красный кожаный костюм и навесила на себя кучу всевозможных украшений: кольца, цепи, браслеты. Маруське велено было напялить коротенькую фиолетовую кофточку, розовые джинсы и белые сапоги с ботфортами. На шею надели несуразно огромный золотой медальон.

— Мы выглядим чудовищно, — вздохнула дочь, — не дай бог знакомых встретим.

Я велела ей замолчать и засунуть в рот жвачку.

— Выдувай время от времени пузыри и ной противным голосом.

Маня покорно кивнула, чего не сделаешь ради Маркизы.

В семь пятнадцать мы ворвались в холл Дома актера. Зря Маруська комплексовала. Там все были одеты похлеще нас, и украшения так и звенели. Я обвела глазами холл.

— Госпожа Рашид? — раздался приятный мужской голос.

За спиной стоял чудовищно толстый парень. Длинные нечесаные волосы свисали до плеч. Черные кожаные брюки, такая же жилетка и красная велюровая рубашка. На шее болталось штук пятнадцать цепей разного размера, несколько браслетов плотно обхватывали жирные запястья. Парень оглядел нас с Маней и остался доволен. В данный момент мы были с ним, так сказать, в одном стиле. Однако сразу следовало показать, кто хозяин положения. Я тихонько подтолкнула Маню. Дочь с видом настоящей кретинки выдула огромный пузырь, лопнула его и, соскребая липкие лохмотья со щек, занудила:

— Хочу пирожных с кремом, мам, пошли за пирожными, мам, купи, хочу!

Я облегченно вздохнула, слава богу, на Машку всегда можно положиться!

Директор глянул на девочку и расплылся в сальной улыбке:

— Ой, симпомпончик! Пойдемте в кафе, там и побалакаем.

— Не хочу в кафе, — надулась Маня, — только в ресторан.

— Душенька, не расстраивайся, мамочка купит все, что пожелаешь.

С этими словами я ухватила дочь за руку, и мы отправились в ресторан.

— У детки день рождения, — завела я разговор, — кошечка обожает Гарика Рахимова и хочет, чтобы он представил пару песен перед гостями. Народа много не зовет, человек 50—60. Гарик споет, ансамбль потанцует, музыканты сыграют — часа полтора, не больше.

Директор почесал пористый нос.

— Когда праздник?

— В конце февраля, 26-го числа.

— Отлично, как раз свободный день. Десять тысяч долларов, и мы ваши.

— Всего-то? — удивилась я. — Почему так мало? К Зубковым на праздник Элла Ромова приезжала за двадцать тысяч. Все будут говорить, что мы экономим. Вот не думала, что Гарик такой дешевый, может, «На-На» позвать?

— Мам, — заканючила Маруська, — хочу Гарика, раздашь им потом чаевые, вот и будет двадцать тысяч.

— Ладно, ладно, кошечка, все как хочешь! Тем более у Гарика в ансамбле знакомая пляшет.

— У нас в ансамбле ваша знакомая? — изумился директор. — Кто такая?

— Ну, не совсем, конечно, знакомая, дочь нашей кухарки — Рая Лисицына.

— Была такая, — сообщил парень, — вот уж шалава так шалава. Уволил ее за дурной характер. Звезду из себя корчила, на репетиции опаздывала, Гарику посмела замечания делать. Жуткая особа!

— Надо же, — изобразила я удивление, — а мать вполне прилично работает. И где же Рая сейчас?

— Совсем скатилась, — махнул рукой директор, — болтали, что устроилась стриптизеркой в «Бабочку». У них это называется «стриптизерка», а на самом деле — проститутка.

— Ах, как интересно, — защебетала я, — может, взрослым стриптиз показать? И матери будет приятно, что дочь пригласили выступить.

— Хочу стриптиз, — запищала Маруся, — пусть приедет.

— Вот что, милейший, — царственно сообщила я, — узнайте-ка нам рабочий и домашний телефон Лисицыной.

Директор повертел головой, я вытащила из сумочки телефон и протянула ему. Через десять минут перед нами лежали необходимые номера. Мы договорились созвониться в начале февраля и расстались довольные друг другом.

Домой вернулись около десяти. Машка ринулась наверх к заветной таблице про нервную систему кролика. Я стала звонить в «Бабочку». Приятный девичий голос начал перечислять услуги, оказываемые в салоне.

— Массаж какой хотите: тайский, европейский, американский?

Кажется, где-то уже слышала подобные фразы. Прозрение наступило, когда девушка принялась диктовать адрес. Бог мой, ведь я была в «Бабочке». Именно там заказала тогда стриптизерку для «брата», карточку с адресом нашла в тайнике у Люлю.

И на «Бабочку» работала бабка-диспетчерша, через которую получала вызовы покойная Милочка Котова. Все завязывается на массажном салоне. Жаль, уже засветилась там, хотя можно попытаться еще раз.

Для разгона решила снова позвонить в «Бабочку». Голос у меня звонкий, знакомые часто путают нас с Машей по телефону.

— Алло, — затарахтела я в трубку, — вы девушек на работу принимаете?

— Принимаем, — последовал ответ, — только, если у тебя морда в прыщах и жопа 64-го размера, лучше не приходи. Берем только европейский стандарт. Рост под метр семьдесят пять, желательно блондинку с большой грудью. И еще — помойся перед просмотром, а то такие чучела являются! Кстати, до восемнадцати лет не принимаем, и после двадцати восьми — тоже.

Я швырнула трубку на рычаг. Нет, в качестве девицы мне к ним не наняться. Попробую снова изобразить клиентку.

— Мама, — раздался Машин голос, — мам, поди сюда.

У дочери в комнате царил вдохновенный беспорядок. На кресле грудой валялись джинсы, кофты, колготки. Письменный стол походил на склад тетрадей и ручек, на тумбочке стояла пустая коробка из-под чипсов и ополовиненная банка сливового компота. Сама Маня с книжкой

«Лечение грызунов» лежала на кровати. На голове у нее красовались наушники. В ногах спали Маркиза и Черри. Банди растянулся на ковре у окна, Снап мирно сопел на диване.

— Маня! — искренне возмутилась я. — Ну и сарай! Неужели нельзя хоть чуть-чуть прибрать?

— Некогда, — отмахнулась девочка, — лучше скажи, что это такое?

Она сдернула наушники, щелкнула плейером, и из динамика полился незнакомый голос. Неизвестный мужчина каким-то странным, невыразительным тоном вел невероятный рассказ: «...ударил его со всей силой лыжной палкой. Раздался противный хруст, потом Леня упал. Я испугался и бросился бежать. Все крупно напились, и никто не заметил моего отсутствия. Утром Леню нашли мертвым, перелом основания черепа. Милиция приняла версию о несчастном случае. Будто парень поскользнулся и упал на камни. Прошло уже пятнадцать лет, но происшедшее мучает меня до сих пор».

Маня выключила плейер и уставилась на меня. Я пожала плечами:

— Похоже на признание в убийстве. Где кассету взяла?

— В гостиной на столике, думала — Кешка оставил.

Значит, это запись из кабинета Сержа. Голос странный какой-то, словно говорящий либо под наркозом, либо пьяный! Вспомнилось, как сама болтала невесть что, сидя в гостиной у Радова. Казалось, профессор лишил меня воли, и язык живет сам по себе. И главное, совершенно не помню, что несла. Хорошо, что в моем прошлом нет никаких страшных тайн: убитых родственников, задушенных младенцев, украденных миллионов. Максимум, в чем могла признаться: кража сборника Анны Ахматовой в институтской библиотеке году этак в 78-м.

Значит, Серж записывает сеансы! И кассета, которую прислали Зайке, тоже сделана у Радова. Ловко придумано. Профессор выпытывает секреты, а потом шантажирует клиентов. Ольга, например, не могла понять, откуда появилось ее признание. И я ни за что бы не догадалась, если бы сама не попала к Сержу в пациентки. Наверное, мой транс оказался не таким глубоким, как у Зайки, вот и помню кое-какие подробности. Невестка же, бедняжка, моментально отключалась.

Кассета была самая обычная — коричневая, плоская. На наклейке надпись 4-2С. Ни имени, ни фамилии. Интересно, мужика тоже шантажировали? Кто он? Нужно снова попасть к профессору на прием и пошарить в кабинете, вдруг найду ключ к шифру и узнаю, как зовут этого 4-2С.

На следующий день около часа дня я приехала в «Бабочку». На голову нацепила кудрявый парик модного цвета «баклажан», лицо размалевала, как индеец на тропе войны, глаза надежно упрятала за дымчатыми очками. Балахонообразное мешковатое платье, кстати, стоившее безумных денег в Париже, изменило фигуру, каблуки прибавили роста. Для пущей конспирации засунула за щеки комочки ваты и осталась довольна — родная мать не узнает.

Впрочем, оказалось, что старалась зря. На этот раз заказы принимал молодой парень в безукоризненном костюме. С виду подающий надежды дипломат.

— У мужа день рождения, — принялась я петь известную песню. — Хочется сделать сюрприз.

— Превосходно, — оживился администратор.

В ход опять пошли фотоальбомы. Я сделала наконец выбор, и товар должны были доставить тем же вечером в девять часов. Покачиваясь на километровых каблуках, выползла на улицу. Погода портилась. Опять повалил снег, колкие снежинки полетели прямо в лицо. Голова начала мерзнуть. Ничего, сейчас залезу в машину и согреюсь. И в эту самую минуту я увидела Сержа Радова, садящегося в такси вместе с каким-то мужиком.

Что делать? «Пежо» не шикарный автомобиль, но в Москве их не так много, тем более ярко-василькового цвета. Профессор прекрасно знает мою тачку и сразу заметит слежку. Пришлось ловить частника.

— Езжай за такси, смотри не упусти.

Водитель косо глянул на меня, но повиновался. Попетляв немного по улицам, такси остановилось у ресторана «Сударыня». Серж со спутником исчезли внутри, я ринулась за ними.

Небольшой зал, всего на десять столиков, выглядел уютно. Радов с приятелем устроились у окна, я села по соседству. Профессор заметно нервничал, незнакомый мужчина свистящим голосом говорил:

— Срок — неделя. Ищи где хочешь, думай, куда Изабелла товар засунула. Не найдешь — плати. Через семь дней включу счетчик, а еще через пять, если не отдашь, плохо будет.

— Почему я должен вам верить? — неожиданно начал сопротивляться Серж. — Может, Белла все уже отдала, а вы теперь узнали о ее смерти и хотите нажиться. Сначала докажите, что товар был.

— Ну, блин, дает! — восхитился мужчина. — Я честный торговец, ерундой не занимаюсь. Белка всегда брала большой кусок, а через неделю расплачивалась. Другие вперед платили, но Изабелле мы доверяли, она никогда нас не подводила и долг отдавала точно в срок. А тут «снежок» взяла, и все, с концами. Днем у меня была, вечером застрелилась. Не могла она успеть «дурь» раздать. Либо товар найдешь, либо деньги. И не делай вид, что не знал о ее привычках, не поверю. Трепаться мне недосуг, так что прощай!

Говоривший резко встал, бросил на стол несколько скомканных сторублевок и ушел. Серж остался сидеть, глядя в пространство. Выкурив сигарету, он отодвинул нетронутую еду и побрел прочь из ресторана. Я пошла за ним. Ледяной ветер немилосердно задувал под парик. Неудобные каблуки постоянно подворачивались, к тому же я ужасно боялась упустить Радова из виду. Но профессор и не думал спешить. Похоже, он бесцельно слонялся по Центру, наконец купил в булочной отвратительный торт с масляными розами несъедобного вида и принялся ловить такси. Я его опередила. Просто повезло. Левак готов был ехать в любом нужном мне направлении. Дождавшись, когда Радов наконец поймает машину, я велела следовать за ним.

Профессор приехал в район Нижних Мневников. Убогое место. Каскады небольших блочных пятиэтажек. Квартиры тут похожи на клетки для канареек. Радов вошел в грязный подъезд с выбитой входной дверью и стал подниматься по лестнице, я на цыпочках последовала за ним. На четвертом этаже он позвонил в одну из квартир. С площадки третьего я услышала, как женский голос спросил:

— Кто там?

— Я, — ответил Радов, — открой, Зиночка.

Загремела цепочка, и невидимая Зина обрадованно проворковала:

— Ой, Сержик, входи.

Дверь с грохотом захлопнулась, я подлетела к

ней и прижалась ухом. Слышно было буквально каждое слово. Спасибо строителям за картонные двери!

— Раздевайся, раздевайся, — ворковала женщина, — чайку попьем, что-то редко заходишь.

— Работы полно, Зинуля, времени совсем нет. Где Жорик?

— Сейчас явится.

— Не болит язва?

— Да он забыл о ней, как новый стал, все тебя добрым словом поминает.

Внизу раздались шаги. Я поднялась выше и через перила увидела, как на площадке возле Зининой квартиры появился мужик весьма специфического вида. Фигурой он напоминал старинный гардероб, одетый в короткую дубленую куртку. Мощный череп покрывала чахлая растительность. В руках, похожих на окорока, мужик держал штук шесть пакетов с фруктами, овощами и гастрономией. Открыть дверь ключом он не мог, поэтому принялся колошматить ногой по косяку и орать:

— Зинка, бля, открой!

В соседней квартире истошно завопил младенец.

Зинка открыла. Мужик втиснулся внутрь, я опять подскочила к двери.

— Профессор! — обрадовался вошедший. — Ну, молодец, заглянул, уважил. Как дела?

— Неприятности у меня, Жорик, — сказал Радов, — помоги.

— Что могу, все сделаю, — заверил Георгий и заорал как ненормальный: — Зинка, чайник ставь!

В соседней квартире опять завопил младенец. Злой женский голос перекрыл детский вопль:

— Ну не соседи, скоты! Только укачала ребенка.

Да, здесь просто живут на глазах друг у друга,

любой шорох слышно. Несмотря на то, что Радов с хозяевами прошел в комнату, разговор вполне можно разобрать.

— Знаешь ведь, сколько горя мне Изабелла причинила, — жаловался профессор, — так и после ее смерти неприятности сыплются. Сегодня пришел ко мне барыга и заявил, что Белла должна ему около восьми тысяч долларов. Якобы взяла наркотики, как всегда, а потом застрелилась. Требует либо товар, либо деньги, дает неделю, потом счетчик включает. И что делать?

— Барыга кто? — серьезно спросил Жора.

— Анатолием Ивановичем назвался.

— Тощий такой, нос длинный, волосы кучерявые?

— Похоже.

— Лялин это, на серьезного хозяина работает. Так просто не отпустят. Ищи дома товар, если Белка взяла.

— А вдруг она его отдала? Ведь всегда так делала. Оставит сколько надо, а остальное тут же перепродает.

— Покупателей знаешь?

— Откуда? Думал, ты поможешь.

Дальше я уже ничего не могла разобрать, очевидно, закрыли дверь в комнату. Я села на подоконник и закурила. Примерно через час Серж вышел, почти тотчас же остановил машину и укатил. Мне же на этот раз не повезло. Я никак не могла поймать ни такси, ни частника. Ноги озябли, и я стала притопывать. Вдруг что-то звякнуло, и я увидела в снегу связку ключей с изящной биркой. Из пластикового кармашка виднелась карточка «Сергей Владимирович Радов. Нашедшего просят позвонить и вернуть за вознаграждение».

Глава 17

Заказанная девица прибыла точно в срок. Роскошная блондинка в плотно облегающем оранжевом платье-стрейч. Бросив взгляд на ее ноги, втиснутые в ботиночки с 20-сантиметровыми шпильками, я от души пожалела несчастную. Сама весь день носилась на каблуках и поняла, что это невыносимо.

Блондинка вплыла в холл, распространяя удушливый аромат. Я схватила ее за руку и потащила к себе в спальню, надеясь, что домашние увлеклись «Горцем» и не заметят гостью.

Стриптизерка огляделась, потом с улыбкой пропела:

— Здесь работать? А что хочешь? Танец с перьями или со змеей?

Только змеи не хватало!

— Ничего не надо, просто ответь на вопросы.

Девица рухнула в кресло, закурила, огляделась и капризно спросила:

— Выпить дашь?

Я вытащила специально припасенную бутылку джина и тоник. Игнорируя содовую, девица до краев наполнила стакан и тут же опорожнила.

— Потом напьешься, — обозлилась я, — давай делом займемся.

— Давай, — ухмыльнулась девица и быстро стянула платье, оставшись в каком-то немыслимом белье. Лифчик, покрытый блестками, сверкал, словно рыбья чешуя. Трусики держались на тоненьких ленточках.

— Ты не так поняла, — сказала я и протянула стриптизерке халат, — просто поговорить хочу.

— Ладушки, — согласилась девица, — давай, начинай.

— Раю Лисицыну знаешь?

Гостья поперхнулась.

— А я чем не подхожу, не хороша, что ли?

— Да всем хороша, Раю, знаешь?

— Ты не «розовая»? — протянула гостья.

— И даже не фиолетовая.

— Так какого черта я время теряю! — взвыла девка.

— Не ори, я оплатила в фирме двухчасовой стриптиз, так что ты на это время моя. Будешь хулиганить — позвоню в «Бабочку», с работы попрут. А поговоришь по-человечески, получишь хорошие чаевые.

— Чего надо? — присмирела стриптизерка.

— Самую малость. Расскажи, что знаешь про Раю Лисицыну и Милу Котову. Кстати, как тебя звать?

— Рафаэлла.

— Кара, — хмыкнула я.

— Кто?

Девица слишком молода, чтобы помнить второсортную певицу не первой молодости, сходившую в неизбалованном СССР за эстрадную звезду. Псевдоним, наверное, выбрала, насмотревшись рекламы конфет «Сладкое совершенство».

— Милка Котова померла. Она в «Бабочку» вместе со мной пришла. Зарабатывала отлично, хозяин ее просто обожал. Все самые выгодные заказы — Котовой. До смешного доходило. Зовут меня, по фото выбрали, едет Милка. А я, между прочим, лучше со змеей работаю.

— Сумку-то получше закрой, не ровен час змея выползет, всех до смерти перепугает.

Рафаэлла обрадованно заулыбалась:

— Скажешь тоже, гляди.

Девчонка засунула руку в ридикюль и вытащила огромного удава. Отвратительная змеища, похожая на толстый шланг, принялась судорожно извиваться. Я испугалась, вдруг укусит. Идиоты в «Бабочке», что ли, хозяева? Разве можно подобное страхолюдство просто так в авоське таскать. Увидав мою перекошенную морду, стриптизерка захихикала:

— Не дрожи, думаешь, правда живая?

Приглядевшись повнимательней, я поняла, что «удав» резиновый, но сделан здорово, в первый момент впечатляет.

— Прикольная штука, — вздохнула Рафаэлла, — уйму денег стоила. И, представляешь, вместо меня посылают Милку. А все потому, что та английский знала. Хозяин ее с собой на всякие встречи таскал деловые. Нацепит Милка черненькое платьице и давай даму изображать. Братки млели от восторга — мясо с ножом ест, рыбу двумя вилками. Хозяин хвастал: все девчонки такие, скажи, Милочка, по-английски.

— Котова с ним спала?

— Никогда. Лешка педик был, только мальчишками интересовался.

— Почему был?

— Потому что помер. Один-единственный раз решил в метро прокатиться, так на Белорусской-кольцевой под поезд свалился. Несчастный случай. Говорили, какая-то баба сумками толкнула. А новая хозяйка стерва жуткая, молодая, злобная. Всех прежних повыгоняла, я, можно сказать, одна и осталась, наняла новеньких, вроде Лисицыной.

— Как ее зовут?

— Понятия не имею. Администратор говорит: «Мадам велела, мадам приказала, мадам распорядилась». Из-за нее и Милка погибла.

— Почему?

— Милка на иглу подсела. Дура, конечно, но у нас такое часто бывает. Одни пьют, другие колются. Лешка, хозяин наш бывший, ее пожалел, велел вылечиться, а потом в «Бабочку» вернуться. Милка сама хотела избавиться от этой напасти, ломало ее по-страшному. Устроилась в клинику, поправилась, возвращается, а тут такая пертурбация: Лешка помер. Милка давай проситься назад. Администратор не берет, мадам запретила наркоманок нанимать, даже вылеченных. Ну тут Антуанетта, это у нее псевдоним такой был, разбушевалась, принялась орать, администратора отпихнула и в кабинет влетела. Минут через пятнадцать выходит белая, как сметана, глаза безумные. Воды целую бутылку выпила и говорит: «Знала сволочей, а такую в первый раз вижу».

Через три дня Рафаэлла узнала, что клуб «Маска» ищет девушку со знанием английского, и позвонила Котовой. Мать сообщила, что Мила скончалась. Рафаэлла вычислила, что девушка, как поговорила с хозяйкой, сразу к барыге отправилась и до смерти обкололась.

— Про Раю Лисицыну что знаешь?

— Практически ничего, работает недавно, до нас плясала в каком-то ансамбле. Выпить любит, допьяна не узюзюкивается, но грамм сто пятьдесят каждый день принимает.

Я достала из сумочки двести долларов и протянула Рафаэлле.

— Если узнаешь фамилию, имя, адрес и место работы парня, с которым она сейчас живет, получишь еще столько же.

Стриптизерка схватила купюры и, снимая халат, пробормотала:

— Не волнуйся, все вызнаю.

Тут дверь распахнулась. На пороге показался Аркашка. Увидев полураздетую Рафаэллу, он растерянно пробормотал «простите» и выскочил в коридор. Девица натянула свое оранжевое платьице, взяла сумку, и мы спустились вниз.

В холле собралась вся семья. Они молча смотрели на девушку, которая набросила блестящую шубку и пошла к машине. Потом так же молча уставились на меня.

— Что с вами? — удивилась я.

Кешка прокашлялся и, отведя глаза, сказал:

— Мам, может, тебе замуж выйти? Подыскать приличного человека, так сказать, для души и тела?

Тяжелый вздох вырвался из моей груди. Недавно прочитала в энциклопедии статью о страшно редкой птице. Ее нет ни в одном зоопарке мира, так как пернатое не живет в неволе. Я, наверное, тоже не могу жить в браке. Замуж выходила четырежды, каждый раз думая, что навсегда. Но уже через месяц начинались неприятности. Очередной супруг требовал горячей еды, чистых рубашек и пришитых пуговиц. Кроме того, полагал, что картошка, морковка и свекла прибегают домой сами, деньги зарабатываются кем-то другим, а заявляющиеся в час ночи пьяные друзья — дорогие гости. Возможно, в конце концов я бы привыкла и стала тащить семейное ярмо, как усталая лошадь. Но! Но у каждого мужа обязательно была мама. Точнее, это ему она приходилась мамой, а мне свекровью. И если мужья хоть чем-то отличались друг от друга, мамули у них были как близнецы.

Приходившая в гости Марья Андреевна закатывала глаза и, с обожанием глядя на Леню, сообщала:

— Даша, ты не представляешь, как тебе повезло. Леночка такой аккуратный, он уже в пятнадцать лет пользовался ножом и вилкой, гости с умилением смотрели, как он ест, и говорили: «Маша, как ты воспитала сына».

Наталья Михайловна грозно сдвигала брови и вещала:

— Помни, мой сын — сокровище.

Алла Евгеньевна чуть ли не со слезами на глазах сетовала:

— С тех пор, как Костик с тобой, он так постарел!

Серафима Петровна, брезгливо поджав губы, ворчала:

— В первую очередь следует любить и уважать меня, мать, воспитавшую сына. Ты знаешь, что он до свадьбы собирался писать кандидатскую?

Потом на мою голову сыпались упреки в бесхозяйственности. Заканчивалось каждое замужество одним и тем же. Я складывала чемодан и возвращалась к себе — в двухкомнатную квартиру в спальном районе. Но от каждого брака что-то оставалось. От первого Аркадий, сын моего первого мужа от предыдущего брака. Он сразу привязался ко мне и стал звать мамой. Второе замужество подарило беспородную собачку Снапика. Она мне досталась в качестве компенсации за тяготы семейной жизни. Третий супруг оставил Машу, четвертый — кошку. Нет, больше не хочу замуж. О чем и сообщила домашним.

— Конечно, дело твое, — вздохнул Аркадий, — но уж больно эта девица противная, не хочется видеть ее рядом с тобой.

Я от души рассмеялась. Надо же! Дети решили, что мать сошла с ума и подалась в лесбиянки. Разъяснив им ситуацию, несостоявшаяся Сафо пошла спать.

Утром я позвонила в колледж на Полянке и попросила к телефону профессора Радова. Мне вежливо ответили, что психолог на лекции и освободится только в 14.20. Часы показывали десять утра. Времени предостаточно, и я поехала на квартиру к Сержу.

На связке болталось четыре ключа, я открыла дверь без проблем, вошла в темный холл, и на меня повеяло затхлостью. Уголовные кодексы всего мира квалифицируют вторжение в квартиру в отсутствие хозяев однозначно — как взлом. Попыталась успокоить бунтующую совесть. Во-первых, я не открывала замок отмычкой, а воспользовалась ключом, во-вторых, не собираюсь грабить, а просто посмотрю, в-третьих, должна же я узнать, кто убил Лариску?

В кухне послышалось рычанье, и душа ушла в пятки. Но оказалось — вода шумит в трубах. В кабинете все было так, как в день моей ночевки, даже кровать не убрана.

Кассеты лежали в ящичках, каждая с непонятными значками: 5aF; 7eK, 18oP. Их было много, больше ста. В первом ящике письменного стола обнаружились всевозможные счета и документы. Во втором какие-то статьи и заметки. В третьем небольшие книжечки, похожие на телефонные. Раскрыв первую, я поняла, что это прошлогодний ежедневник. Напротив каждого дня пометки. Стала листать. «13-е — лекция на факультете», «18-е — придет аспирантка», «20-е — 19иС». Ежедневников оказалось шесть, в четвертом я нашла то, что нужно. На последних страницах цифры от единицы до 128. Напротив каждого числа имя: 1— Петр; 2 — Мария; 16 — Николай. В следующем ежедневнике латинские буквы от «a» до «z» и фамилии: o — Кочетков, f — Слонов, w — Золотова; русские буквы в последней книжке раскрыли отчество. Они повторялись и были разноцветными. Зеленая «К» принадлежала Филиппову;

оранжевая — Соткиной; фиолетовая — Звонаре-
ву.

Я быстренько порылась в книжках. Выходило,
что голос на моей кассете принадлежал нелюбезному преподавателю Федору Степановичу Круглову. Сунув кассету на место, я отыскала в еже-
дневниках Римму Борисовну Селезневу и Павла
Геннадиевича Шитова. Вытащила записи. Но
прежде чем их прослушать, еще раз позвонила в
колледж и удостоверилась, что Серж все еще на
лекции.

Узнав чужие тайны, вздохнула. Неужели все
кассеты содержат такую гадкую информацию?
Просто клад для шантажиста. Ладно, съезжу сначала к гинекологине, узнаю, требовали ли у нее
деньги. Если Селезнева тоже жертва шантажа,
значит, сведения поступают от Сержа.

Приведя все в порядок, я вышла и стала запи-
рать замок. Вдруг дверь квартиры напротив распахнулась, и выглянула дама без возраста, похожая на мальтийскую болонку.

— Слава богу, — сказала соседка, с любопытством разглядывая меня, — а то мы подумали,
что Серж исчез.

Я промолчала, продолжая возиться с тугим
замком. Но словоохотливая дама не унималась:

— Вы кто?

— Домработница.

— Это хорошо, а то я испугалась, думала —
профессор продал квартиру. Теперь такое время,
что надо знать, кто рядом живет. Наверное, грязи
было!

— Нормально.

— Покойная не очень-то утруждалась. Маринка жаловалась, что если Изабелла кусок хлеба
уронит, то он так и валяется на полу, пока Маринка не подберет.

Я с интересом глянула на болтунью:

— А кто такая Маринка?

— Убираться приходила. Понедельник, четверг у Радовых, вторник, пятницу в 76-й квартире. Очень аккуратная, даже странно, что Серж ее рассчитал. Может, сама ушла? Хотя вряд ли, хорошо получала. Вам сколько платят?

— Это вас не касается, — схамила я, надеясь, что соседка исчезнет. Ан нет! Уставилась на меня немигающим взглядом, видно, приметы запоминает. Сегодня же вечером доложит Радову, что в квартире побывала «домработница». Надо заткнуть фонтан.

Я повернулась к любопытной тетке и железным тоном приказала:

— Сообщите свою фамилию, имя и отчество.

— Зоя Михайловна Корнева, — растерялась дама.

— Вы помешали проведению оперативной акции. Пройдите в свою квартиру.

— Боже! — всхлипнула соседка., — Милиция!

— ФСБ, — грозно поправила я ее. — Профессор под наблюдением. Если сообщите ему о моем визите, нанесете непоправимый удар безопасности России.

Дама посерела и принялась креститься дрожащей рукой. Она принадлежала к поколению людей, панически боявшихся ЧК, КГБ, ФСБ и прочих аббревиатур. Ослушаться сотрудников такого органа просто невозможно. Пробормотав напоследок «Господи, помилуй», соседка испарилась.

Я пошла в 76-ю квартиру, где застала девочку лет десяти. Она открыла мне дверь, прижимая к уху теплый платок. Покрасневший нос, слезящиеся глаза — явный грипп.

— Вы из поликлиники? — осведомился ребенок.

— Нет, скажи, детка, у тебя есть телефон домработницы Марины, а то потеряла свою записную книжку и не могу ей позвонить?

Бесхитростный ребенок тут же сообщил номер.

На улице опять валил снег. «Пежо» успел превратиться в сугроб. Отъезжая, я заметила, как в одном окне заколыхалась занавеска. Любопытная соседка следила за «агентом».

Прямо от профессора проехала на работу. Преподаю французский небольшой группе интересантов. Пять мужчин примерно тридцатилетнего возраста, судя по костюмам, машинам и сотовым телефонам, преуспевающие бизнесмены. А вот студентами они оказались нерадивыми. Систематически не выполняли домашних заданий, плохо учили слова и с трудом читали тексты про день рождения. Второй год продирались сквозь заросли грамматики, и честно говоря, с нулевым результатом. Я долго не могла понять, зачем им французский, пока однажды один, самый молодой, не признался в порыве откровенности, что теперь уже вышло из моды отдыхать в бане с проститутками. Куда престижнее изучать языки. Поглядишь на часы и так небрежно бросишь собеседнику: «Знаешь, не звони в 14.00, отключаю «мобильник». Преподаватель французского злится, когда на уроке гудит». Вот это круто! А девочки, водка, рестораны — вчерашний день.

Два часа мы старательно разбирались с простым прошедшим временем, и наконец оно нас победило. Слушатели утерли пот шелковыми платками, включили «мобильники» и расселись по джипам и «Мерседесам».

Я позвонила домработнице Марине. Голос у нее оказался совсем молодой. Представившись знакомой знакомых Радова, я предложила ей работу. Марина обрадовалась. Мне не хотелось, чтобы она приезжала к нам домой, и я, спросив у нее адрес, сказала, что поеду мимо и загляну.

Жила Марина на Большой Академической улице, в блочном доме без лифта, на последнем этаже. Воняло на лестнице невыносимо. Почти у каждой двери стояло помойное ведро. На первом — готовили щи, и запах переваренной кислой капусты распространялся до третьего этажа, где смешивался с ароматом кошачьей мочи и кипятившегося белья.

В ответ на мой звонок за дверью раздалось многоголосое тявканье. Мне открыла полная женщина. И я прошла в маленький, узкий коридорчик.

— Проходите на кухню! — предложила хозяйка.

В комнате на разные голоса заливалась стая собак. Кухня — размером с мыльницу, была забита полками. С натянутых под потолком веревок свешивались разноцветные детские колготы, трусики, маечки. Я вздохнула, сама недавно так жила, в ванной небось не повернешься.

Проследив за моим взглядом, Марина спокойно пояснила:

— Дочь двойню родила, вот и сидим друг у друга на головах. Да еще три собачки.

Я пригляделась к ней повнимательней. Голос молодой, звонкий, а самой уже хорошо за пятьдесят. Лицо приятное, открытое. Карие глаза смотрят приветливо, речь вполне интеллигентная, только руки — потрескавшиеся, красные, выдают поломойку.

— Работала библиотекарем, — пояснила Марина, — потом пришлось увольняться, на биржу идти. Но моя специальность теперь никому не нужна. Хожу вот по людям, полы мою. Вы не сомневайтесь, есть рекомендации. Могу постирать, погладить, обед сготовить, собак помыть...

Слушая эту усталую, бьющуюся из последних сил с нищетой женщину, я подумала, что обманывать ее просто бессовестно. Ведь она рассчитывает на заработок.

— Марина, простите, домработница нам не нужна.

— Зачем тогда пришли?

Стодолларовая бумажка на какой-то момент лишила ее дара речи.

— Это мне? — спросила она наконец. — За что?

— За сведения о семье Радовых.

— Ничего, в общем, такого не знаю, — замялась женщина, но следующая банкнота развязала язык.

Изабелла с профессором жили врозь. По крайней мере, те три года, что у них убирала Марина. Спали в разных комнатах. Серж часто отсутствовал, и тогда у хозяйки оставался ночевать другой мужчина, которого домработница не видела. Серж, очевидно, знал о любовнике, потому что никогда не являлся домой внезапно, вначале звонил и сообщал о возвращении. Гостей практически не бывало, или они приходили в Маринино отсутствие, потому что иногда в кабинете стояли пепельницы, полные окурков.

Изабелла совершенно не занималась хозяйством, даже чулок не стирала, весь дом держался на Марине. Раньше домработница приходила каждый день на четыре часа. После смерти хозяйки Серж велел появляться два раза в неделю. Марина поняла, что профессор живет в другом месте, квартира имела совершенно нежилой вид.

— Мне известно, что Изабелла принимала наркотики, — сообщила я.

Марина вздохнула:

— Когда я пришла в первый раз, хозяйка уже была наркоманкой. Профессор совершенно измучился, лечил жену, но все без толку. Да и характер у нее был отвратительный. То слезами заливается, то хохочет. Не дай бог слово невпопад обронить. Я один раз сказала, что чайник слегка закоптился, так она вместе с кипятком выбросила его в окно, хорошо, никого не убила.

Просыпалась госпожа Радова около двенадцати и сразу требовала в постель кофе. Потом принимала ванну, долго одевалась, красилась. Около трех уходила из дома по каким-то делам. Подружек у нее не наблюдалось, изредка появлялись молодые люди.

«Под кайфом» Изабелла оказывалась не каждый день. Но два раза в неделю непременно кололась. И тогда становилась веселой, возбужденной, дарила Марине платья и деньги. На следующий день еле-еле выползала в ванную, похожая на привидение, и начинала орать и придираться к каждому пустяку.

— Профессор все пытался выяснить, куда она наркотики прячет, — качала головой Марина, — но жена оказалась хитрее. Так он и не обнаружил тайник.

— Но вы-то знаете, где он был, — скорее утвердительно, чем вопросительно сказала я.

Марина молча кивнула.

— В спальне стоят небольшие полки светлого дерева. Одна из них имеет вынимающееся дно, туда Изабелла и складывала порошок.

— Что же не сказали профессору?

— Не в моих правилах вмешиваться в хозяйские дела. Сами разберутся. Я скажу, а меня потом уволят.

Правильная позиция, главное — безопасная.

Ничего не вижу, ничего не слышу, ничего никому не скажу. Если, конечно, не заплатят приличную сумму.

Глава 18

Гинеколог Римма Борисовна, об этом мне сообщили в поликлинике, жила на Мясницкой. На первом этаже находился рыбный магазин. Возвращалась Селезнева поздно, и я вдоволь насмотрелась на разнообразные филе и нарезки, подкарауливая доктора. Наконец около девяти она вошла в подъезд, шурша красивой бобровой шубой с воротником из рыси. Я подождала еще минут десять, чтобы она успела раздеться, и позвонила в квартиру. Выглянула хорошенькая девушка и позвала мать.

Римма Борисовна страшно удивилась, увидав меня на пороге.

— Дома не веду прием, — отрезало светило.

— У меня кровотечение, — воззвала я к профессиональному долгу.

— Вызывайте «Скорую», — быстро отреагировала Селезнева.

— Может, посмотрите...

— Где? — возмутилась Римма Борисовна. — На кухонном столе?

— Нет, — выпалила я, — Насте Константиновой вы не смогли помочь именно на кухонном столе.

Надо отдать должное Римме Борисовне. Ни единый мускул не дрогнул в накрашенном лице гинекологини. Она отступила в глубь коридора и проговорила:

— Входите.

Узкий коридор, заставленный книжными

полками, привел в довольно большую комнату, очевидно, кабинет. Помещение отделывали с любовью, выделив зоны как для работы, так и для отдыха. В углу, возле удобного вольтеровского кресла горел торшер с оранжевым абажуром. Римма Борисовна указала на кресло, сама же села на вертящийся стул и сразу оказалась почти полностью в тени, в то время как на мое лицо падал свет торшера. Старый трюк!

— Вы обещали, получив деньги, не тревожить меня больше, — церемонно объявила Селезнева. — И зачем оставлять деньги на помойке, если потом вы безбоязненно заявляетесь в гости?

В комнате стояла тропическая жара, и, пока я объясняла Римме Борисовне суть дела, спина стала абсолютно мокрой.

Дав мне выговориться, Селезнева с подозрением спросила:

— Хотите сказать, что тоже являетесь жертвой и теперь ищете шантажиста?

— Совершенно верно. И думаю, тут не обошлось без профессора Радова.

Римма Борисовна вытащила пачку «Беломора» и принялась пускать кольца вонючего дыма.

— Серж порядочный человек, и притом мне он никогда не сможет причинить зла. Кто-то воспользовался записями без его ведома.

— Откуда такая уверенность?

Гинеколог аккуратно затушила папиросу, прокашлялась, взглянула на часы и сказала:

— Серж слишком многим обязан мне. Дело в том, что я его первая жена.

Вот так фокус. Сколько же ей тогда лет?

Очевидно, невысказанный вопрос застыл на моем лице, потому что женщина пояснила:

— Мне 54 года. Многие думают, что я старше,

потому что уже успела защитить докторскую диссертацию.

Значит, разница с мужем у нее составляла около восьми лет. Странно, Серж любит молоденьких, почему женился на женщине значительно старше себя?

Римма Борисовна подошла к окну и задернула занавески. На свету стало видно, что ее щеки и лоб покрылись красными пятнами.

— Расскажу про Сержа, и сразу поймете, что его подозревать бессмысленно.

Рассказ потек плавно, изредка прерываемый телефонными звонками в глубине квартиры.

Риммочка Селезнева родилась в семье хорошо известных московских врачей. Папа — известный гинеколог, на прием к нему записывались за месяц, мама — стоматолог с не менее обширной практикой. К тому же папа заведовал кафедрой в медицинском институте, и Римме на роду было написано продолжить династию. Девочка не артачилась, закончила институт с красным дипломом, поступила в ординатуру и быстро написала кандидатскую. Злые языки поговаривали, что отец сделал за дочь всю практическую часть работы. Но как бы то ни было, а кандидатский диплом позволил молодой специалистке получить работу в престижной ведомственной поликлинике.

Однажды отец привел в дом, в эту самую квартиру на Мясницкой, где мы сейчас сидели, молоденького паренька-второкурсника. Сережа Радов хотел стать психиатром, но гинекология его тоже интересовала. Риммочка попервости не обратила на гостя никакого внимания. Во-первых, слишком молодой, во-вторых, девушке вообще было не до романов, впереди маячила новая цель — докторская диссертация.

Сережа зачастил к Селезневым. Сначала заглядывал раз в неделю, потом два, затем стал появляться каждый день. Скоро к нему настолько привыкли, что посылали за хлебом и поручали выгуливать собаку.

Радов приехал из маленького белорусского городка, имел общежитскую прописку, невероятное честолюбие и фантастическую работоспособность. Пока сверстники бегали на свидания, женились, рожали детей, брали академические отпуска, — он упорно учился. Результат не замедлил сказаться — красный диплом и место в аспирантуре. Радов выбрал новое, тогда практически неизвестное в СССР дело — психотерапию. Папа Селезнев, ставший к тому времени ректором, во всем помогал своему любимцу. И на втором курсе аспирантуры Сереженька сделал Римме предложение руки и сердца.

Женщина призадумалась. За усердной учебой она как-то упустила тот момент, когда молодые сбиваются в пары. И сейчас вокруг нее крутились либо разведенные, либо вдовцы с детьми. Да и родители в два голоса твердили: «Лучшей партии не найти». Римма согласилась, и Сережа с небольшим чемоданом переехал на Мясницкую.

Через три года после свадьбы тестя свалил инсульт. По счастью, Селезнев не долго мучился и скончался через месяц после удара. Но Сережа уже стал к тому времени кандидатом наук и был пристроен на отличное место работы. Шесть месяцев спустя скончалась и теща. Молодым осталась шикарная квартира, дача, машина и устойчивое финансовое положение. Жить бы да радоваться, но еще через год, мокрым ноябрьским вечером Римма Борисовна, придя домой, обнаружила на столе записку. Муж сообщал, что глубоко уважает и ценит ее, но, к сожалению, полюбил другую женщину и не считает возможным обманывать жену.

Через неделю Римма узнала, что соперница проживает в соседней квартире. Милая, воспитанная девушка Изабелла, дочь весьма обеспеченных родителей. Она явно больше подходила Сереже по возрасту. Римма Борисовна прогнала от себя гадкие мысли о том, что отец Изабеллы занимает весьма высокий пост в Министерстве здравоохранения, и решила остаться с бывшим супругом в хороших отношениях. Это ей удалось. Иногда по вечерам Сережа приходил пить чай, и они обсуждали профессиональные проблемы, старательно избегая тему их личных отношений. Но, очевидно, нигде не учившейся и не работающей Изабелле такое положение вещей не нравилось. Вскоре Римма Борисовна переехала в кооперативную квартиру, и визиты прекратились. С тех пор она больше не видела бывшего мужа, но, когда случилось несчастье, обратилась именно к нему.

Как-то вечером к ней в квартиру вбежала, заливаясь слезами, Настя Константинова, коллега из терапевтического отделения. Ситуация, в общем, банальная. После полугодового отсутствия возвращался Настин муж-моряк, а жена оказалась на четвертом месяце беременности. Все мыслимые сроки прошли, и никто из врачей не брался делать аборт. Настя упала Римме Борисовне в ноги и стала умолять помочь. Селезнева сначала наотрез отказалась, но Настенька пообещала повеситься и оставить детей сиротами. Римма дрогнула и на следующий день принесла с работы все необходимое, вымыла кухонный стол, положила коллегу и сделала укол в вену. Настенька скончалась через пару минут. Перепуганная Римма Борисовна, которой за подпольный аборт грозил солидный срок, сделала все, что могла. Но что вообще можно сделать на кухне, не имея ничего, кроме инструментов для выскабливания?

На столе лежал коченеющий труп, и гинеколог позвонила бывшему мужу. Серж приехал моментально. Глянул на то, что осталось от Насти, и велел успокоиться. Потом принес из машины большой брезентовый мешок. Бывшие супруги запихнули туда труп, снесли его в «Жигули», отъехали подальше от города и утопили тело в болоте. Надо сказать, что им повезло. Ни на лестнице, когда волокли мешок, ни на улице, ни в лесу никого не встретили. Настя Константинова бесследно исчезла. Безутешный моряк обратился в милицию, и Римма Борисовна похудела на десять килограмм, ожидая, что сейчас к ней войдут суровые мужики в форме. Но время шло, а следствие тормозило... Скоро добрые люди рассказали моряку о том, что в его отсутствие жена нашла себе утешение и не грустила. Обманутый супруг решил, что неверная половина, испугавшись возмездия, удрала с любовником. Дело закрыли, Настю не нашли.

— Значит, Серж давно знал про смерть Константиновой, — удивилась я, — зачем тогда записывал вас на кассету?

— После случившегося, — пояснила Римма Борисовна, — я полностью разрегулировалась. Пропал сон, до четырех утра сидела на кухне, курила. Потом перестала есть, только пила, начал болеть желудок, появилась астма, в общем, сильнейший нервный срыв. И тогда Серж вернул меня к жизни, прошла несколько сеансов и полностью восстановилась.

— Зачем он заставлял рассказывать о Насте, если уже все знал?

— Дорогая, — снисходительно пояснила Селезнева, — психотерапевтическое воздействие — дело тонкое. Плохо разбираюсь в нюансах, но пациент должен раскрыть душу до дна, обнажиться, иначе ничего не получится. К тому же, переживая страшную ситуацию под контролем специалиста, больной начинает смотреть на события по-другому — в этом-то вся соль психотерапевтического лечения. Рассказываете доктору о своих проблемах, страхах и изживаете их. Поэтому мне пришлось пережить случившееся во второй раз.

— Как можно делать в такой момент записи! Человек доверяет врачу, сообщает самое тайное, и вдруг — магнитофон!

— Записи помогают Сержу выбрать правильную тактику поведения. Он слушает их потом по несколько раз, чтобы понять, как вести разговор с больным.

— А почему не уничтожает после завершения сеансов?

— Во-первых, часть пациентов обращается вторично, и следует помнить, о чем вы говорили с ним вначале. Потом это гигантский научный материал. Серж использовал его в книгах и статьях, без упоминания фамилий, конечно. Так делали и делают все мировые величины, тот же Фрейд или Адлер.

— Оказывается, материал можно использовать не только в научных целях, — вздохнула я, — это просто Клондайк для шантажиста.

Римма Борисовна не переставая курила, в кабинете повис сизый туман.

— Серж высокопрофессиональный специалист, — сказала она, — сеансы — дорогое удовольствие, зарабатывает психотерапевт более чем достаточно. Ставить под удар доброе имя, карьеру Радов никогда не станет. И потом он настоящий доктор, верный клятве Гиппократа и девизу «Не навреди». Кто-то без его согласия воспользовался архивом в преступных целях. Ну подумайте сами, история с Настей Константиновой произошла много лет тому назад, а шантажировали меня полгода назад. К чему ждать столько времени? Значит, узнали недавно и воспользовались. Нет, это не Серж.

— А кто?

Римма Борисовна пожала плечами.

— Кто-то, кто догадался послушать кассеты. Скорей всего Изабелла, ей вечно не хватало денег!

Женщина всегда остается бабой, сколько бы диссертаций ни висело за плечами. Селезнева не упустила возможности сказать гадость про удачливую соперницу. Только зря! Изабелла давно покоилась в могиле, когда начали шантажировать Зайку.

— Может, вы кому-нибудь случайно, ну, приняли лишнего, рассказали про Настю?

— Не пью, — отрезала Селезнева, — и, естественно, никому не исповедовалась. Информация, безусловно, поступила от Радова, но уверена, что получили ее помимо его воли. А теперь прошу простить, через час уезжаю в аэропорт. Приглашена на конгресс в Америку.

Я поглядела на часы — полночь. Долго мы проговорили, а ясности нет. Может, нелюбезный преподаватель сообщит что-то полезное?

Домашние спали, когда я тихо вошла в холл. На зеркале висела приклеенная записка: «Мамочка! Звонил Степан Войцеховский и приглашал завтра к 17.00 на день рождения». Совсем Степка с ума сошел. Сорока дней не прошло после смерти жены, а он именины празднует.

Днем поехала искать подарок. По старой памяти зарулила в ЦУМ и удивилась донельзя. Старый универмаг перестроили до неузнаваемости, но, превратившись в комфортабельное и элегантное место, он непонятным образом потерял индивидуальность и очарование. Стал похож на любой европейский магазин. И мороженое больше не продают, а какое оно тут было вкусное, в вафельном стаканчике, с большим шариком сверху.

Пошатавшись по этажам, я наконец нашла для Степана великолепный подарок. В одном из отделов сидели гигантские фарфоровые собаки разнообразных пород. Глянцевые, блестящие, отвратительно ненатуральные. В бытность мою ребенком на Инвалидном рынке продавались глиняные косорылые кошки-копилки, нехитрый продукт гончаров-надомников. Эти собаки — сродни тем кошкам. Хуже подарка не придумать. Так ему и надо! Приобретя омерзительное животное, я заглянула из любопытства в секцию женской одежды.

Цены показались несуразными. Моментально переводя рубли в доллары, я не переставала удивляться. Слава богу, мы с детьми одеваемся в Париже, это сейчас намного дешевле. Туфли за 200 долларов! Даже на Елисейских Полях, в самом фешенебельном месте, не найдешь таких цен. Доконали мужские трусы за пять тысяч рублей. Ну что нужно сделать с трусами, чтобы они стоили такие деньги? Шить их вручную и каждый шов проходить зубами? А может, они продаются вместе с хозяином? Удивленно поглядывая на белье, я услышала в стороне капризный женский голос:

— Принесите другой, с красной юбкой.

Занавеска примерочной кабинки распахнулась, и в глубине, у зеркала я увидала Ленку. Продавщица подобострастно кивала головой:

— Чудесно сидит.

Ленка скорчила недовольную гримасу:

— Ужасно выглядит, несите другой.

Бедная продавщица, боясь упустить богатую клиентку, стала охапками таскать одежду. Ленка мерила одну за другой и в каждой вещи находила изъян. Я прошла в ряд, где висели пальто, и стала наблюдать. Перемерив весь ассортимент, девушка остановилась на самом первом костюме. Ничего не скажешь, вкус у нее хороший. Вещь элегантная, простая и ей очень идет.

Измученная продавщица с кривой улыбкой развешивала непонадобившиеся платья. Ленка небрежно вытащила охапку банкнот и, не моргнув глазом, отсчитала восемь миллионов. Потом протянула продавщице на чай сто рублей, взяла пакет и двинулась в другую секцию. Я натянула поглубже на лоб вязаную шапочку и, прикрываясь фарфоровым монстром, пошла за ней. По дороге девушка купила пару чудесных темно-синих «лодочек» на тонком каблуке и несколько пар колготок. Потом довела почти до обморока служащих другого отдела, требуя сумку точь-в-точь такого цвета, как приобретенные только что туфли. Завершилось все в парфюмерии. Здесь выставили кучу флаконов, и Ленка с азартом принялась обнюхивать каждый. Приобретя коробку «Аллюр» от Шанель, она двинулась к выходу и уже у самой двери прихватила комплект нижнего белья вызывающе сексуального вида. На стоянке покупательницу ждала машина, она свалила пакеты на заднее сиденье и отбыла. Я запихнула мерзкую статую в багажник и поехала к Войцеховским.

Степан пришел в восторг при виде пса-урода.

— Какая прелесть. Посажу у входа в питомник. Дашка, ты молодец, всегда даришь что-то оригинальное.

За столом, как обычно, сидели Петька, Анна, Диана, Кирилл и, конечно же, Фрида. Ради праздника старуха нацепила пронзительно-зеленый костюм и стала похожа на гигантскую лягушку. Вспомнилось, как несколько лет назад один из знакомых подарил зачем-то Люлю двух окаменевших жаб. Лариска устроила земноводных на рояле, потом повернулась ко мне и прошептала: «Гляди, левая — мама Фрида, правая — папа Вольдемар. Смотри не перепутай».

Мы начали накладывать в тарелки салат, когда в гостиную вошли Серж и Ленка. На девушке были купленные сегодня костюм и туфли, пахло от нее «Аллюром». По самым скромным подсчетам, на новый «прикид» ушло около двух тысяч долларов. Немудрено, что у Сержа нет денег! Дорого обходятся молодые любовницы.

— Мясо не пропеклось, — возмутилась Фрида, — салат пересолен, по-моему, Катьку пора гнать.

— Вполне вкусно, — возразил Степан.

Выпили за виновника торжества, потом вспомнили про родителей, подняли рюмки за процветание питомника. Раскрасневшаяся Диана бесцеремонно заметила:

— Тебе, Степа, жениться надо.

— Дай человеку пожить спокойно на свободе, — хихикнул Кирилл. — Успеет ярмо нацепить.

— Почему ярмо? — возмутилась Диана. — Счастливая семейная жизнь так приятна.

— И где это ты видела счастливые пары? — удивился муж и, спохватившись, добавил: — Кроме нас, конечно.

— Мы с Петечкой вполне счастливы, — сообщила Анна, — правда, милый?

Петька кивнул с набитым ртом. Диана поглядела на него и протянула:

— Петруччио, налей воды.

Анна покраснела, Петя принялся открывать бутылку.

— Вот сейчас профессор нам расскажет, возможно ли счастье в браке, — заявил Кирилл.

— Боюсь, не смогу, — ответил Серж, — сейчас не женат.

— Правда? — изумленно спросила Анна. — Что же мешает?

— Глупо звучит, но жду свою единственную, — пробормотал профессор, глядя на Ленку.

— Трудно поверить в такое, — тихо процедил Кирилл, накладывая заливную рыбу.

— Почему? — влезла Фрида. — Я, например, вышла замуж за Владимира Сигизмундовича, когда он был не первой молодости. Но Вольдемар до меня никогда не был женат, тоже искал свою половину.

— У нас по брачным вопросам Дашка консультант, — хихикнул Степан, — четыре раза под венец бегала.

— Скажите на милость, — изумилась Диана, — вроде вы, Даша, не красавица, а такой успех! В чем причина?

Я пожала плечами. Ей-богу, не знаю. Просто обычно женщины заводят любовников, а я каждый раз бежала в загс. Кирилл с интересом глянул в мою сторону:

— Что же после такого богатого прошлого остались одинокой?

Вот пристали, ну какое им дело до моих мужей! Внезапно Серж пришел на помощь:

— Леночка, а подарок?

— Ну, голова садовая, — вскрикнула девушка и вышла в холл. Через пару минут она вернулась с большой коробкой. Степа распутал подарочную упаковку и обнаружил электронож.

— Удобная вещь, — восхитилась Фрида, — надо только нажать кнопку и все нарежет?

— Почти все, — улыбнулся Серж.

— Да, — сказал Кирилл, — необходимая в хозяйстве киллера штука.

— Почему киллера? — изумился Петька.

— Предположим, ты киллер, — принялся фантазировать Кирилл, — вызывает тебя муж и велит убить супругу. Травишь ее стрихнином, а потом распиливаешь чудо-ножиком на мелкие кусочки и смываешь в унитаз. Трупа нет — нет и преступления. Шито-крыто, здорово, а?

Воцарилось неловкое молчание.

Потом Анна преувеличенно-восторженно принялась нахваливать принесенную мной жуткую статую. Степан, с благодарностью глядя на жену брата, начал рассказывать о новом здании питомника, которое собирался пристроить к старому. Все выпили еще разок за осуществление творческих планов. Я смотрела на гостей. Да, без Люлю компания разваливается. Была бы Ларка здесь, уже через пару минут все пели бы песни, а потом танцевали. Но бедная подруга никогда больше не появится, никогда.

В этот момент за окном раздался шум подъезжающей машины, хлопнула дверца, и женский голос звонко спросил:

— Войцеховский здесь живет?

Из холла донеслось удивленное всхлипывание кухарки Катьки, дверь в гостиную распахнулась, и на пороге возникла... Лариска.

На присутствующих напал столбняк. Степа уронил нож в тарелку и во все глаза уставился на вошедшую. Петька с Анной разинули рты, Диана вытаращила глаза, Ленка пролила соус на многотысячный костюм, Серж невольно схватил Степана за руку, у меня застрял в горле кусок нежной семги, и только Кирилл сохранял спокойствие. Он достал красивый серебряный портсигар и принялся деловито раскуривать тонкую, похожую на дамскую сигарку.

Ожившая Люлю обвела собравшихся взглядом и совершенно не Ларискиным голосом произнесла:

— Извините, если помешала, мне нужно увидеть Степана Войцеховского.

Пелена спала с глаз, и я поняла, что в комнату вошло не привидение, а женщина, удивительно похожая на Ларку. Та же крупная фигура, большие голубые глаза, вьющиеся волосы, нежный цвет кожи. Даже мимика лица та же. Женщина слегка морщила нос и мило улыбалась. Потом, замолчав, сдула со лба легкую челку, чем привела Степку в окончательное оцепенение. Я посочувствовала вдовцу. Надо же — такой стресс.

На помощь Степке пришел Серж. Он встал, придвинул к столу еще один стул и хорошо поставленным профессорским голосом произнес:

— Присаживайтесь и извините нас. Но при вашем появлении все испытали настоящий шок, в особенности Степан. Дело в том, что вы удивительно похожи на его покойную жену.

— В этом нет ничего удивительного, — сказала неожиданная гостья, мило улыбаясь, — я ее родная сестра.

— Сестра? — заорала Фрида. — Не может быть! Все Ларисины родственники давным-давно скончались. Когда играли свадьбу, никого с ее стороны не было — ни матери, ни отца, ни братьев с сестрами.

Женщина внимательно посмотрела на Фриду, потом расстегнула элегантную сумочку и вынула паспорт. Старуха Войцеховская раскрыла бордовую книжечку и прочитала: «Полина Николаевна Нестерова, год рождения 1960-й».

Степан закивал головой:

— Отчество и фамилия совпадают, только почему Люлю никогда ни о какой сестре не рассказывала?

— К сожалению, — вздохнула Полина, — мы не поддерживали отношений. Лара уехала учиться в Москву, вышла замуж, и родственники показались ей слишком вульгарными. Мы ведь родом из маленького городка в Рязанской области.

Ленка глянула на Полину:

— Погодите, погодите. Моя бабушка и бабушка Ларисы — сестры. Наши матери — племянницы. Так это тетя Нина была вашей матерью?

Женщина кивнула.

— Теперь понимаю, — протянула Ленка, — почему Люлю предпочла «похоронить» таких родственничков.

— А в чем дело? — поинтересовалась Диана.

Ленка хмыкнула, потом спросила гостью:

— Рассказывать?

Та пожала плечами. Ленка обвела всех взглядом.

— Тетя Маргарита — мама Ларисы, страшно пила. Пока был жив дядя Миша, она хоть как-то сдерживалась, но, когда он умер, просто покатилась под гору. Я очень плохо ее помню, иногда в детстве встречала возле винного магазина. Стояла такая опухшая и согласная на все за стакан. Потом моя мать умерла, и меня взяла к себе тетя. Теткина квартира на другом конце города, с родственниками она не общалась. Я и не знала, что у меня в Москве родня, пока учиться не уехала. Тетка сказала, что тут Лариса живет. Еле-еле через справочную нашла. Люлю сообщила бабке (та всех пережила), что вышла замуж за Войцехов-

ского, семья очень приличная, и рязанские роди-
чи тут ни к чему. Насколько я помню, у нее еще
две сестры и брат?

— Скончались, — равнодушно заметила Полина, — пили как мать и даже до тридцати не дожили.

— Вы не употребляете? — нагло осведомилась
Диана.

— Нет, — сообщила Полина, — я работаю ветеринаром и сейчас собираюсь защищать кандидатскую диссертацию.

— Ветеринаром? — изумился Степа.

— Что же здесь удивительного? — ответила
гостья. — Люблю собак, всегда мечтала иметь питомник.

— Как раз по адресу, — хихикнул Петька.

— Знаю, — спокойно вымолвила Полина, достала из сумки конверт и протянула Степке.

Тот вытащил бумагу и начал читать:

— «Завещание. Все движимое и недвижимое
имущество, выраженное в виде пая...» Бог мой,
Ларка завещала вам все, что имела!

Полина молча кивнула.

— Но ведь ей принадлежала половина питомника, половина банковского вклада и вообще половина всего! — заорал Степа.

— Кроме дома, — тут же влезла Фрида, — дом
и все, что в нем, мое.

— Бред, бред, бредятина, — завопил Степа, —
подам в суд, лишу наследства. Столько лет созда-
вал дело, чтобы посторонние люди растащили
нажитое в момент! Ну, Ларка, сука!

Полина преспокойно налила стакан воды и
подала взбешенному вдовцу.

— Трудно лишить меня наследства. Завещание оформлено по всем правилам и предъявлено
в оговоренный законом срок. У вас только два
пути: выделить денежный пай или...

— Или что?.. — прошептал Степка, хватаясь за сердце.

— Или взять в компаньоны, — мирно закончила женщина.

— Отличная идея, — воскликнул Петька, — свой ветеринар — то, что тебе нужно.

Почувствовав, что Полина не собирается сейчас же требовать денег, Степка расслабился и принялся жадными глотками пить воду. Отличный день рождения получился, нечего сказать!

— Как ты себе все это представляешь, — заорала Фрида, — эта дама станет каждый день мотаться сюда из Рязани или будет консультировать по телефону?

— Мама, — устало заметил Степа, — отрегулируй слуховой аппарат, а то орешь, как белый медведь в теплую погоду.

— Я давно работаю в Москве, — пояснила Полина, — могу переехать к вам. Дом, вижу, большой, место найдется. А мою московскую квартиру можно сдать.

— Только этого не хватало, — завопила Фрида, — чтобы у меня поселились посторонние люди, еще и детей притащите вместе с супругом?

— Я одинока, — коротко сообщила Полина. — Решайте — выделяете денежный пай или берете в компаньоны. В конце концов, сюда из Москвы на машине за двадцать минут добралась, можно и ездить.

— Интересно, — процедила Анна, — как вы получили завещание, если не поддерживали никаких отношений с Люлю, и почему именно вам достается ее доля? Почему Ларка не оставила все мужу?

— Самой интересно, — отпарировала ветеринарша. — Ни разу не встречала сестру после ее отъезда в Москву. Да и в детстве не дружили. Мешала разница в возрасте. Ей шестнадцать, мне десять. Какая тут дружба? Вдобавок родители сдали меня в интернат, я вообще дома не бывала. А завещание неожиданно пришло по почте, вот в этом конверте, с обратным адресом. Телефон Лариса не сообщила, поэтому пришлось поехать. А теперь хотелось бы узнать, отчего скончалась сестра?

Собравшиеся предпочли промолчать, потом Степка сообщил наследнице правду. Полина сняла элегантный пиджак, ничуть не хуже Ленкиного, осталась в красивой, явно дорогой блузке. Молча выслушала вдовца, потом, слегка прищурив выпуклые голубые глаза, задумчиво произнесла:

— Смерть случилась в Новый год. Что же сейчас отмечаете?

— День рождения Степы, — пояснила Анна.

Полина вздернула красиво подщипанные брови, и я обратила внимание, что на ее лице слишком много косметики.

— Ах, именины хозяина, — вкрадчиво заговорила сестрица, — в доме были только вы, когда отравили Лару! И кто же из вас подсыпал бедняжке стрихнин?

Ай да ветеринарша, с такой не соскучишься.

Степа стал задыхаться, схватился за сердце. Анна побежала за нитроглицерином. Вечер завершился вызовом «Скорой помощи».

Глава 19

В понедельник около четырех часов дня я пошла погулять с собаками. Снап, Черри и Маркиза быстро выполнили программу и предпочли убраться из мокрого сада домой. Питбуль Банди носился, задрав хвост, по лужам, в упоении разбрызгивая грязь. Банди обожает воду. Рано или поздно каждый из домашних оказывался в дурацкой ситуации. Налита теплая ванна с пеной, и вы, предвкушая удовольствие, отодвигаете пластиковую занавеску, собираясь погрузить замерзшее тело в приятную негу. Бац, обнаруживаете в воде довольного пита, опередившего вас. Купать Банди — одно удовольствие. Он блаженно щурит глаза и улыбается во всю пасть, подавая лапы. Маруська трет его сначала щеткой, потом обмазывает специальным бальзамом. Ополаскиватель совершенно не требуется короткошерстному питу, но он получает полное банное обслуживание. Даже голову моет с восторгом, подставляя уши. Единственное, чего не терпит, — так это фена. Банди предпочитает сушиться, бегая по дому и вытираясь о накидки на диванах и креслах. Остальные собаки при словах «Пошли мыться» моментально испаряются, а пит несется в ванную.

Купание ротвейлера Снапа превращается в каторгу. Сначала мы тычем палкой для раздвигания занавесок под всеми кроватями, пытаясь найти неряху. Но даже вытащив Снапа на середину комнаты, справиться с ним в одиночку невозможно. Семидесятикилограммовый ротвейлер артистично выполняет трюк «собака без костей». Он полностью расслабляется и лежит на полу, не оказывая ни малейшего сопротивления. Ухватить необъятную тушу, внезапно превратившуюся в груду, похожую на кучу сырой глины, просто невозможно. Одной даже не стоит пробовать, вдвоем куда ни шло, лучше вчетвером. Оказавшись в воде, Снап ложится на дно ванны и предоставляет вам самой ворочать тяжеленные лапы и необъятную голову. Но стоит отвернуться и чуть-чуть зазеваться, «труп» оживает и, выскакивая одним прыжком из ванны, несется в мыльной пене на второй этаж, подальше от «бани».

Пуделиха Черри, облитая душем, истерически воет так, что прибегают все животные, а Маркиза просто и элегантно накладывает огромную кучу всякий раз, когда вы начинаете вытирать ее чистым, теплым полотенцем.

Я смотрела, как счастливый Банди носится по грязи, и улыбалась. По-моему, он специально пачкается, понимая, что потом поведут купаться.

— Эй! — раздался чей-то крик.

От задней калитки сада шла довольная Рафаэлла. На этот раз на девушке ловко сидело коротенькое розовое пальто, из-под которого торчала зеленая юбочка. Туфли, естественно, на высоченных каблуках. Сад у нас не заасфальтирован, проложены только узенькие дорожки, вымощенные плитками. Рафаэлла помахала рукой и двинулась навстречу. И тут Банди, обожающий гостей, как выпущенный снаряд, понесся на несчастную. Пит со всего размаха ткнулся в девушку гладким боком. Стриптизерка невольно отступила назад. Тонкая «шпилька» попала в бороздку между плитками. Нога подвернулась, Рафаэлла вскрикнула и упала. Банди радостно поставил перемазанные лапы на нежно-розовое пальто и принялся облизывать лицо упавшей. Через секунду Рафаэлла вскочила, но в каком виде! Чудесное пальтишко превратилось в грязную тряпку, макияж размазался. В довершение катастрофы свалился парик, и девушка стояла с коротко остриженной головой.

— Придурок, — завопила стриптизерка, заливаясь слезами, — сука мерзкая!

— Кобель, — поправила я ее, — это кобель.

— Какая разница, — вопила девица, — на что я теперь похожа!

— По-моему, без ужасной раскраски и жуткого парика стало намного лучше.

— Скажешь тоже, — шмыгнула носом проститутка, — у нас не принято ходить в таком виде.

Я повела потерпевшую крушение в дом. Через
пятнадцать минут Рафаэлла превратилась в ми-
ленькую, простоватую девочку. Глаза без наклад-
ных ресниц и угольных бровей, рот нормального
размера. Негритянские губы, впрочем, как и за-
горелый цвет лица, исчезли. Девушка вытерла
короткие светлые волосы полотенцем и сказала:

— Гони баксы, привезла координаты Райки-
ного хахаля.

Она на самом деле хорошо поработала, на
листке бумаги были не только фамилия, имя и
отчество, но и место работы .

Итак, Иван Николаевич Раздоров, 26 лет, ассистент режиссера на телевидении.

— Довольна? — спросила Рафаэлла. — Хочешь, еще чего узнаю, только свистни.

Я угостила девчонку чаем. Потом она отправилась в ванну и долго рылась в нашей космети-
ке, пытаясь привести себя в порядок. Но ничего не
выходило. Ни я, ни Зайка не употребляем искус-
ственных ресниц, ярких красок и пудры цвета загара. Пришлось Рафаэлле сделать макияж в свет-
ло-коричневых тонах. На мой взгляд, выглядела
она чудесно, но девушка была другого мнения. К
тому же парик пришел в негодность, а «шпилька»
сломалась.

Это был на самом деле вечер испытаний для
несчастной. Ей пришлось надеть мои туфли на
практичном, низком каблуке. Сразу оказалось,
что мы с ней одного роста. Доконало девчонку
предложенное пальто. Длинное, закрывающее колени, но не до щиколоток, светло-бежевого цвета. Рафаэлла покрутилась у зеркала в холле и сообщила:

— Похожа на придурковатую сорокалетнюю старуху-учительницу.

Я усмехнулась: навряд ли учительницы носят кашемировые пальто из «Самаритэн».

Девчонка вздохнула и пошла на улицу. Я стала разглядывать бумажку с адресом. Надо проследить за Иваном Николаевичем, выяснить, каким образом он подобрался к записям Сержа.

Внезапно Банди заскулил и начал скрести лапой входную дверь.

— Успокойся, только недавно гулял.

Но пит продолжал упорно царапать створки двери и пищать. В конце концов у пса мог разболеться живот, я открыла дверь и увидела, что на пороге упала Рафаэлла.

Девушка лежала ничком, неловко подвернув руки. В первую минуту мне показалось, что она повредила ногу, но потом увидела темный, кровавый след на ступеньках. Под лицом стриптизерки стало медленно расплываться багровое пятно. Отпихивая ногами нервничающего пса, я заорала как ненормальная:

— Помогите!

Прибежавшие Оля с Аркадием тут же вызвали «Скорую помощь». Мы укрыли девушку теплым пледом, а над головой установили раскрытый зонтик. Рафаэлла была жива. На шее прощупывался слабый пульс, но мы боялись трогать раненую до приезда врачей. Вдруг у нее перелом позвоночника?

Приехавший фельдшер глянул на раненую, перевернул ее на спину. Мы увидели окровавленное лицо. Я отвернулась. Кто и за что напал на бедняжку?

— Надо сообщить в милицию, — сказал фельдшер.

Я стала звонить. Если уж иметь дело с милицией, лучше обратиться к Александру Михайловичу и Женьке, а не к районным руоповцам.

Полковник оказался на работе, и через полчаса, пугая соседей сиреной, во двор влетела машина. Из нее вылезло несколько человек, пропахших насквозь табаком. Началась обычная процедура. Натянули красно-белую ленту; место, где лежала девушка, очертили мелом. Женька на коленях ползал по дорожке, перебирая руками в перчатках комья земли. Еще один, незнакомый мне мужик складывал находки в коробочки. Александр Михайлович прошел в гостиную, устроился в кресле и произнес:

— Давно не был у вас, все недосуг. Рассказывай, что случилось.

Рассказать все? Выдать ему Зайку и Римму Борисовну? Ни за что! И я принялась самозабвенно врать:

— Случайно познакомилась с этой девушкой...

— Где?

Когда врешь, надо ложь переплетать с правдой.

— Глупо, конечно, захотела подшутить над Аркадием, вызвать ему стриптизерку.

— Зачем? — изумился полковник.

— Говорю же, дурацкая шутка. Девушка приехала договариваться.

Я рассказала о том, как пит извалял несчастную в грязи. В общем-то выложила всю правду, умолчала лишь о Раздорове, Рае Лисицыной и Серже.

Полковник слушал внимательно, изредка задавал вопросы, потом хватил кулаком по столу:

— Говори правду!

— Честное пионерское, — испугалась я, — все это правда, чистая правда!

— С трудом верится, что ты вызвала Аркашке

проститутку, тем самым поставив Зайку в дурацкое положение!

— Они подсунули мне второго января торт, который взорвался.

Вот я и отомстила — насчет торта не соврала. Вечером второго числа гадкие дети, мило улыбаясь, позвали мать пить чай. В центре стола красовался шедевр кондитерского искусства — гигантский бисквитный замок с кремовыми украшениями. Я обожаю сладкое, и домашним моя безобидная слабость хорошо известна. Дети вручили мне нож, а сами отошли подальше. Ничего не подозревая, я воткнула нож в самую середину кондитерского великолепия. Раздался хлопок, и жирный крем залепил мне лицо, волосы и платье. Домашние просто легли от хохота. Остатки отдали довольным собакам, из холодильника появился новый, на этот раз настоящий «Полет», и я принялась заедать обиду.

Но шутки не закончились. Вечером в спальню вошла, заливаясь слезами, Маруся. Указательный палец правой руки выглядел чудовищно. Ужасающая рана от ногтя до второй фаланги, сквозь запекшуюся кровь проглядывает кость. Ребенок нес конечность, словно стеклянную, всхлипывал и стонал. Сзади маячили Аркадий и Ольга.

— В хлеборезку угодила, — сообщила спокойным голосом Зайка.

От страха у меня пропал голос, и я кулем осела на кровать. Потом заметалась по комнате! Куда ехать? В Морозовскую, в Склифосовского? Голос не вернулся даже тогда, когда хохочущая Маруська стащила с абсолютно здорового пальца резиновый, на котором и была «рана». Я только глазами хлопала.

Оказалось, Аркашка наткнулся на магазин «Смешные ужасы» и накупил разнообразных «приколов». Следующую неделю домашние забавлялись тем, что подсовывали друг другу пенящийся сахар, немылящееся мыло, пластмассовых мух, пукательные подушки и попискивающую картошку. Наконец это развлечение им надоело, и ящик с отвратительными «шутками» сунули в кладовую.

Александр Михайлович внимательно выслушал и вздохнул.

— Значит, решила отомстить? Он тебе торт, ты ему стриптизерку!

— Ну да, — каялась я, — показалось забавно.

— Кому-нибудь другому ни за что не поверил бы, — заявил полковник, — но тебе может прийти в голову еще и не такое.

Я молчала, про себя торжествуя победу.

— Можно узнать, что с Рафаэллой?

— Ну и имечко, — усмехнулся приятель.

— Рабочий псевдоним, имени не знаю.

Полковник стал названивать по телефону, а я отправилась за чаем. Коньяк он ни за что не станет пить на работе и Женьке не позволит.

Из больницы сообщили удивительные сведения. Валентина Петровна Иванова — так, оказалось, звали Рафаэллу — жива. Более того, девушке страшно повезло. Пуля отстрелила ушную раковину. Крови — целый таз, сотрясение головного мозга, но, как говорят врачи, «непосредственная опасность для жизни отсутствует». То ли у киллера рука дрогнула, то ли стрелять не умеет.

Утром пришлось решать сложную задачу. Ехать к нелюбезному преподавателю Федору Степановичу Круглову? Начать следить за шантажистом Иваном Николаевичем Раздоровым? Сунуться снова в «Бабочку»?

Размышления прервал телефонный звонок.

— Даша, — завел Степан издалека, — как до дому добралась?

Странно, никогда раньше Степка не проявлял подобной заботливости.

— Все нормально.

— Как твои поживают?

— Отлично, говори сразу, что надо.

— Дашутка, будь человеком, не рассказывай никому про картину. Мы ее на днях свезем в Пушкинский музей на экспертизу. А тут дурацкое завещание. В общем, не нужно, чтобы Полина знала про Рембрандта.

Пообещав Войцеховскому не выдать тайны даже под пытками, я решила сначала съездить в Институт Склифосовского, проведать несчастную Рафаэллу.

Приехала я очень вовремя. Девушка лежала в тесной шестиместной палате, набитой телевизорами. Два, перекрикивая друг друга, показывали дурацкие ток-шоу, по третьему шел мексиканский сериал.

Рафаэлла лежала с забинтованной головой, отвернувшись к окну, от которого немилосердно дуло. На тумбочке стыла холодная, скользкая геркулесовая каша, в этой же тарелке лежал, угрожающе выставив кости, кусок селедки. На табуретке — полное судно и запах соответствующий.

— Валечка, — прошептала я, затаив дыхание, — Валечка!

Марлевый кокон зашевелился и повернулся. Слезы навернулись на глаза. Лица у Рафаэллы просто не было — невероятный багрово-красный синяк, глаза заплыли, губы запеклись. Но девушка узнала меня, потому что пошевелила пальцами и едва слышно прошелестела:

— Привет.

— Как ты? Родственники знают?

— Голова болит, — пожаловалась бедняга, — шумно очень, и пить хочется. А родственников у меня нет, одна живу.

Я повернулась к Рафаэллиной соседке, тучной старухе, самозабвенно уставившейся на павлинообразного Валдиса Пельша.

— Сделайте чуть потише, видите, плохо человеку.

— Здесь бесплатная больница, — отрубила старуха, — мне тоже плохо, притом я — ветеран войны, пенсия — копеечная, так хоть телевизор посмотрю.

И она демонстративно увеличила громкость. Волна злости буквально захлестнула меня. Ну, погоди, бабуля!

Я выскочила в коридор. Слава богу, не прежние времена, когда нужно рассовывать медицинскому персоналу шоколадки по карманам и вымаливать внимание.

Через полчаса Валентину перевезли в одноместную палату и установили индивидуальный пост. Красивая банкнота, и толстенькая санитарка пообещала кормить больную домашними обедами. Еще пара зеленых бумажек, и около раненой засуетился доктор с обезболивающим. Но душа все равно требовала мщения.

Я пошла в прежнюю палату. Глыбообразная старуха глядела боевик.

— Увезли твою в платную палату, — сообщила она, — за деньги все можно, только нам, бедным пенсионерам, с голоду подыхать.

Я оглядела стоящую на ее тумбочке батарею соков, недоеденный кусок осетрины и вздохнула.

— Мы тапочки забыли.

Я наклонилась и вытащила из розетки вилку телевизора.

Старуха заругалась:

— Ты телик из сети выдернула, воткни немедленно.

— Ваш телик, вам и включать.

Бабища слезла с койки и, выставив необъятный зад, наклонилась. В тот же момент я быстренько толкнула банку с цветами, стоявшую на «ящике». Грязная вода спокойно протекла внутрь. Раздался треск, в палате разом погасли лампы и телевизоры. Мило улыбаясь, я пошла к выходу под аккомпанемент заливистого мата, льющегося из уст ласковой старушки.

Федор Степанович Круглов прямо-таки убивался на работе. Лекции шли одна за другой с небольшим перерывом. О чем можно поговорить за десять минут? Пришлось ждать шести вечера. Ровно в 18.00 экономист вышел из колледжа и двинулся в сторону метро. Я открыла дверцу «Пежо» и крикнула:

— Федор Степанович! Вот так встреча, садитесь, подвезу.

Преподаватель недоумевающе посмотрел на меня, но в машину сел. Я спросила:

— Вам куда?

— На Планетную.

«Пежо» покатил в сторону Ленинградского проспекта. Поговорив пару минут о погоде, Круглов осторожно осведомился:

— Простите, не припомню, где встречались?

— Нигде, — радостно сообщила я, — просто привезла привет от Лени.

— Не понимаю, какого Лени?

— Панова. — Фамилия обрушилась на ни в чем не повинного мужика как железная гиря.

Федор Степанович изменился в лице и попробовал открыть дверцу, но не справился с неизвестными ручками и приказал:

— Немедленно остановитесь!

Не замедляя движения, «Пежо» резво катился вперед. Я закурила и стала объяснять Круглову суть проблемы. Федор Степанович оказался не таким понятливым, как Селезнева, пришлось три раза повторить рассказ, прежде чем в его заржавленных мозгах зажглась искра понимания. Мужчина перевел дух и осведомился:

— Значит, не вы шантажировали меня летом?

— Нет, хочу найти преступника. Вам знаком Иван Николаевич Раздоров?

Круглов призадумался:

— Не припоминаю такого студента.

— Почему обязательно студент? Может, просто сын приятелей или знакомый.

Федор Степанович отрицательно помотал головой. Похоже, соображал он туго. Надо попробовать с другой стороны.

— Понимаю, что ворошу неприятные воспоминания, но все же кто мог знать о происшествии с Леней Пановым?

Преподаватель откинулся на сиденье и закрыл глаза, потом усталым голосом произнес:

— Почти приехали, поднимемся наверх, поговорим в спокойной обстановке.

Ладно, так и быть, а если попробует удрать на улице, все равно поймаю. Но Круглов и не думал убегать. Мы поднялись на третий этаж «хрущобы» и попали в темноватую и не слишком прибранную комнату. Стало ясно, что экономист живет один. На столе засыхал не убранный в холодильник кусок сыра, пара носков сиротливо висела на подлокотнике кресла, синтетический палас был покрыт ровным слоем пыли. Круглов прошел на кухню, поставил на грязную плиту сильно закопченный чайник и тихо произнес:

— Той истории семь лет. Нас было шестеро, три семейные пары. Решили провести новогодние каникулы за городом. Купили путевки в пансионат на озере Селигер и отправились. Дружили мы, можно сказать, еще со студенческих времен.

Чайник прерывисто засвистел. Федор Степанович насыпал заварку прямо в чашки. Бурые чаинки всплыли, запахло мокрым веником.

Новый год у них удался. В пансионате вполне прилично покормили, все плясали до четырех утра, а потом пошли в номер к Пановым продолжать веселье. Опорожнили несколько бутылок водки, в общем, перепились до поросячьего визга. Федор Степанович проснулся через час. Вокруг в разных позах спали приятели. Отсутствовали Леня и Ася, жена Круглова. Решив, что супруга поднялась в номер, Федор Степанович, постанывая и охая с непривычного похмелья, отправился к себе. Ася и в самом деле оказалась там: спала голая на большой кровати. Рядом, тоже голый, лежал Леня Панов. У Круглова помутился рассудок. Он ухватил приятеля за руки, растолкал, велел одеваться и выволок бывшего друга по запасной лестнице в небольшой дворик, где стояли лыжи. Выяснение отношений затянулось. Все еще могло кончиться благополучно, но Леня, гнусно усмехнувшись, сообщил: «Я-то здесь ни при чем, это твоя Аська перепила и накинулась на меня, как голодная. Наверное, ты ее не очень устраиваешь...» Федор Степанович затрясся от злобы, схватил стоявшую рядом лыжную палку и треснул дружка. Тот оступился и упал в снег. Круглов повернулся и ушел. Подняться к себе в номер и увидеть жену было выше его сил, поэтому он от-

правился к мирно спавшим приятелям, не заку-
сывая, жахнул стакан водки и задремал.

Через два часа их разбудила приехавшая милиция. Падая, Леня ударился головой о камень и
сломал череп. Круглова никто не заподозрил.
Милиция нашла полупьяных приятелей, спавших
в номере вповалку. Вместе со всеми Федор Степанович твердил, что отключился где-то в пять
утра и никуда не выходил. Проспавшаяся Ася ничего не помнила: ни факта супружеской измены,
ни того, как оказалась в своей комнате. Настоящая алкогольная амнезия.

Случившееся сочли несчастным случаем, дело
закрыли. Круглов через два месяца развелся с
Асей. Спустя год после происшествия вдова Панова попала под трамвай, супруги Рабиновичи
уехали на постоянное жительство в Израиль, а
Ася вышла замуж за немца и отправилась в Гам-
бург. В Москве не осталось никого, кто помнил
бы об этой трагической истории. Тем страшнее
показался Федору Степановичу звонок шантажиста.

— Никому, никогда, нигде об этом не рассказывал, — каялся мужчина, — и вдруг слышу собственное признание. Думал, поседею от ужаса.
Хотя, если вдуматься, не очень-то и виноват.
Я же просто ударил Леню, упал он сам. Ну кто мог
знать, что под снегом здоровенный булыжник!

— Сколько с вас потребовали?

— Пять тысяч долларов, все, что было.

— Отдали?

— Пришлось. Положил купюры в пустую железную банку из-под кофе «Nescafe» и оставил в
мусорном бачке.

— Больше шантажист не объявлялся?

— Нет. Честно выполнил данное обещание.
Забрал деньги и исчез из моей жизни.

— Не представляете, кто это мог быть?

Круглов покачал головой:

— Никому ничего не рассказывал. И записи не делал, но тем не менее она существует. Бред, да и только.

— Сержа Радова знаете?

— Конечно, преподаем в одном колледже.

— Лечились у него?

Федор Степанович засопел и начал сосредоточенно вылавливать чаинки. Потом, решив, что скрыть факт посещения психотерапевта не удастся, признался:

— Ходил на сеансы. Давление было высокое, лекарства не помогали, мучился ужасно. Серж заметил и помог, он просто волшебник.

— Давно посещали Радова?

— Три года назад.

Значит, не всю заначку из тебя шантажист вытряс, раз к психотерапевту бегал. Дорогое удовольствие. Панова убили семь лет назад, три года прошло с тех пор, как Федор Степанович обратился к Сержу, а кассету с записью экономист получил только в нынешнем мае. Может, правда, Серж ни при чем, просто кто-то имеет доступ в его архив. Но кто? И как связано со всем этим убийство Ларисы? Федор Степанович даже не предполагает, что сеансы записаны на пленку. Селезнева знала, но она бывшая жена Сержа и, очевидно, в курсе, как проходит прием у психотерапевта. Остается посетить Шитова и поговорить с ним. Он работает в шоу-бизнесе, до телевидения рукой подать. Вдруг знаком с Раздоровым?

Однако было уже поздно, и я отправилась домой. К вечеру подморозило. Дорогу покрыла гладкая корка льда. Ехать одно мученье. Когда наконец добралась до дома, ноги дрожали от напряжения. Вообще, я не очень-то хорошо вожу машину. Загнав «Пежо» в гараж, спохватилась, что не купила минеральной воды, и пошла к небольшому пятачку, где устроились три палатки со всякой всячиной. Путь лежал через небольшой пустырь, где посередине росла лохматая ель. Не дойдя метров десяти до дерева, я услышала пыхтенье. Летом подумала бы, что под ветвями устроилась припозднившаяся парочка. Но зимой, в мороз, на снегу? Сжимая на всякий случай покрепче электрошокер, подошла к елке.

В неверном свете одинокого фонаря мне представилась мистическая картина. В сугробе сидела гигантская черная собака, закутанная в оренбургский платок. Правая лапа чудовища была загипсована и выставлена вперед. Как в фашистском приветствии. Меня заколотило. «Если в стенах видишь руки, не волнуйся, это глюки», — любит повторять Маруся.

Я зажмурилась и тряхнула головой, потом открыла глаза, но жуткое видение не исчезло. Собака Баскервилей сидела как изваяние, не сводя глаз с фонаря. Подхватив полы шубы, я на приличной скорости рванула к ларькам и забарабанила в окошко.

Знакомый продавец радостно заулыбался, предвкушая прибыль.

— Видели собаку в оренбургском платке? — на одном дыхании выпалила я.

— Валенки на ней были? — спросил торговец.

Ну вот, паренек подумал, что у тетки крыша поехала, и решил поиздеваться.

— Нет, ни валенок, ни калош, ни даже шляпы, только оренбургский платок и лапа загипсована.

— Значит, потеряла обувку, — ответил мальчишка, зевая. — Это Дик из гаража. Под машину попал. Мужики его к ветеринару свезли, тот гипс наложил на лапу. Потом натянули валенки и платок, чтобы не простудился. Только он обувку с передних лап все время теряет, а на задних сидит. Кто не знает, жутко пугается. Вчера один алкаш даже завязать решил, посчитал — белая горячка началась.

Я облегченно вздохнула. Слава богу, пока еще не сошла с ума.

Глава 20

Утром собралась к Шитову, но позвонил Степа Войцеховский. Он приобрел для питомника новые лекарства, а вкладыши — на французском. Очень не хотелось тащиться к ним, и я попросила прочесть все по телефону. Степка начал читать, но в его произношении я ничего не могла понять и сказала, что скоро приеду. Маруся сопливилась, в колледж не пошла и стала проситься со мной. В конце концов мы отправились вместе.

Дверь открыла Полина. Увидев женщину, Машка ойкнула и зажала рот рукой. И правда, в белом халате и шапочке она еще больше напоминала Люлю.

— Спасибо за помощь, — проговорила Полина. — Оставлю вас в кабинете, сейчас покупатели приедут.

Я села за письменный стол и принялась за вкладыши. Под ними оказался довольно большой лист с карандашным наброском. Явно Мишенькина работа. Мальчик великолепно рисовал, и его следовало отдать в художественное училище. На листе была изображена женщина в длинном платье. Лицо злое, нервное и несуразно большое. Под стать физиономии были и украшения. На шее толстая цепь с медальоном в виде отрубленной головы, на запястье браслет: золотые черепа с разноцветными глазами, на пальце — перстень в виде двух скрещенных костей. Ну и фантазия у ребенка! Просто Босх. Интересно, где он видел подобный ужас. Сразу вспомнилась старушка Вера Андреевна, соседка погибших Никишиных. Помнится, она рассказывала о молодой женщине с оригинальным браслетом из черепов, сверкавших разноцветными глазами.

Я пошла искать Мишеньку. Мальчик сидел в комнате, уткнувшись носом в Брема.

— Детка, твой рисунок?

Немногословный ребенок кивнул.

— А кого изобразил?

— Царицу-смерть.

— Здорово получилось, и украшения какие оригинальные, неужели все сам придумал?

Мишенька покраснел, отвел глаза и прошептал:

— Нет.

— Где же ты видел такую красоту?

Мальчик еще гуще покраснел и снова уставился в книгу. Дохлый номер, раз решил не говорить, не скажет. Люлю жаловалась, что из сына слова клещами не вытянешь. Молчит, и все. Оставив поле битвы, я пошла разыскивать Марусю. Девочка сидела в питомнике, наблюдая, как приятная молодая пара выбирает щенка.

Я отозвала дочь в сторонку и попросила разговорить Мишу. Маруся пошла в дом, а я вернулась к антибиотикам. Часа через два, не оставшись обедать, мы возвращались домой.

Миша поделился с Марусей секретом. За несколько дней до смерти матери он пошел к бабушке. Надо сказать, что Фрида запрещала домашним заходить к ней без спроса. И никогда не разрешала Мишеньке трогать свои вещи. Миша был послушным и не трогал. И без разрешения не лез к бабушке. Но одна вещь давно манила ребенка. На полках, среди разнообразных сувениров, стояла копия пиратского корабля, выполненная со всеми подробностями: маленькие пушки, полотняные паруса, тонкие веревки, фигурки пиратов.

— Эту вещицу сделал отец Владимира Сигизмундовича, единственная память, оставшаяся от его родителей, — говорила Фрида, — ты можешь ее сломать.

Соблазн оказался слишком велик. Дождавшись, пока старуха уедет в аптеку, внук пошел в спальню и снял с полки фрегат.

Вблизи кораблик оказался еще лучше. Иллюминаторы открывались, пушки заряжались крохотными ядрами, фигурки пиратов двигали руками и ногами, вертели головой. Миша стал с ним играть. На палубе он обнаружил несколько железных сундуков. В них хранились сокровища. Затаив дыхание, мальчик вытащил браслет, кулон и кольцо. Они посверкивали желтым блеском, разноцветные камушки в браслете вспыхивали огоньками. Мишенька положил на место кольцо и кулон, а браслет нацепил на руку и вообразил себя капитаном Флинтом. Он так увлекся игрой, что чуть не пропустил возвращение бабушки. Услышав, как Фрида ругается в холле с прислугой, ребенок быстро выскользнул за дверь, забыв снять украшение.

Вечером Мишенька забавлялся браслетом, лежа в кровати. Он решил положить вещицу на место завтра, когда бабушка отправится на почту. Мальчик уже засыпал, но тут в спальню вошла Лариска поцеловать сына на ночь и вытащила из-под одеяла «сокровище». Миша испугался, что сейчас его отругают и лишат телевизора, но Люлю, внимательно рассмотрев черепа и узнав, где сын их взял, против ожидания не стала сердиться. Лариса опустила браслет в карман и пообещала незаметно вернуть его в сундук. Взяв с Мишеньки обещание никогда больше не лазить в бабушкину спальню, Люлю ушла. Сын страшно удивился. В прошлый раз, когда мать узнала, что мальчик рассматривал без разрешения безделушки у Фриды на полках, его здорово наказали. Целую неделю запретили смотреть передачи и не давали десерт.

Бабка ничего не сказала мальчику, и он понял, что мать вернула браслет. И вообще, весь следующий день у мамы было отличное настроение. Она что-то напевала, то и дело целовала сына и ни с того ни с сего купила ему робота-трансформера. Мишенька не переставал удивляться: не в семейных правилах была покупка подарков без всякого повода, тем более таких дорогих. А еще через день Лариска умерла.

— Он теперь не играет с этим дурацким роботом, — вздохнула Маня. — Поставил на полку и не приближается. А Степан даже не вспоминает Ларису. Это просто ужасно.

Я промолчала, сосредоточенно глядя на дорогу.

— И потом Полина! — продолжала возмущаться Маня. — Не нравится она мне.

— Машенька, — попыталась я вразумить дочь. — Люлю, конечно, жаль, но живые должны жить. Степану трудно одному в питомнике.

— Вовсе он не один, — резонно заметила дочь, — там полно народа.

— Конечно, — согласилась я, — но все они наемные рабочие. А Степе нужен близкий, свой человек рядом. Все-таки Полина Ларисина сестра, и очень кстати, что она тоже ветеринар.

— Вот в этом я очень сомневаюсь, — протянула Машка.

— В чем именно?

— Не похожа она на профессионального ветеринара.

— Почему? — изумилась я. — Проявила в чемто некомпетентность?

Маруся пожала плечами.

— Да нет, пока как раз все нормально. Вчера, Степа рассказывал, приняла роды у Жужу, правда, несложные. Но, знаешь, люди, которые держат дома собаку, в конце концов, научаются коечему. Например, правильно чистить уши, подрезать когти, давать таблетки и микстуры, даже роды могут принять, если без осложнений. Но ветеринарами их все равно не назовешь. Мне кажется, Полина как раз из таких!

— Почему?

— Трудно объяснить, ты не поймешь.

— Ну все-таки!

— Понимаешь, она совершенно непрофессионально держит собаку. В Академии учат по-другому. И еще — сегодня Карлуша занозил лапу. Полина вытащила щепку и принесла йод. Карлуша страшно умный, пузырек с йодом сто раз видел. И начал повизгивать. Так она не стала лапу обрабатывать. Дескать, ранка маленькая, а собачка боится. Пожалела хитреца. Это все равно что хирург не стал бы делать операцию потому, что причинит пациенту боль. Ни один ветеринар не оставит ранку необработанной. Вот так.

Пришлось признать ее правоту.

В гостиной на диване сидел полковник. У него на коленях лежала довольная Маркиза. Неумело орудуя щеткой-пуходеркой, Александр Михайлович расчесывал шелковистую шерсть йоркширицы. Увидев нас, он сообщил:

— Какая миленькая собачка. Меня тут Оля угостила чайком с печеньем, так собачка пришла, улеглась на колени и млеет от удовольствия. По-моему, она меня любит.

Я посмотрела на пустую коробку из-под ромовых бисквитов, перевела взгляд на усыпанную крошками пасть терьерицы и поняла, что любовь Маркизы имеет вполне прагматичное объяснение. Но полковник, не подозревая о корыстолюбии собачки, продолжал умиляться:

— Всегда мечтал о собаке. Правда, хотелось большую, вроде Банди или Снапа. Но и такая малышка сошла бы.

— Так за чем дело стало? — обрадовалась Маня. — У наших знакомых питомник. Хотите выбракованную собачку? Бесплатно! Там как раз сейчас есть такая — Лиззи.

Александр Михайлович покачал головой:

— Очень хочу, но ведь целыми днями сижу на работе, иногда и ночь прихватываю. Несчастная животина сдохнет со скуки.

— А вы можете на неделе оставлять ее у нас, — радостно предложила Маня.

Так, значит, теперь дочь решила спасать Лиззи, и как раз подвернулся Александр Михайлович. Полковник вздохнул:

— Лучше предложи Жене, его сынишка обрадуется, давно просит.

Обрадованная Маня понеслась к телефону устраивать судьбу Лиззи. Полковник посмотрел на меня:

— Даша, когда Аркадия посадили в тюрьму и ты попалась на взятке в следственной части Бутырки, кто тебе помог?

— Ты, конечно.

— А когда вовсю мешала следствию, скрывая известную информацию, кто не обратил на это никакого внимания и не наказал?

— Ну ты!

— В конце концов, кто регулярно звонит по разным районным ГАИ, выручая твои отобранные права?

— У нас вечер сведения счетов?

Полковник начал усиленно мешать остывший чай.

— Нет, просто хочется знать, во что ты влезла на этот раз. Причем хорошо бы заранее, до того, как придется выручать из изолятора на Петровке. А больше всего боюсь встретить тебя в гостях у Красавчика.

Красавчиком прозвали патологоанатома из судебно-медицинского морга, абсолютно лысого и почти беззубого мужика, панически боящегося зубного врача. Мне тоже не хотелось стать объектом его интереса, и я вскипела:

— Глупости, ни во что я не влезла. Живу тихо, как мышка, никому не мешаю.

— Опять частным сыском занялась, — гнул свое приятель, — доподлинно известно, что ты ищешь убийц Ларисы Войцеховской.

— Да что ты! Как только в голову такая чушь пришла!

Александр Михайлович стукнул кулаком по столу. Чашка жалобно зазвенела.

— Послушай меня. Кто-то стрелял на пороге твоего дома в Рафаэллу-Валентину. Мы тщательно проверили девушку. Ничего, никаких зацепок. Тихо подрабатывает в массажном кабинете, клиентура небольшая, сплошь пожилые, добропорядочные мужчины. Очень глупа, поэтому постоянно попадает в дурацкое положение. Мать умерла, отца никогда не было. Постоянного любовника не имеет и никому не сделала ничего плохого. На работе о ней отзываются как о недалекой, но доброй девице. Дает деньги в долг, не гонится за выгодными заказами, не употребляет наркотики, пьет немного, не отбивает чужих мужиков, не живет в долг. В общем, вполне положительная проститутка, если такие бывают в природе.

— Может, узнала чьи-то секреты?

— Бог мой! Чьи? Трех ненормальных стариков, к которым регулярно ездит? Кстати, все клиенты вдовцы, и не говори, что ей хотели отомстить оскорбленные жены. И вот я опять спрашиваю, кому помешало более чем безобидное, глуповатое существо?

— Не знаю.

— А теперь слушай. Она приехала к тебе в розовом полупальто и ботиках на высоких каблуках, а потом Банди извозил несчастную в грязи, и ей пришлось переодеться. Что было надето на Рафаэлле, когда она уходила?

— Ничего особенного, мои туфли и мое пальто.

— К тому же Валентина испортила парик, а волосы у нее такие же светлые и коротко стриженные, как у тебя, понимаешь?

— Нет.

— Удивительная недогадливость. Туфли были на каблуке?

— Нет, не ношу такие. Самые простые ботиночки на резиновом ходу.

— Догадалась, наконец? Без каблуков Рафаэлла одного роста с тобой. Она вышла из ТВОЕГО дома в ТВОЕМ пальто, без парика, а стрижка у нее как у тебя.

— Ну?

— Господи! Это тебя хотели убить, а бедную Валентину ранили по ошибке. Если бы не Банди с его любовью сбивать всех с ног, в Склифе сейчас лежала бы ты. Вопрос только — где: в реанимации или морге?

Меня прошиб холодный пот. А ведь верно! Рафаэлла перед выходом подняла большой воротник из ламы и уткнулась в него носом. И потом — макияж! Несчастной пришлось воспользоваться моей косметикой, и издали ее вполне можно было принять за меня. Невысокая, худощавая блондинка с короткой стрижкой. Кому же я помешала, кто нанял киллера? Римма Борисовна Селезнева? Но она не могла успеть. Ведь после разговора со мной через два часа улетела в Америку. Кто же тогда?

Очевидно, мучительные раздумья отразились у меня на лице, потому что полковник сказал:

— Лучше признайся сразу, иначе...

— Добровольное признание облегчает вину, и чем раньше сядешь, тем раньше выйдешь! Так, кажется, у вас сбивают с толку глупых подследственных?

Александр Михайлович покраснел, открыл рот для достойного ответа, но тут ворвалась Маня с сообщением о том, что Женя берет Лиззи. Следом за ней пришла Зайка с чаем, прибежали собаки, и разговор не возобновился.

Перед сном перебирала в памяти известную мне информацию. Почему я решила, что Серж — главное действующее лицо? Вдруг тяну не за ту ниточку? Откуда у Фриды этот жуткий браслет? Может, существует два таких? Хотя очень странно. Вещь омерзительная, но оригинальная, явный эксклюзив. Как связана Фрида с таинственной незнакомкой, посещавшей Веру Андреевну? И где узнать подробности об убийстве Буйнова и девочки? В архиве Уголовного розыска явно хранится дело, но как туда проникнуть? Впрочем, происшествие громкое, неужели о нем не писали газеты? Например, городская сплетница «Вечерняя Москва»?

Утром я прямиком отправилась в редакцию газеты на улицу 1905 года. В библиотеке и в самом деле хранились все годовые комплекты газеты. Строгая библиотекарша сначала заявила, что архивом могут пользоваться только сотрудники, но флакончик французских духов смягчил сердце Аргуса, и мне выдали большую, пахнущую пылью подшивку. Нужное сообщение нашлось сразу. «Вечерняя Москва» целых три дня писала о происшествии. Это были славные, старые времена, когда убийство еще считалось чрезвычайным, а не обыденным, как сейчас, событием. Почти все сведения были мне известны. То, что я искала, оказалось в последнем номере. Объявление в розыск Ольги Никишиной и ее приметы: темно-каштановые волосы до плеч, голубые глаза, рост — 158, вес — 50 килограмм. Правый глазной зуб отсутствует, на его месте коронка из металла белого цвета. Из особых примет — шрам от аппендицита и большое родимое пятно с левой стороны шеи.

Я закрыла газету. Ну и что? Да ничего. Утонула Ольга Никишина, мучимая совестью, и косточки истлели на дне реки. Но ведь был еще муж. Полицай из Минска, Андрей Пивоваров. Вроде бы он в 1944 году убил ювелира Павла Буйнова и присвоил его документы. Интересно знать, когда это произошло, при немцах или уже после освобождения? Хорошо, если после. Потому что тогда где-то в минских архивах лежит папочка с делом. В органах внутренних дел работают настоящие бюрократы! Все в стране пропадет, а папка с делом — ни за что! У моих знакомых реабилитировали дедушку. Внуки поехали на Лубянку, и, пожалуйста, документы целы. И зачем, спрашивается, хранили такой компромат на самих себя — с именами следователей и описанием неправомерных методов допросов. Сжечь давно надо, так нет же!

Дома я принялась лихорадочно листать записную книжку и наткнулась на бывшего одноклассника Эдика Себастьянского. Он сейчас работает в крупном информационном агентстве и, если не врут о солидарности журналистов, сумеет помочь. Тем более что есть у меня для него лакомый кусочек в качестве награды.

Эдик, абсолютно простуженный, сидел дома, и голос у него сейчас был как у слоненка из мультфильма про 38 попугаев. Поболтав немного о старых знакомых, я вкрадчиво спросила:

— Эдька, уже купил юбилейное издание Пушкина, то самое, 1937 года, на папиросной бумаге?

Одноклассник — страстный библиофил и собиратель всего, что имеет отношение к великому поэту, горестно вздохнул:

— Нет. Такой раритет трудно приобрести.

— А хочешь, я подарю его тебе?

У Эдика перехватило дыхание от восторга, но он прекрасно понимал, что бесплатный сыр бывает только в мышеловке, поэтому со вздохом спросил:

— Что надо сделать?

— Ничего сложного. Найти приятеля в Минске, желательно в местном МВД.

— На мафию работаешь?

Я засмеялась и объяснила суть проблемы. Безусловно, задача трудная, но и награда классная. Эдька землю будет носом рыть, чтобы получить однотомник.

Положив трубку, я сладко потянулась и побежала на кухню заварить чаек. Редкая удача —

дома никого. Лучше покрашу сначала волосы, а уж потом почаевничаю всласть, пирожных с кремом поем. И никто не станет стучать в ванную и орать: «Мама, выйди».

Облачившись в уютный халат, наложила на волосы краску. Вообще-то я не совсем блондинка, скорей светло-русая. Но последнее время у меня появилась седина. И брови какие-то белесые. Где лежит у Зайки краска для бровей? Нужный тюбик подозрительно быстро нашелся, и я кисточкой нарисовала соболиные брови. Главное, не забыть, что на голове краску следует держать 40 минут, а на бровях — пять. И тут затрезвонил телефон — Наташка из Парижа.

— Когда собираетесь возвращаться? — сердилась она. — Надоело одной в доме.

Мы от души поболтали, потом я кинула взгляд на часы — сорок минут еще не прошли. Со спокойной душой посмотрела «Новости», выкурила сигаретку и пошла в ванную. Сняла халат, налила ванну, всласть понежилась и смыла краску с головы.

Ванная комната на втором этаже большая, но зеркало все равно запотело. Поэтому, прежде чем включить фен, я протерла его, глянула и... увидела лицо цыганки. Машинально обернувшись и удостоверившись, что никого, кроме меня, нет, уставилась на отражение. Значит, это я! Но откуда такие черные, невероятной ширины брови! Не женщина, а скотч-терьер. И тут сообразила, что забыла смыть краску с бровей вовремя. А все Наташка, нашла когда звонить.

Следующие полчаса прошли в бесплодных попытках извести угольную черноту или хотя бы уменьшить ширину бровей. В ход пошло все — спирт, ацетон, уксус. В результате кожа вокруг глаз покраснела, а брови стояли насмерть. На улице раздалось бибиканье. Аркашка с Ольгой возвращаются! Я ринулась в спальню, выключила верхний свет и замотала лоб платком. Скажу детям, что приключилась мигрень.

Домашние поверили и оставили меня в покое. Но голод — не тетка, и где-то около двенадцати ночи я тихо прошлепала на кухню. Все уже спят, пороюсь в холодильнике. Но не успела полезть за масленкой, как вспыхнул яркий свет и Аркашка радостно сказал:

— Мать, прошла голова?

Забыв про дурацкие брови, я обернулась. Кешка сдавленно ойкнул, потом тихо спросил:

— Это аллергия такая?

— Нет, — ответила я злобно, — самые модные брови в сезоне!

— Какой ужас! — пробормотал сын. — Ты похожа на Татьяну Федоровну.

Татьяна Федоровна! Старушка-соседка из прежней квартиры. В свои семьдесят с хвостом престарелая кокетка маскировала седину хной, румянилась, пудрилась, употребляла кровавую помаду и походила на жену Дракулы. Я в сердцах захлопнула холодильник и гордо удалилась в спальню под сдавленное хихиканье Аркадия.

Глава 21

Омерзительная простуда затормозила расследование. Из носа текло, глаза покраснели и постоянно слезились, в горле словно скреблись кошачьи лапы, голос походил на карканье. Целых три дня я просидела в спальне, замотанная в шерстяные пледы, и послушно пила подносимые заботливой Зайкой гадкие снадобья: сок редьки с медом, раствор яблочного уксуса с сахаром, боржом с лимоном. Слабый протест вырвался из больной груди только при виде чашки отвратительного горячего молока с пенкой.

— Пей! — железным тоном приказала Ольга. — Это не «Колдрекс» идиотский, а старое, верное средство.

Я подождала, пока она уйдет, и отдала кружку Снапу... Ротвейлер выхлебал напиток в два чавка и с благодарностью поглядел на меня.

В создавшейся ситуации радовали только две вещи. Брови постепенно теряли черноту, и приехал Эдик Себастьянский. Видно, очень уж ему хотелось получить заповедный том, потому что он принес полученную по факсу из Минска ксерокопию дела об убийстве Павла Буйнова. Я отдала ему вожделенную книгу, проводила до дверей и рысью понеслась наверх к документам. Насморк сразу куда-то исчез, горло прочистилось, и появился голос.

Павел Буйнов, ювелир, погиб через два месяца после прихода советских войск в Минск. Всю оккупацию он мирно пережил в своей квартире. Аресты и преследования обошли Павла стороной. То ли немцы не знали, что мужчина работал с золотом, то ли просто до него не успели добраться.

Имя убийцы стало известно следственным органам. Соседка видела, как в квартиру Буйнова около девяти вечера пришел бывший полицай Андрей Пивоваров. Жители района хорошо знали Пивоварова. При немцах он принимал самое активное участие в карательных акциях, собственноручно вешая на площадях Минска пойманных партизан, евреев или просто неугодных. Старуха наблюдала, как Павел впустил злодея, а через час, снова услышав шаги, глянула в «глазок». Пивоваров покидал соседнюю квартиру с чемоданчиком в руках. Наблюдательница сразу опознала саквояж — с ним в мирное время старший товаровед Ювелирторга Буйнов ходил на работу. О своей слежке старуха поведала, лишь когда узнала, что Павел зверски убит. Перед смертью мужчину жестоко пытали: отрезали пальцы на руках и выкололи глаза. Милиция моментально начала поиски негодяя, но он как в воду канул. Вместе с ним исчезла и его сожительница — Регина Николаевна Зайцева с малолетней дочерью. Приводилось ее описание: рост примерно метр шестьдесят, вес в районе пятидесяти килограммов, правый глазной зуб отсутствует, на левой стороне шеи большое уродливое родимое пятно. Волосы темные, заплетенные в косы.

Целую страницу занимало описание украденных ценностей. В списке стояли: золотые николаевские десятки, несколько разнообразных колец, более сорока цепочек. И среди пропавшего — старинный гарнитур, сделанный дедом Буйнова для бабки: браслет из золотых черепов, в глазницы которых вставлены рубины, сапфиры и изумруды; кулон в виде отрубленной головы в оправе из бриллиантов и два кольца со скрещенными костями, мужское и женское. Бабка увлекалась спиритизмом, самозабвенно вертела столики. Наверное, это и подстегнуло фантазию деда. Завершал список золотой слиток весом в пятьсот грамм. Младший брат Павла говорил, что все ценности достались от родителей. Буйновы на протяжении четырех поколений занимались ювелирным делом и скопили приличный капитал. Убийцу искали, но он сумел исчезнуть, пользуясь неразберихой 1944 года.

В папке оказался и лист с записью допроса матери Зайцевой. Женщина утверждала, что понятия не имеет, куда подалась дочь. Говорила, что Регина собиралась на заработки куда-то к тетке в Новосибирск, хотела увезти ребенка из разрушенного и голодного Минска. На вопрос, кто является отцом внучки, бабка пожала плечами, сказав, что понятия не имеет, но только не Пивоваров, он познакомился с Региной позднее и силой принудил к сожительству.

Однако соседи Зайцевой сообщили противоположные сведения. Регина жила с Андреем по доброй воле, более того, великолепно знала немецкий и работала в комендатуре, где и познакомилась с любовником. Отношений своих они не скрывали, вели, как говорилось в протоколе, «совместное хозяйство». Но девочка, похоже, и правда не от него, потому что полицай часто бил ребенка и обзывал «приблудной». Соседи побаивались парочки и предпочитали не портить с ними отношений. Хорошо запомнили они и случай с семьей Коган. Нора Соломоновна Коган, известная на весь Минск педиатр и лечившая не только девочку, но и саму Регину, пришла молить Зайцеву о помощи. Доктор просила спрятать свою внучку — тринадцатилетнюю Сусанну. Регина обещала содействие. Но в ту же ночь за Коганами пришли, и они исчезли всей семьей. Через несколько дней люди увидели, как Регина выходит во двор в белой песцовой шубе, точь-в-точь как у Норы Соломоновны.

После прихода советских войск в Минск Регина стала носить, как все, ватник. Соседи уже сообщили о ней военным, но предъявить обвинение женщине оказалось трудно. Работала в комендатуре, ну и что? Непосредственно в карательных акциях не участвовала и под статус военной преступницы не попадала. А потом исчезла, больше ее в Минске не встречали.

Я отложила папку. Значит, Регина Зайцева

пропала на послевоенных дорогах, зато появилась Ольга Никишина. Скорей всего, полицай просто убил настоящую Никишину, чтобы добыть документы для сожительницы. Очевидно, преступники прихватили с собой украденное у Буйнова и привезли в Москву. В столице поселились в коммунальной квартире и стали вести размеренную жизнь мещан. Даже после убийства Павла милиция не узнала, что он и военный преступник Пивоваров — одно лицо. Туман сгущался.

На следующий день я отправилась к Олегу Михайловичу Шитову, довольно известному продюсеру. Он вывел на сцену успешно выступающие группы «Длинная нога» и «Задушенный звук». Его домашнего адреса я, естественно, не знала, но офис находился на площади возле трех вокзалов, в Центральном Доме железнодорожника. В первой комнате, сияющей кожаной мебелью, из-за супермодного офисного стола с компьютером поднялась потрясающая девица. Ноги, почти не прикрытые юбкой, начинались прямо от ушей. Ровные, словно выглаженные утюгом волосы сверкали. Огромные голубые глаза, пухлые губы и ухоженные руки с такими длинными ногтями, что становилось страшно.

— .Могу ли я чем-нибудь помочь? — мелодично проворковало небесное создание.

— Хотела поговорить с господином Шитовым.

— Вам назначено?

Я покачала головой. Секретарша огорчилась.

— Тогда ничего не могу сделать. У Олега Михайловича очень плотное расписание, встречи расписаны буквально по минутам.

— Но ведь в приемной никого нет!

— Так и Олег Михайлович отсутствует, шеф на прослушивании.

Я скосила глаза на ее рабочий стол и увидела, что красная лампочка селекторной связи горит. Ну зачем оставлять включенной связь между приемной и кабинетом, если в кабинете никого нет?

Просто девице велено отсеивать ненужных посетителей.

Я тряхнула рукой, и золотые часики от Картье, украшенные маленькими бриллиантиками, скользнули поближе к пальцам.

— Видите ли, есть интересное денежное предложение для господина Шитова.

Девушка поглядела на мои часики и заколебалась. Видя, что крепость готова сдаться, я взяла со стола чистый лист бумаги, написала на нем: «Привет от Антонины Королевой», сложила листок и протянула красавице.

— Обещаю, что, если передадите послание Олегу Михайловичу, он обязательно примет меня.

Через пару минут дверь кабинета распахнулась, и девица сказала:

— Проходите.

Олегу Михайловичу Шитову было пятьдесят лет от роду. Это я знала совершенно точно, но стоящему передо мной мужчине с трудом можно дать тридцать пять. Волосы, как принято в артистической среде, длинные и явно завитые. Спортивная фигура, никакого намека на живот. Одет модный продюсер просто — синие джинсы и черный пуловер. Шитов небрежно указал рукой на кресло и резко сказал:

— Не держите слова, милочка. Но денег больше не получите. А вы наглая, не боитесь показываться на глаза.

Оправдывая репутацию наглой бабы, я закурила и, заложив ногу за ногу, принялась разъяснять шоумену суть вопроса. Шитов был умен, наверное, поэтому так быстро нажил свои миллионы.

Он поглядел мне в глаза и задал вопрос, который не пришел в голову ни Селезневой, ни Круглову:

— Говорите, не понимаете, как шантажист получил запись? А как вы узнали, что он шантажирует меня? Откуда вам стало известно о Тоне Королевой?

— Случайно, — сказала я.

— Врете, — отрезал Шитов, — притом глупо и нагло. В этой истории участвовали всего два человека: я и Тоня. Она мертва, я молчал и никогда никому ничего не говорил. Вот и интересно, откуда вы знаете о происшедшем и что именно вам известно? Может, просто где-то что-то слышали и решили попугать меня? Вам денег надо?

Денег у меня своих столько, что ему представить трудно. А если Олегу Михайловичу хочется услышать историю в моем изложении, пожалуйста:

— Пятнадцать лет тому назад вы играли на гитаре в вокально-инструментальном ансамбле «Соловьи». Среди фанаток тусовалась молоденькая, хорошенькая Тоня Королева. Однажды после концерта вы пригласили девчонку к себе, напоили и уложили в кровать. Представляю ваш ужас, когда утром рядом с собой обнаружили труп. Отчего она умерла?

Олег Михайлович молчал.

— Не хотите говорить, я отвечу. Глупая девчонка не знала, что у вас больное сердце. А вы, боясь, что группа не захочет работать с полуинвалидом, держали сильнодействующее средство в коробке из-под тройчатки. И когда принимали таблетки, говорили, что голова болит. Тоня проснулась ночью и, чтобы избавиться от ноющей с похмелья головной боли, съела ваше лекарство.

— Эта дура, — взорвался Олег Михайлович, — кретинка стоеросовая, сожрала разом двенадцать таблеток. Хватило бы и пяти, чтобы на тот свет отправиться.

— Ей было всего семнадцать лет, и закон трактует такую половую связь как растление малолетних.

— Еще вопрос, кто кого растлил, — фыркнул продюсер, — на малолетке пробы было негде ставить. А уж язык — бритва. Один раз она нашему барабанщику заявляет: «Иди ты на...» Он мужик с юмором, вежливо грубиянке отвечает: «Деточка, а видела ли ты хоть раз в жизни то место, на которое меня посылаешь?» Бедолага думал, что уел ее. А Тоня усмехнулась и отвечает: «Если тебя всеми ... утыкать, что я видела, на ежика станешь похож». Вот вам и невинная малолетка.

— Что же милицию не вызвали, не объяснили?..

Шитов закурил дамские сигареты «Вог» и усмехнулся:

— Скажете тоже, милицию. Ей ведь еще восемнадцати не было, разом заметут за решетку, доказывай потом, что не верблюд.

— И решили самостоятельно избавиться от трупа. Снесли несчастную в багажник и отвезли в брошенную деревню, закопали под большим деревом — кривой березой?

Олег Михайлович затянулся поглубже:

— Вы что, свечку держали? И правда, под березой, меня потом долго ночами кошмары мучили: копаю яму, а сверху береза валится. Просто сон потерял.

— И поэтому отправились к Радову?

Шитов так и подскочил в кресле:

— Вы случайно в КГБ не сотрудничали? И о психотерапевте узнали! Ну да, ходил к Сержу. Приятели посоветовали. Честно говоря, не верил в успех. Совсем спать перестал, снотворные пачками ел, давление поднялось. Лечился, как мог: дибазол с папаверином, фигня в общем. А тут за десять сеансов все как рукой сняло, просто юношеское здоровье.

— Когда вы ходили к Радову?

— Да уж лет семь-восемь прошло.

— Шантажист прислал кассету этой весной?

— Нет, год тому назад, зимой.

— Сколько запросил?

— Вы сколько платили? — вопросом на вопрос ответил шоумен.

— Пять тысяч долларов.

— С меня десять потребовал. И что меня больше всего поражает — я сам, лично признавался кому-то, как закапывал бедную Тоньку. В деталях описывал холм, речку, кривую березу. Но абсолютно точно уверен, что никому и никогда ничего подобного не говорил. Просто мистика!

Нет, милейший Олег Михайлович, не мистика.

— Знакома ли вам фамилия Раздорова? Он работает на телевидении.

Шитов полез в телефонную книжку.

— А где — на ОРТ, НТВ? Какой канал?

— Понятия не имею. Иван Николаевич Раздоров, ассистент режиссера.

Продюсер ухмыльнулся:

— Ну, это не мой уровень. Может, конечно, встречал когда, но дружбы не заводил. Ассистент — просто красивое название посыльного. Сбегай туда, отнеси сюда, свари кофе... Мне такое знакомство ни к чему. Предпочитаю общаться с редакторами, корреспондентами, ведущими, в конце концов. Послушайте, если найдете эту сволочь, спросите, каким образом он подделал голос. Мне интересно, как профессионалу. Вдруг он гениальный имитатор?

Остатки простуды еще бродили в организме, и

я поехала домой. Маруся смотрела телевизор, рядом, уютно щелкая спицами, устроилась Зайка. Банди и Снап мирно дремали на ковре, Маркиза и Черри на диване.

— Мамусечка, — закричала Маня, увидев меня, — завтра с утра мы обязаны ехать к Войцеховским.

— Почему? — испугалась я.

— Звонил Женя, сказал, что его жена согласна взять Лиззи, нужно отвезти их в питомник.

— Не могу.

— Мамуленька, — занудила Маня, — у Жени завтра непредвиденный выходной, если не поедем, придется ждать неделю, а то и десять дней. Вдруг Лиззи выбракуют? Пожалуйста. Вот ты не хочешь, а собачку усыпят!

С малых лет Маня вила из меня веревки. Принесли ее в дом годовалой. Младенец такого возраста впервые попал ко мне в руки, поэтому я подошла к воспитанию творчески. Обложилась книгами Спока, купила брошюру «Питание ребенка». Прочитав все это, поняла, что годовалый ребенок должен съедать на ужин 250 мл каши, причем не из бутылочки, а из тарелки. Соска портит прикус, пугали книги. Хороший преподаватель, как правило, зануда. Я завела кухонные весы и специальную кастрюлю. И каждый вечер перед плачущей девочкой появлялась тарелка с точно отмеренной порцией. Маруся отбрасывала ложку, которую я пыталась засунуть ей в рот, но голод — не тетка, и, съев наконец кашу, она засыпала в слезах. Но ровно через час просыпалась с громким плачем. Мы с Аркадием укачивали ее по очереди, пели песни, по сто раз меняли ползунки, гладили животик и почесывали десны — все без толку. Через месяц Кешка похудел, побледнел и стал походить на тень. И тут выпала

мне командировка на три дня в Ростов. Четыр-
надцатилетний Аркадий великодушно сказал:

— Езжай, как-нибудь справлюсь.

Я отправилась, но на конференцию не попала,
проспала все три дня в гостинице. Домой ехала,
мучаясь угрызениями совести. Так хорошо отдох-
нула, а бедный мальчишка небось глаз не со-
мкнул. Экспресс приходил около полуночи. Успев
на последний поезд метро, я осторожненько открыла дверь, ожидая услышать гневные Машины
вопли. Но в доме стояла пронзительная тишина.
В большой комнате на разложенном диване спал
Аркадий. Рядом с ним, раскинув в стороны руки
и ноги, безмятежно сопела Маруся. Вдруг девочка села и, не открывая глаз, заплакала. Кеша, не
просыпаясь, нашарил рукой приготовленную бутылочку с кашей и сунул девочке. Та одним духом опустошила емкость и снова уснула. То же
самое повторилось дважды: в три ночи и шесть
утра.

— Ну не хватает ей твоих 250 мл на ужин, —
сообщил Кеша утром, — она от голода орет. А по-
ест как следует, и спит, словно ангел.

— Но в книге написано...

— Наплюй, — сказал Аркадий.

— А бутылочки? Вот здесь говорится, если к
году не приучить есть из тарелки, то...

— Мать! — перебил меня Аркадий. — Ты когда-нибудь видела, чтобы человек пришел в ресторан и попросил налить харчо в бутылочку? Все
научились есть ложкой, и Манька научится.

— Испорченный прикус... — гнула я дальше.

— Она собака, что ли, — возмутился бра-
тец, — на выставке прикус показывать?

С той поры Маня стала получать заветные бутылочки по первому требованию и спала как су-
рок до девяти утра. Это была ее первая победа

над нами. Прошло двенадцать лет. Ест дочка из тарелки ложкой, ровные, красивые зубы сверкают, когда она улыбается. Умение добиваться своего отточено до филигранности. Маруся отлично знает, за какую ниточку дернуть, чтобы мы задвигались, как марионетки. К счастью, она почему-то оказалась неизбалованной.

Вот и сейчас перед моими глазами предстала картина: равнодушный Степан в голубом халате вводит крохотной Лиззи смертельную инъекцию. А ведь собачке всего два года, и ее можно спасти, отдав Женьке.

— Завтра в девять поедем, — сообщила я дочери.

Женькин сын, восьмилетний Славик, всю дорогу судорожно вздыхал, боясь, что отец передумает. Маленькая, шелковистая Лиззи с улыбающейся мордочкой заставила мальчика завизжать от восторга. Он взял ласковую собачку на руки и зарылся лицом в золотистую шерстку.

— Собачачиной пахнет, — сообщил ребенок в полном восторге, — самой настоящей собачачиной.

Все засмеялись и пошли в дом. Полины не было. Мишенька тихонько рисовал в гостиной. Увидев нас, он вежливо поздоровался и начал собирать краски.

— У нас никогда не было собаки, — сказал Женя, — объясните, чем кормить, когда гулять, вдруг заболеет?

— Болеть не должна, — улыбнулся Степа, — прививки сделаны, вот только рожать элитных щенков не сможет. Видите под подбородком седое пятно? Считается дефектом. Проявилось месяц назад. А насчет кормежки — есть одна книжечка, правда, очень старая, еще из папиных запасов. Подождите, принесу.

Он вышел из комнаты. Женька поглядел на счастливого сынишку.

— Ну, Маня, спасибо, удружила. Такая прелестная собачка.

Маруся обрадованно закивала головой.

— Здорово, что берете Лиззи, осталось только Карлотту пристроить.

— Кого? — спросил Женя.

— У Степана остался последний песик из выбракованных — Карлотта. Очень милая, ласковая, но слегка хромая, — пояснила Маня. — Вот пристрою ее в семью и успокоюсь.

Вернулся Степа с книжкой.

— Возьмите с собой, почитайте, потом вернете.

На обратном пути Женя с сыном звали нас к себе, но мне не терпелось начать поиски Ивана Николаевича Раздорова.

Домой попали к часу. Загнав машину в гараж, я обнаружила на заднем сиденье книжечку. Возбужденный Женька забыл «Питание здоровой собаки». Я прихватила брошюру с собой, позвоню приятелю, скажу, что она у меня. Какая старая, надо же, 1947 года издания, почти библиографическая редкость. Из любопытства принялась ее листать. Старое необязательно плохое. Желтоватые страницы содержали много интересных сведений. Надо же, не знала, что собаки плохо переваривают картошку! Заинтересовавшись, углубилась в чтение и на 25-й странице обнаружила старую фотографию. На фоне моря снялись четыре человека. Молодые, веселые лица. Нелепые купальники и длинные «семейные» трусы. Белые панамы и пляжные зонтики. Владимир Сигизмундович обнимает за плечи Фриду, двое других мне незнакомы. Какой Вольдемар симпатичный, а Фрида — просто красавица. Точеная фигурка, изящные ноги. Фрида стояла чуть боком, и на шее у нее с левой стороны я увидела большое темное пятно. Нет, этого просто не может быть! Сколько раз бывала в гостях у Войцеховских? Да тысячу раз, и зимой и летом. Неоднократно видела Фриду в футболках и в блузках с открытым воротом. Никаких родимых пятен у старухи не заметила. Скорей всего — на снимке дефект. Но червь сомнения заполз в душу. Я позвонила Женьке и сообщила, что завтра подвезу ему на работу забытую книгу.

Глава 22

Нетерпение было столь велико, что в Женькин отдел я ворвалась ровно в десять утра.

— Как Лиззи провела ночь на новом месте?

— Чудесно, — отрапортовал эксперт, — приготовили корзиночку с подстилкой на кухне, но собачка, судя по всему, чувствовала себя там неуютно, так что пришлось пустить ее в спальню. В кровать, естественно, не положили, в кресле спала.

Я усмехнулась. Сто против одного, что уже завтра Лиззи станет нежиться на супружеском ложе. Не замечая моей ухмылки, Женька продолжал:

— А какой чудесный характер! Интеллигентный. Есть не требовала, гулять не просилась.

Ну что ж! Начался процесс превращения обычного человека в страстного собачника. Не пройдет и месяца, как терьерица будет выбирать между парной говядиной и рыночным творогом. Надо было видеть, с какой радостью Женька схватил «Питание здоровой собаки».

— Женечка, — сказала я ласково, — есть одна

старая, очень ценная для меня фотография. Но на снимке образовался дефект, подскажи, как от него избавиться?

Эксперт взял фото, сунул под какой-то аппарат и через пару минут вынес вердикт:

— Снимок в отличном состоянии. Просто у женщины большое родимое пятно.

— Надо же, вот интересно. А может родимое пятно рассосаться?

Эксперт почесал нос:

— Думаю, нет. Только доморощенные экстрасенсы обещают избавить от опухолей, пятен и рубцов. Помочь может только хирург.

— Хочешь сказать, что родимое пятно можно удалить?

— Похоже, что так. Есть специальные методики. Приносишь справку от онколога и — вперед.

— Где это делают?

— Да везде — в Институтах красоты, например.

— А в конце сороковых умели убирать родинки?

— Думаю, да, но об этом лучше спросить специалиста. Слушай, а две собачки станут ругаться?

— Почему? — изумилась я. — У нас четыре живут тихо и мирно.

Домой я вернулась в растрепанных чувствах и позвонила Оксане. Она хирург, может, объяснит ситуацию?

— В конце сороковых? — переспросила Ксюша. — Если и делали нечто подобное, то лишь на кафедре косметологии в Первом меде, спроси там Августу Павловну, скажи, от меня.

И я поехала в Первый мед. Комната, увешанная плакатами, выглядела устрашающе. Ни за что не стала бы работать рядом с ободранной человеческой головой! Но медиков такая ерунда, видимо, не смущала; когда я вошла, они как раз пили чай.

Августа Павловна, услышав, что меня прислала Оксана, расплылась в довольной улыбке.

— Родимое пятно? Большое? И где оно было расположено?

Узнав, что на шее, косметолог покачала головой.

— Сложное место! Лучше всего обратиться к нашему бывшему заведующему кафедрой — Петру Львовичу. Если кто и мог в те годы убрать такое пятно, так это он.

Пообедать мне так и не удалось. Августа Павловна позвонила старому доктору, и тот велел приезжать, а путь не ближний — Ломоносовский проспект, дом преподавателей МГУ.

Квартира доктора напоминала музей. Везде картины в бронзовых рамах, всевозможные статуэтки и антикварная мебель. Хозяин был одет в атласную домашнюю кофту и безукоризненно отглаженные фланелевые брюки. В воздухе витал запах дорогого парфюма. Сам Петр Львович с копной роскошных, абсолютно черных волос словно сошел с картины «Завтрак аристократа». Эдакий дамский угодник. Он взял у меня куртку, и я поняла, что попала по адресу. Именно этот человек может ответить на многие вопросы: на мизинце левой руки сверкало кольцо — две перекрещенные кости из золота. Проследив за моим взглядом, Петр Львович мило улыбнулся:

— Каюсь, грешен. Люблю всевозможные украшения. Уж сколько меня на партсобраниях ругали за кольцо! А я отбрыкивался, мол, покойная бабушка подарила.

— Это правда? Про бабушку.

— Нет, конечно. Пациентка преподнесла за удачно сделанную операцию.

— Удалили большое родимое пятно с шеи?

Петр Львович восхитился:

— Дорогая, вы, очевидно, прорицательница. Как догадались? Именно родимое пятно и именно с шеи. Кстати, вам нужна моя консультация? Беру по сто долларов.

Я достала столь любимый всеми портрет Франклина и спросила:

— Как звали пациентку?

Доктор наморщился.

— Фрида.

— Детали помните?

Петр Львович усмехнулся:

— Отчетливо вспоминается дрожь в коленях. Эта история здорово отразилась на моей судьбе. В 48-м меня, двадцатипятилетнего, оставили работать на кафедре. Косметическими операциями ради красоты тогда не занимались. Всякие подтяжки, удаление морщин — считалось, что советскому человеку такое ни к чему. Пытались помогать людям после аварий, пробовали вернуть божеский вид обгоревшим, старались исправить огрехи фронтовых хирургов. Те о красоте не очень-то заботились и часто оставляли на лице и теле ужасающие швы. А вот изменить форму носа или прижать ушные раковины, чтобы не торчали, считалось делом ненужным.

Однажды Петра Львовича позвали на день рождения. Жарким летним вечером гости пришли в легкой одежде. И только одна, прехорошенькая блондиночка, кутала красивую шейку в платок.

— Горло болит? — стал заигрывать с ней Петр Львович.

— Ерунда, — отмахнулась блондинка.

— Хотите, посмотрю, что с вашими миндалинами, я врач, — продолжал кадриться мужчина.

— Не надо, все в порядке, — не шла на контакт блондинка.

Но Петр Львович изрядно выпил, и ему было море по колено.

— Раз все в порядке, — не унимался он, — зачем прятать такую красивую шейку?

И не успела женщина возразить, как ловкие пальцы молодого хирурга сдернули шарфик. Блондинка покраснела, Петр Львович тоже. На точеной шейке, словно присосавшаяся крыса, сидело большое, уродливое пятно, покрытое черными волосками.

— Доволен? — зло спросила женщина. — Теперь отвали.

И она чуть дрожащими руками стала прилаживать платочек на место. Доктор почувствовал, что допустил бестактность. С дивана поднялся приятного вида мужчина, оказавшийся мужем блондинки. Пара пошепталась и ушла домой.

Петру Львовичу стало совсем неудобно. Он выпил лишнего и поступил, как нахал, хотя на самом деле был добрым и скромным. Несколько дней хирург не мог успокоиться, представляя себе, как стесняется бедная женщина своего уродства. И, поразмыслив, решил, что сможет помочь ей. Тогда он позвонил друзьям, узнал адрес блондинки и поехал к ней домой.

Доктора встретили нелюбезно. Молодая женщина не захотела с ним общаться, и разговаривать пришлось с мужем. Петр Львович убедил того согласиться на операцию. Через три недели Фрида выписалась из больницы с небольшим шрамом. Пятно исчезло. А Петр Львович понял, что хочет не просто оперировать, а возвращать людям красоту, меняя лицо — менять судьбу. Благодарная пациентка расплатилась николаевскими золотыми червонцами и подарила кольцо.

Как только доктор надел его на мизинец, началась полоса удач. Он быстро защитил кандидатскую диссертацию, появились «левые» больные, не по дням, а по часам росло благосостояние. Петр Львович считал кольцо талисманом и никогда с ним не расставался. За несколько десятилетий врачебной практики через его руки прошли тысячи людей. Запомнить всех он, естественно, не мог, но Фриду не забывал. Мало того, что это была его первая самостоятельная работа, так еще и кольцо-талисман.

Я вытащила из сумки снимок и показала врачу.

— Узнаете?

— Конечно, вот, — и он ткнул пальцем в улыбающуюся Фриду. Круг замкнулся, замок щелкнул. Так вот чем собиралась Люлю заткнуть свекровь. Теперь все ясно. Дело за малым: поехать к Войцеховским и узнать, разговаривала ли Лариска со свекровью об Ольге Никишиной.

Чтобы ездить к собаководам при жизни Ларисы, повода не требовалось. Я могла прикатить в любое время и остаться ночевать. Сейчас — другое дело. И тут на помощь мне неожиданно пришел Женька. Он позвонил примерно через неделю после приобретения Лиззи и спросил:

— Дашка, не знаешь, собачку Карлотту уже пристроили?

— По-моему, нет. А что, есть желающие?

Женька помялся, потом говорит:

— Хотим и ее взять. Лиззи скучает, вдвоем веселей. Йоркширы такие маленькие, хлопот никаких. И потом, не поверишь, но мы с Лилькой перестали ругаться.

Вот это да! Лиля — женщина взрывная. Голос у нее резкий, громкий. Чуть что не так — орет, словно ненормальная. Женька не остается в долгу и тоже вопит. За выходной они ухитряются раз десять поругаться насмерть, а потом от души помириться. Женя как-то признался, что развестись с женой ему никогда не хотелось, а вот убить ее — не раз возникало желание. Стоит побывать у них, и мигрень гарантирована. Оба визжат, выясняя, кто не убрал со стола хлеб. Причем в принципиальных вопросах они заодно и в моменты опасности тоже. Ругаются из-за мелочей. Но ведь жизнь-то из них и состоит. Когда Лиля попала в больницу и пролежала три месяца на койке в отделении со страшным названием «онкология», Женька тер яблоки, давил соки, делал паровые котлетки. И они не то что не ругались, даже не спорили. Стоило хозяйке вернуться домой, уже вечером чуть не подрались из-за разбитой чашки.

— Совсем не ругаетесь? — удивилась я. — Лиля заболела?

Женька тихонько захихикал. Оказывается, в первый день пребывания Лиззи в их доме они сцепились из-за ботинок. Жена орала, что грязную обувь следует снимать за порогом, муж не желал и тоже вопил. В самый разгар супружеской «беседы» скандалисты услышали странные, икающие звуки и увидели, как собачка, трясясь всем телом, падает на бок. Супруги испугались и кинулись к Лиззи. Однако через пару минут терьерица пришла в себя, и Лилька начала следующий раунд. Не успела женщина открыть рот, как Лиззи снова забилась в конвульсиях и свалилась на пол. После пятой неудавшейся попытки всласть поскандалить Женька понял, что йоркшириха падает в обморок всякий раз, как они с женой повышают голос.

Начало недели прошло у них ужасно. Стоило Лиле или Жене крикнуть, как Лиззи начинала умирать. Тогда супруги стали ругаться шепотом в спальне за закрытой дверью. Но скандалы потеряли свою прелесть, попробуйте поругаться вполголоса. Просто неинтересно! То ли дело раньше: Лилька со смаком кидала чашки об пол, Женька лупил разделочной доской по столу. Теперь полная тишина. Пятница, суббота, воскресенье... Первый раз за много лет совместной жизни конец недели прошел как медовый месяц. Хотя, что это я! Именно в медовый месяц они ругались так, что их выселили из гостиницы.

В понедельник в дверь к новоявленным собачникам позвонила соседка. Переминаясь с ноги на ногу, она робко спросила у Женьки, не попала ли Лиля снова в больницу. Услышав, что его половина жива и здорова, соседка обрадовалась и простодушно пояснила: «У вас так тихо, думала, несчастье какое приключилось».

И вот теперь Женька хочет взять Карлотту.

К Войцеховским отправились во вторник. Степа отсутствовал, в питомнике распоряжалась Полина. Женька и Лиля отправились любоваться на собак, а я пошла искать Фриду.

Старуха мирно вышивала в спальне. В этот день на ней была тоненькая шелковая блузка. Воротничок расстегнут, на морщинистой шее даже следов шрама не видно. Золотые руки у Петра Львовича, Господь наградил.

— Чему обязана? — проворчала старуха, увидев меня.

Можно бы и полюбезней, особенно после того, как получили Рембрандта. Кстати, никто из Войцеховских мне так и не рассказал, что с картиной.

— Хочу книжку отдать, — завела я разговор, протягивая «Питание здоровой собаки».

— Степану верни, нечего ко мне лезть, — отрезала старуха, — не видишь, отдыхаю.

Фрида явно находилась в боевом расположении духа. Смотав мулине, она проворчала:

— Зачем сюда без конца ездишь? Дел, что ли, своих нет? Это только Лариска, как все дети алкоголиков, обожала гостей. У нас, латышей, не принято являться без приглашения.

Фрида всегда недолюбливала подруг Люлю, но ко мне вроде раньше относилась неплохо. Ведь я сначала познакомилась со Степой, а уже потом с Лариской. В ответ на ворчанье старухи я протянула ей фото.

— Смотрите, в книжке нашла.

Старуха взглянула на снимок, и взгляд у нее стал мягче.

— Ах это! Мы с Вольдемаром в Сочи, наш первый совместный отдых.

— Вы здесь чудесно выглядите, — не покривила я душой, — даже родимое пятно не портит.

— Какое еще пятно? — возмутилась старуха.

— Вот здесь, на шее, с левой стороны.

— Не было у меня никаких родинок.

— Да будет вам, Фрида. Кстати, Петр Львович просил передать привет. Он до сих пор тепло вспоминает вас. А кольцо, то самое, со скрещенными костями, считает своим талисманом.

Старуха вцепилась в подлокотники кресла с такой силой, что пальцы побелели, но не дрогнула.

— Езжайте, Дарья, домой. У вас в голове тараканы завелись. Какой-то Петр Львович, кольцо, кости. Может, заболели? Замуж не хотите еще раз выйти? Говорят, при климаксе у многих без мужика крыша едет.

Не надо было ей меня злить, потому что бывают моменты, когда я теряю не только контроль над собой, но и чувство жалости.

Я достала из сумочки ксерокопию паспорта

Никишиной и протянула старухе, потом закурила и тихим, ровным голосом произнесла:

— Подлинник надежно спрятан. Сделали непростительную глупость, что не уничтожили документ. Прямо сейчас поеду на Петровку. Глупо отрицать очевидное. На шее остался шрам, жив врач, который делал операцию, да и отсутствующий правый глазной зуб не вырос.

— У меня теперь все зубы отсутствуют, — прошелестела старуха.

Я пожала плечами:

— На убийство срок давности не распространяется. А у вас руки по локоть в крови: уничтожили мужа, маленькую девочку и настоящую Ольгу Никишину. Так что конец жизни проведете на острове Русском, женщин у нас, кажется, не расстреливают. Хотя, на мой взгляд, лучше расстрел, чем пожизненное заключение.

Фрида возмущенно замахала руками.

— Ты мне лишнего не приписывай. Не так все было.

— А как?

Старуха заколебалась. На лице, похожем на мордочку старой изможденной черепахи, отразилось сомнение. Однако, узнав, что многое мне известно, она вздохнула и стала изливать душу.

Регина Зайцева родила дочку неизвестно от кого. После окончания школы, на выпускном балу, впервые попробовала спиртное. Не задумываясь о последствиях, от души напилась, а утром проснулась в чужой квартире, рядом с незнакомым мужчиной, даже имени его не знала. На цыпочках, чтобы не разбудить случайного любовника, девушка убежала домой. Через три месяца Регина поняла, что беременна. Сначала решила отыскать предполагаемого отца, но забыла адрес. Вернее, улицу помнила, а дом и номер квартиры — нет. Более того, внешность Ромео вспоминалась с трудом, вроде был блондин. Цвета глаз не видела, он ведь спал, когда Регина убегала.

В те годы аборты в СССР были запрещены. Пришлось искать подпольного акушера. Мать Регины поохала, поохала и сказала: «Рожай. Воспитаем...» И в положенный срок на свет появилась Ирочка. Регина оказалась хорошей матерью и полюбила дочь. Постепенно жизнь налаживалась. Молодая женщина даже подумывала поступить в институт, благо мать обожала внучку, но тут началась война. Не успела Регина ахнуть, как в Минск ворвались немцы и установили в городе «Ordnung». Исчезли продукты. Так необходимые для Ирочки молоко, масло, яйца можно было выменять только в деревне, и Регина, взяв столовое серебро, отправилась на село. На первом же контрольно-пропускном пункте ее обыскали и отобрали бабушкины вилки и ложки. На хорошем немецком языке — в школе она имела по нему одни пятерки — девушка рассказала о ребенке и попросила отдать приборы. Молоденький ефрейтор искренне изумился, услышав, что белоруска-варварка говорит на его родном языке. Когда же Регина прочитала наизусть несколько строк из «Лорелеи», пришел в полный восторг. Ложки вернулись к владелице, и ефрейтор посоветовал Регине наняться на работу в комендатуру. Через неделю она уже сидела в канцелярии, печатая разнообразные «аусвайсы»[1]. Девушка не отличалась патриотизмом, больше всего ей хотелось выжить и спасти Ирочку.

В комендатуре судьба свела ее с красавцем Андреем Пивоваровым. Любовь — штука жестокая, Регина в пылу страсти не видела ничего. Ее

---

[1] Аусвайс — удостоверение *(нем.)*.

не смущало, что любовник — откровенный садист, получающий удовольствие при виде страданий людей. Она с радостью принимала подарки — шубу, костюмы, платья, золотые украшения. Даже побои, нередко достававшиеся Ирочке, радовали простодушную Регину. Раз бьет, значит, считает своей. В тяжелые годы оккупации она жила великолепно. Прекрасно одевалась, сытно ела, а когда Ирочка серьезно заболела, Андрей привел врача-немца с невиданными лекарствами.

Счастье кончилось, когда немцы бежали из Минска. Пивоваров исчез, соседи плевали ей вслед, обзывали «полицайской подстилкой» и «немецкой овчаркой». Маленькую Ирочку дети били во дворе, продукты исчезли со стола, шубу пришлось поменять на сахар.

Однажды ночью, когда Регина плакала на кухне, в дверь постучали. В квартиру вошел с трудом узнаваемый Пивоваров. Он перекрасил волосы, отпустил бородку и усы. Андрей велел любовнице собираться. Вещей приказал не брать, только документы и деньги. Ирочку предлагал оставить у бабки. Но здесь Регина, на свою беду, проявила ей несвойственную твердость, и они ушли втроем.

На военных дорогах творилась неразбериха. Фронт стремительно откатывался к границам Германии. Стало понятно, что близка победа советских войск. Из плена возвращались сотни и сотни людей. Вместе с ними продвигались к Центральной России и Андрей с Региной.

Как-то раз они заночевали в сарае вместе с молодой женщиной. Оля взахлеб рассказывала о том, как мечтает наконец вернуться домой в Москву. Правда, все родственники погибли, но есть паспорт с московской пропиской в комнате на Беговой аллее.

Послушав примерно с час ее восторженную речь, Андрей сказал Регине, что пора уходить. «Опоздаем на поезд», — торопил он ее. Когда ничего не понимающая Регина собралась и они отошли от деревни, Пивоваров вспомнил, что забыл в сарае шапку.

В город попали к вечеру. И здесь бывший полицай неожиданно предложил оформить отношения. Расписывали тогда без всякой канители. Молодые нашли загс. Андрей выложил паспорта, серьезная тетка шлепнула туда печати и сказала: «Ну, Ольга и Павел, желаю счастья». Регина разинула рот, но молодой супруг пнул ее под столом ногой, и женщина промолчала. Так она стала Ольгой Никишиной и узнала, что ее муж — Павел Буйнов.

Фамилию Павел запретил ей менять, ведь тогда отберут драгоценный паспорт с московской пропиской и дадут другой. А Буйнов справедливо полагал, что лучше всего затеряться в таком большом городе, как Москва. Въезд в столицу был ограничен, но бывших москвичей, предъявлявших паспорт с пропиской, пускали беспрепятственно. Ольга Никишина была москвичкой, а Павел — ее законным мужем. Путь в город на семи холмах открылся.

По приезде их ждала еще одна удача. Дом на Беговой аллее, о котором с такой тоской рассказывала настоящая Никишина, уничтожила фашистская авиация. Поглядев на руины, Буйнов отправился в райисполком, и Ольге, как коренной москвичке, лишившейся жилья, дали две комнаты в коммуналке. Супружеская чета въехала в квартиру. И первым делом муж оборудовал хитрый тайник в полу. Туда были спрятаны золотые царские десятки, слиток, кольца и чудовищный гарнитур ювелира. Потекла тихая жизнь.

Пивоваров умел водить машину и пошел работать таксистом. Регина стала преподавать в младших классах. После войны остро не хватало учителей, и директор школы поверил молодой женщине, когда та рассказала, что диплом об образовании сгорел при бомбежке. Поверить поверил, но велел ехать в институт и взять в архиве копию. И здесь Регине снова повезло. В педвузе в канцелярии судорожно кашляющая женщина сообщила, что практически все документы уничтожены, и отшлепала на машинке справку. Директор был удовлетворен, он убедился, что Ольга хорошо обращается с детьми, ладит с родителями и исправно проверяет тетради.

Пивоваров отлично зарабатывал, Регина часто получала подарки от родителей. В комнатах появилась кое-какая мебель, мечтали о холодильнике. Впрочем, продав даже малую толику украденных у ювелира ценностей, можно было приобрести и холодильник, и красивую одежду, и новую шубку для Ирочки. Но Андрей запретил трогать «золотой запас». Пусть лежит до будущих времен.

Вроде все шло отлично: на работе ценят, дома любят. Но тут Андрей начал болеть. Непонятная хвороба просто точила его. Он стал злым, принялся почем зря колотить Регину и Ирочку. Возражать мужу женщина боялась. При малейшем сопротивлении тот просто зверел.

Трагедия разыгралась в Новый год. С утра у Андрея заболел желудок. Пивоваров налетел на жену с криком: «Отравить хочешь?» Регина, как могла, пыталась утихомирить скандалиста, но супруг разошелся и хорошенько отколотил жену. Досталось бедняге, как никогда. Тихая соседка только присвистнула, увидев заплывшее лицо.

Прикладывая к Регининому глазу тертую картошку, соседка, Вера Андреевна, твердо приказала Пивоварову оставить жену в покое, пообещав в противном случае отправиться в милицию. Андрей присмирел и до ухода Веры Андреевны на работу вел себя нормально, даже извинился перед рыдающей супругой. Дал ей денег и велел купить подарок для дочери.

Регина ушла. Отсутствовала она около часа. Стояла в очереди у ларька фабрики «Красный Октябрь». Там без всяких карточек продавали необыкновенную по тем временам вещь: шоколадного зайца. Домой женщина пришла около одиннадцати. В квартире стояла тишина. Андрей обнаружился на кровати с газетой в руках. Регину поразил довольный, расслабленный взгляд мужа. Таким она видела его только в Минске, когда сожитель возвращался под утро домой после карательной операции. В Москве супруг ни разу не был таким спокойно-умиротворенным, полностью удовлетворенным, почти счастливым.

Удивленная столь разительной переменой в человеке, который несколько часов назад заходился от злобы, Регина робко спросила про Ирочку. «Она в кухне, — улыбнулся муж, — отдыхает». Удивившись еще больше, женщина пошла на кухню.

Потом она не могла вспомнить — сразу упала в обморок или все-таки успела добежать до мертвой девочки. Сколько Регина провалялась на полу — неизвестно. Через какое-то время пришла в себя и доползла до ребенка. Ирочке уже ничем нельзя было помочь. В почти помутившихся мозгах несчастной матери зажегся свет понимания. Вот почему муж такой счастливый. Истинный садист, патологическая личность, он получал необыкновенное удовольствие, мучая и убивая людей. Скорей всего, Андрей уже в Минске стал умалишенным. Но там, в Белоруссии, он имел возможность удовлетворять свои желания. В Москве же впадал в злобу, бил жену, но облегчения не получал. Для душевного комфорта требовался вид крови, крики жертвы, ужас умирающего. Все это он испытал, убивая ребенка, и теперь счастливый лежал на кровати.

Регина потом не раз вспоминала свои последующие действия, и ей казалось, что это не она спокойно встала с пола, не она взяла из-за плиты топор. Женщина как бы раздвоилась: действовала и одновременно наблюдала за собой со стороны. В комнату Регина вошла абсолютно спокойной, держа за спиной колун. Муж мирно спал на кровати. Так же спокойно жена со всего размаха опустила топор на его шею. Всю ненависть, боль и ужас вложила бедняга в удар. Голова отлетела разом. Откуда только взялось у хрупкой женщины столько силы? Бросив топор на пол, она надела пальто, шапку, ботинки и ушла из дома. По каким улицам ходила, куда вело отчаянье? Слез не было. Единственное, что помнилось четко: сидит в чужом подъезде и жадно ест так и не подаренного Ирочке шоколадного зайца. Потом провал, тишина, огромное желание спать и приятное тепло, укутывающее со всех сторон...

Из желанного забытья вывел голос: «Проснись, сейчас же проснись, замерзнешь!» В ту же минуту Регина поняла, что сидит в сугробе, откуда ее вытаскивает мужчина. Незнакомец тряс девушку, спрашивал что-то, но та молчала. Язык словно примерз к губам. Потом снова черный провал в памяти и голос: «Выпей быстро». Она послушно глотает огненную жидкость, потом еще и еще. Глаза открываются. Она сидит раздетая на кровати, в незнакомой комнате, рядом стоит встревоженный спаситель. Тут у Регины внутри что-то лопнуло, слезы хлынули потоком, и одновременно с ними полились слова. Захлебываясь, словно боясь не успеть, женщина принялась рассказывать незнакомцу про Пивоварова, Минск, комендатуру, Ольгу Никишину и Ирочку.

Проговорили всю ночь, а утром Владимир Войцеховский придумал план. Регина написала записку, он отвез ее вещи и листок бумаги на набережную, придавил камнем и позвонил в милицию. Зима в том году выдалась теплая, лед на Москве-реке так и не установился как следует. Еще через пару дней Вольдемар принес купленный на черном рынке паспорт. Фрида Робертовна Капстыньш, по национальности латышка — вот кем стала теперь Регина. Для пущей конспирации вытравили перекисью каштановые волосы, сделали другую прическу, нацепили очки. Потом сыграли свадьбу, поменяли фамилию Капстыньш на Войцеховскую и окончательно замели следы. Приметное родимое пятно приходилось тщательно прятать, но тут Господь послал Петра Львовича, и проблема решилась.

— Вы что, прихватили с собой драгоценности, когда в шоке уходили из дома? — спросила я.

Фрида отрицательно покачала головой. Про «золотой запас» она вспомнила только после свадьбы. Рассказала Вольдемару, и тот предложил проверить, вдруг драгоценности целы. Правда, муж боялся отпускать на старую квартиру жену и хотел пойти туда сам. Но тайник открывался хитро, и Фрида решила рискнуть. Она накрасилась, нацепила темные очки.

Вера Андреевна не узнала бывшую соседку.

Пяти минут хватило, чтобы вытащить клад. Браслет, кулон и кольца Фрида надела на себя, николаевские червонцы и золотой слиток сунула в сумочку. Через несколько месяцев Владимир Сигизмундович нашел ювелира, который распилил слиток на кусочки. Они стали продавать его частями. Купили дом в Подмосковье, мебель, холодильник... Родились сыновья: сначала Степан, потом Петька. Фриде стало казаться, что она на самом деле латышка, потерявшая родственников. Прошлая жизнь исчезла, как сон. Вольдемар был замечательным мужем: нежным и ласковым. Росли отличные дети. Иногда по ночам в голову заползала такая странная мысль: а существовала ли на самом деле Ирочка? Где и кто похоронил ребенка? Но потом, с годами, подобные вопросы перестали терзать Фриду. И много, много лет женщина жила счастливой жизнью, в полной гармонии с собой.

Удобный мир снова рухнул на этот раз в первый день нового года. Фрида была не в ладах с невесткой и удивилась, когда та без стука вошла в ее спальню. Начала было по привычке ругаться, но осеклась, увидав в руках невестки ксерокопию паспорта Ольги Никишиной. Люлю очень спокойно заявила старухе, что нашла документ и знает абсолютно все, но ради семейного спокойствия и благополучия готова молчать. Взамен же требует оставить ее раз и навсегда в покое и перевести дом и счет в банке на ее имя.

Фриде деваться было некуда, Люлю, издевательски улыбаясь, сообщила, что в случае отказа моментально расскажет Степану правду про мать. «Представляю, как он обрадуется, — посмеивалась Лариса, — если узнает о «безупречном» прошлом матушки. Убийца и жена военного преступника — вот кто вы на самом деле». Старуха, тихо радуясь, что мерзкая невестка не разузнала ничего про Минск, согласилась отдать дом и сбережения. И вдруг Люлю умирает. Фриде показалось, что судьба еще раз подкинула ей козырную карту, и она успокоилась. Но тут приехала я и учинила ей настоящий допрос с пристрастием.

— Как вы ухитрились засунуть стрихнин в капсулы, в лекарство, которое принимала Люлю?

— Поверь, это не я. Ларису убил кто-то другой. Не скрою, ее смерть совершенно не огорчила меня. Но я не убийца.

Смешок вырвался из моей груди. Раз начав, трудно остановиться. Фрида покраснела.

— Святая правда. Согласна была отдать мерзавке все за молчание. И потом, как я могла подняться на второй этаж в будуар? Да и не знала я ни о каких капсулах, даже не предполагала, что она принимает лекарство.

Наступило молчание. Из столовой донеслись голоса, звон посуды, счастливый смех Мишеньки.

Вдруг старуха схватила меня за локоть жаркой рукой:

— Дарья, не губи!

Я ничего не ответила. Фрида сжала руку сильней.

— Зачем тебе наш позор? Ну, заберут меня в каталажку, я старая и так скоро помру. Вся грязь на Степку с Петькой выльется. Ты-то что с этого получишь? Сколько лет прошло, трава на могилах выросла. Не губи, Дарья.

— Поклянитесь, что не убивали Лариску!

Старуха медленно подъехала к окну, подняла правую руку:

— Клянусь, пусть расшибет паралич, если вру.

Немного странная клятва, ноги у нее и так не ходят, но я поверила. Значит, не Фрида! Кто же тогда?

Глава 23

Домой приехала только к вечеру, совершенно разбитая. Почему-то болели руки и слегка подташнивало. В холле на столике лежала записка: «Ждали до семи и отправились в лицей. Машка очень обиделась». Боже, совсем забыла! В школе сегодня премьера спектакля, с Марусей в главной роли. Ну что я за мать!

Вдруг из гостиной послышался звук, кто-то включил телевизор. Я пошла в комнату. Никого. Внезапно телик переключился на другой канал. Удивившись донельзя, я двинулась к нему и увидела, что в кресле сидят кошки. Выпрямив спины, они внимательно глядели на экран. Я остолбенела. Вот это да! Кошки сами включают телик, никогда про такое не слышала! Каким образом, интересно? Наверно, неудобно орудовать когтистой лапой, кнопочки на аппарате вон какие маленькие! Внезапно Семирамида пошевелилась, и ОРТ сменилось на НТВ. Я так и подскочила, ну и ну! Семирамида принялась самозабвенно чесать ухо, и каналы замелькали как бешеные. Подойдя к креслу вплотную, я поняла, в чем дело: животные сидели на пульте. Слава богу, а то я уже решила обратиться за советом к психиатру.

Выпив сладкого чая с булочкой, я придумала, как реабилитироваться в глазах Мани. Сейчас половина девятого. Куплю во французской булочной ее любимые пирожные с кремом и поеду в колледж. Представление должно закончиться не раньше десяти. Зал большой, сяду в самом углу и скажу потом, что опоздала всего на десять минут. Надо только одеться поприличней. В прошлый раз родительницы в мехах и брильянтах смотрели на меня, одетую в куртку, словно на вошь. Поколебавшись, вытащила из чехла серебристую норковую шубку, кожаную шляпку с полями и сапоги на высоком каблуке.

В булочной изумительно пахло. Пирожные здесь всегда еще теплые и кофе восхитительный. Ничего не случится, если посижу минут десять. Почти все столики оказались заняты, и мне достался самый неудобный — за колоннами, возле кухни. Нежный заварной крем наполнил рот, и глаза невольно зажмурились от восторга. Но уши остались открытыми, и в них влез удивительно знакомый голос.

— Не нервничай. Скоро все изменится.

Чуть-чуть повернув голову вправо, я увидела в пространстве между колоннами другой столик, а за ним... Полину и какого-то мужчину.

— Легко тебе говорить, Марина, — отозвался кавалер.

Я опустила поля шляпки пониже и пригляделась повнимательней. Надо же, Марина, а как похожа на Полину.

— Недолго осталось, уже почти везде посмотрела, — сказала женщина, — не попала только к Фриде в комнату и в спальню к Степану. Ну, со старухой все просто. Завтра скажу, что на Южном рынке распродажа мулине, она туда и укатит.

От неожиданности я чуть не выпала из-за столика. Значит, все-таки Полина.

— Слышь, Рина, — сказал кавалер, — навряд ли это у старухи, скорей всего Степка припрятал. Будь внимательна. Дом большой, полно потайных мест. В гостиной везде посмотрела? И куда они ее дели, сволочи?

— Не нервничай, — улыбнулась Полина.

— Как справляешься с собаками? — поинтересовался мужик. — Ты там поосторожней, а то живо сообразят, что к чему.

— Пока Господь миловал, ничего серьезного. Вчера, правда, соседка приволокла лысого кота, но Степан сам его осмотрел. Вот идиот. Держит лысика в руках и сообщает бабке: «У него экзема». А потом ко мне: «Твое мнение?» Я так нахмурилась и говорю: «Кажется, экзема». Ну и пронесло.

Кавалер рассмеялся:

— Умница! Только ищи хорошенько, все прочеши.

— Ладно, ладно, — отмахнулась дама, — нечего меня учить, лучше пирожных еще купи, тех, с вишнями.

Мужчина послушно встал и двинулся к кассе. Я низко склонилась над сумочкой, делая вид, что ищу помаду, потом бросила быстрый взгляд на его лицо. Не может быть! Наверное, обозналась! Но зрение у меня стопроцентное, как у горного орла, просто не могла поверить собственным глазам. Пирожные для Полины покупал сейчас Кирилл, муж Дианы. Возвращаясь к своему столику, он прошел мимо меня, и я еще раз убедилась в этом. Хорошо, что вырядилась в шубку и шляпу, ни за что ему меня не узнать. Привык видеть в куртке и джинсах.

Сладкая парочка пошепталась еще немного и двинулась к выходу. Прикрываясь коробкой, я поковыляла за ними. Проклятые каблуки то и дело подворачивались, полы шубки путались между ногами.

Заговорщики сели в Полинину машину и покатили в сторону Садового кольца. Швырнув коробку с пирожными на заднее сиденье, поехала следом за ними. «Жигули» затормозили в Большом Козловском переулке у дома 7, где внизу располагался продовольственный магазин. В столь поздний час почти все окна в этом небольшом доме были темные. Кирилл с дамой нырнули в подъезд, и через пару минут в окнах квартиры на втором этаже вспыхнул свет.

Я поглядела на часы, вскочила в «Пежо» и понеслась в колледж. На стоянке яблоку негде было упасть. Пришлось втискиваться задом между «БМВ» и «Вольво». Ненавижу парковаться задним ходом и, честно говоря, не умею. В спешке глазомер изменил, «Пежо» взбрыкнул. Выбравшись из машины, обнаружила, что разбила фару соседнему «Вольво». Мучимая раскаянием, написала записку: «Уважаемый хозяин «Вольво»! Случайно повредила ваш автомобиль. Прошу извинения, убыток возмещу». Так, теперь номер телефона, подпись, и бегом в зал. Успела как раз вовремя. Гремели аплодисменты, артисты раскланивались. Я подошла к сцене. Увидев меня, Маруська расплылась в улыбке и спрыгнула со сцены:

— Мамочка, пришла все-таки!

— Конечно, детка. Разве могла я забыть о премьере. Очень понравилось, ты была просто неподражаема!

— А почему не заглянула ко мне за кулисы в антракте?

— Солнышко, ездила в кондитерскую за твоими любимыми пирожными, чтобы отпраздновать успех.

— Купила корзиночки с белым кремом?

Я кивнула. Маня издала воинственный клич и кинулась переодеваться. Поболтав с учителями и услышав, что лучше моего ребенка никого нет, я пошла в гардероб.

Первые два класса Маня училась в обычной средней школе. Учительница Раиса Ивановна, невзрачная особа лет шестидесяти, постоянно носившая какие-то бесформенные вязаные кофты, считала дочь слишком непоседливой, болтливой и неаккуратной. Вечно ворчала, что пишет Маня медленно и не всегда быстро соображает. Каждый раз при виде меня лицо «Песталоцци» искажала гримаса. Видя, что другие матери постоянно таскают презенты, я купила Раисе Ивановне небольшой флакон «Красной Москвы». Преподавательница недовольно поджала губы, сунула небрежно коробочку в стол и поставила Маруське одни тройки. Бедный ребенок плакал по утрам и боялся идти в школу. Уж не знаю, чем бы все закончилось, но тут мы уехали во Францию, и два года Машка проучилась в Париже. Вернувшись в Москву, я сразу устроила ее в дорогой колледж. Самым чудесным образом недостатки девочки превратились в достоинства. Непоседливая, говорливая, медленно пишущая? Нет. Живая, с хорошей речью, основательно осваивающая материал, старательная. Никаких презентов в колледже не брали, только ежемесячную плату в твердой валюте. Хвалили безостановочно, ставили одни пятерки. Теперь Маруська рыдает, если не может пойти на занятия, а учителей называет «пусиками».

Толпа схлынула, я увидела Зайку. Невестка помахала рукой.

— Аркашка пошел одеваться.

Мы спустились вниз. У гардероба стоял сын, держа наши шубы. Пока Машка зашнуровывала ботинки и надевала дубленку, прошло, наверное, полчаса. Наконец пошли на стоянку. Кешка резво ускакал вперед, мы медленно плелись сзади.

— Мать, — раздался негодующий голос сына. Аркашка быстрым шагом шел нам навстречу, держа в руках листок. — Мать, что за ерунда?

Это была моя записка, оставленная на ветровом стекле «Вольво».

— Парковала машину задом и разбила человеку фару. Неудобно, нужно заплатить. Зачем ты взял записку?

Кеша ничего не ответил, сунул бумажку в карман, потом подошел к пострадавшей машине и молча сел за руль. Хихикающая Зайка уселась рядом. Я осталась с разинутым ртом. Ну надо же быть такой идиоткой! Мало того, что кокнула сыну фару, так еще и не узнала машину. Вообще о моей рассеянности ходят дома легенды. Ольга не может забыть, как я торжественно подарила ей 13 октября прелестную фигурку кролика.

— Какая миленькая, — восхитилась невестка. — Спасибо.

— Не за что, дорогая, — проворковала я, — с днем рождения.

Зайка вздохнула. Она родилась 13 ноября, и я это превосходно знала. Но лишний подарок ерунда. Хуже обстоит дело с лекарствами. Если выпить по ошибке двойную дозу, оно непременно навредит. Приняв в восемь вечера таблетки, я начинаю в девять мучиться: приняла или не приняла? Потом стала глотать пилюли и вычеркивала дни в календаре. И опять начались сомнения: забыла вычеркнуть или не съела положенного? Выздоровела я, наверное, в конце концов от злости.

А вязание? Как-то раз, в Париже, я тихонечко сидела в столовой и вязала. София внесла супницу, и в этот момент в дверь позвонили. Пришли близкие друзья. Их, естественно, позвали к столу. Когда все наконец уселись и Зайка подняла крышку супницы, то обнаружила там плавающий в курином бульоне клубок. Дети потом долго требовали ответа: зачем сунула недовязанный шарфик в суп?

Полная раскаяния, я поехала домой. Нечего и говорить, что «Пежо» безнадежно отстал от «Вольво». Сынок несется как угорелый, придерживая руль только большими пальцами. Я сижу, вцепившись в баранку, и ползу как черепаха.

Ночью, около двух часов, проснулась и пошла покурить возле открытой форточки. Какая версия лопнула! Абсолютно была уверена в виновности Фриды. И как все здорово складывалось: Лариска узнаёт правду про свекровь и начинает шантажировать старуху, требуя, чтобы та оставила ее в покое. Старуха из страха перед невесткой решает отравить Люлю. Идет на второй этаж и, пока невестка возится в питомнике, начиняет капсулы стрихнином. Дождавшись, пока Люлю примет лекарство, вновь заходит в будуар и выбрасывает оставшиеся таблетки, чтобы не оставить следов. Просто замечательная версия, есть только один, совершенно пустяковый, изъян: Фрида никак не могла подняться на второй этаж, а Лариска, опасаясь, как бы домашние снова не стали потешаться над ее попытками похудеть, прятала волшебное средство именно в будуаре. И еще одна странная вещь: в паспорт Ольги Никишиной вклеена фотография молодой Фриды. На том снимке ей от силы 16 лет. Они что, с Пивоваровым переклеили фото? Или это не Фрида? Я вытащила из секретера паспорт и принялась разглядывать изображение. Всегда удивлялась, как милиционеры могут идентифицировать личность по паспорту. Я, например, в паспорте жгучая брюнетка. Ладно, займусь пока Раздоровым.

Утром позвонила Ване Буромскому. Мы с ним учились в одной группе в институте. Только Ваньке быстро наскучило сеять разумное, доброе, вечное, и он ушел работать на телевидение.

— Ванюша, — попросила я, — выпиши пропуск, очень надо.

Около двух прибыла в «Останкино». Ванюшка

не подвел, в окошечке сразу выдали заповедную бумажку, и я вошла в здание.

Как найти на огромном предприятии человека, если не знаешь, в каком отделе он работает? Очень просто — отправиться в бухгалтерию. Ведь именно там выписывают зарплату, гонорары, и именно там есть компьютер. А в компьютере миленький файл с информацией.

Проплутав по этажам, я наконец добралась до финансового отдела. В большой комнате сидело штук двадцать женщин разного возраста. Робко подойдя к одной из них, толстой, сонной девице, я заявила: «Девушка, я из передачи «Здоровье».

Девица оторвалась от какой-то бумажной простыни с цифрами и равнодушно заявила:

— Гонорары выдаем с 17-го числа.

Я принялась изо всех сил улыбаться:

— Я по другому вопросу.

— С бюллетенями в 301-ю комнату, — тут же выпалила девица, не поднимая головы от расчетов.

— Нет-нет. Помогите отыскать Ивана Раздорова. Мы сидели в буфете, он взял у меня кое-какие материалы и до сих пор не возвратил, а в какой редакции работает — не знаю.

Толстуха недовольно фыркнула:

— Вы чего хотите, чтобы я бегала по этажам и вопила: «Раздоров, где ты?»

— Конечно, нет! Но, может быть, вы посмотрите ведомости на зарплату.

Бухгалтерша обозлилась:

— Умная какая! Ведомости по редакциям! Знаешь, их сколько? На каком канале он снимает?

Этого я как раз не знала. Девушка подперла жирной рукой складчатый подбородок и заявила:

— Повесь объявление на первом этаже и отстань. Просто сумасшедший дом какой-то, работать не дают.

Тут дверь распахнулась, и в комнату, ослепительно улыбаясь, вошел Леонид Якубович. В жизни он оказался еще лучше, чем на экране: стройный, ясноглазый и пышноусатый. Представляю, что началось бы в любой другой бухгалтерии при появлении всенародного любимца. Здесь же никто и бровью не повел. Не переставая улыбаться, Якубович подошел к толстой девице и вытащил коробочку.

— К чаю, Катюша.

— Уберите конфеты, у меня скоро диатез начнется, — отреагировала Катюша, ее соседка поддакнула:

— Верно. Все сладкое тащат; нет чтобы баночку кофе принести.

— Девочки, будут вам и чай и кофе, — заверил Леонид, — а сейчас будьте душеньками.

— Гонорары с 17-го числа, — отрезала толстая.

— Ну, девулечки, красотулечки! А я вам билетики на передачу.

— Если везде, куда зовут, ходить станем, умрем от истощения, — парировала Катюша, — идите к начальнику. Прикажет — выдам, я человек подневольный.

Не гася улыбки, шоумен быстрым шагом двинулся в другой конец комнаты. Толстуха грозно глянула в мою сторону:

— Чего ждешь, иди своей дорогой!

— Ладно, ладно. Боюсь только, как бы Ваня Раздоров не съел таблетки для похудения.

Толстуха заинтересованно обратила свой взор на мою личность.

— Что за таблетки?

— В передачу «Здоровье» принесли для рекламы несколько пузырьков супернового средства для похудения. Я вот весила три недели тому назад семьдесят пять килограммов, а сейчас пятьдесят. И при этом ела сладкое, жирное, острое.

Катюша разинула рот:

— И где же это лекарство?

— В том-то и дело. Пили кофе с мужиком в буфете, он пузырек взял посмотреть, кто-то отвлек, и все. Унес, боюсь, пить начнет, исхудает до смерти.

Толстуха взяла мышку:

— Говоришь, Раздоров Иван? Перед Новым годом выписывали премии, сейчас посмотрю.

На экране заметались фамилии.

— Вот, — удовлетворенно пробормотала бухгалтерша. — Иван Николаевич, ассистент режиссера. Слышь, когда найдешь, принеси попробовать.

Я кивнула и пошла искать редакцию «Твои друзья».

— Погоди, — услышала за спиной и обернулась. Толстая Катя заискивающе улыбалась из-за компьютера. — Хочешь, гонорарные выдам сегодня?

«Твои друзья» расположились на двенадцатом этаже. Возле лифтов клубилась толпа. Наконец я влезла в кабинку. В углу примостилась прехорошенькая девушка, держа в руках гору коробок с пленками. Круглые и страшно неудобные, они все время норовили выскользнуть. На верхней катался карандаш. Бедняжка старалась удержать всю конструкцию при помощи подбородка, но тут лифт дернулся, и пирамида с железным клацаньем рухнула на пол, под ноги ехавшим. Никто даже не пошевелился. Люди входили и выходили на разных этажах, девушка пыталась собрать коробки. Я принялась ей помогать, и на двенадцатом мы вышли вместе.

— Спасибо, — отдуваясь, проговорила попутчица, — хоть вы не из телевизионщиков оказались.

— Почему ты так решила?

— Помогали потому что.

— А что, тут никто никому не помогает? — удивилась я.

— Здесь болото с крокодилами, чуть зазеваешься, ногу откусят, — пояснила девушка, пристраивая коробки на полу возле одной из дверей. — Хотите сигаретку?

Я не отказалась, и через секунду ароматный дым поплыл по небольшой комнате.

— Подскажите, — попросила я, — где «Твои друзья»?

— Соседняя дверь, — сообщила девчонка, — хотите в съемках поучаствовать? Тогда поспешите в студию, они сейчас начнут.

Студия представляла собой не очень большую комнату, в которой стояла зверская жара от ярко горевших ламп. Немногочисленные зрители сидели в зеленых креслах перед пустым пространством. Вскоре появился парень в грязных джинсах.

— Всем привет. Я ассистент режиссера Ваня Раздоров. Во время съемки внимательно слушайте и смотрите на мои руки. Поднимаю левую — все улыбаются, правую — начинаете хлопать. Выплюньте жвачки, убедительная просьба в процессе записи не курить, не жевать, не зевать. Также не следует сморкаться, ковырять в носу, крутить волосы, чихать и кашлять. Сделайте радостные лица, всем весело. А сейчас за работу. Раньше начнем — раньше закончим. Сначала несколько минут хлопаем, запишем аплодисменты, затем хохочем. Поехали!

Публика исправно захлопала, потом заржала. В конце концов на середину комнаты выскочил фальшиво оживленный ведущий и заорал: «Добрый вечер. Вас приветствует передача «Твои друзья».

— Стоп, — завопил режиссер, мужик лет пятидесяти, тоже в грязных джинсах, — стоп, какой идиот велел ему надеть фиолетовую жилетку?

— Сам надел, — возмутился ведущий, — фиолетовый освежает.

— Скажите, какой самостоятельный, — фыркнул режиссер и громовым голосом приказал: — Принесите розовую.

— Ни за что! В розовом выгляжу педиком!

— На самом деле ты кто?

Они попрепирались еще немного. И запись понеслась снова. Останавливались почти все время, ругались. Изредка участники забывали текст. Через три часа двадцатиминутное шоу было готово. Я вывалилась вместе со всеми в коридор, чувствуя, как прохладный ветерок гуляет по вспотевшей спине. Ну и ну, а как красиво все на экране выглядит. Из студии выскочил Раздоров, я побежала за ним. Ваня влетел в одну из комнат, шлепнул на стол пару папок и устало сказал:

— Кретины!

В этот момент из другой комнаты заорали:

— Ванька!

Раздоров пошел в соседнее помещение, и через открытую дверь я услышала такой разговор:

— Сейчас же привези заказанное!

— Но, Геннадий Сергеевич, — заныл ассистент, — вы же знаете, тачка сломалась. Пошлите Жирного.

— Он уехал за книгами. Давай действуй, возьми такси.

— Ничего себе, такси! Это до Новых Черемушек сколько будет! Я столько не зарабатываю.

— Ладно, ладно, не прибедняйся. Ноги в руки, и вперед.

Раздоров вышел в коридор и с унылым видом поплелся к лифтам. Я нежно окликнула его:

— Ванечка!

Парень обернулся.

— Вы мне?

— Тебе, ангел, в Новые Черемушки ехать? Хочешь подвезу туда и назад?

— За сколько?

— Просто так, по знакомству.

Раздоров обрадовался несказанно. Пока он собирался, я оглядывала потертую дубленую курточку, стоптанные ботинки, поношенные джинсы. На руке — часы «Командирские», одноразовая зажигалка и сигареты «Bond». Не похоже, что у мужика водятся деньги. Хотя в Париже именно настоящие богачи ходят в старых куртках и простых брюках. В Москве все по-другому. Если есть деньги, надо вдеть в нос золотое кольцо, а в зуб воткнуть брильянт.

— Не помню, где мы познакомились, — спросил Иван, когда «Пежо» двинулся.

— В гостях у Люды Кочкиной. Вы тогда с Раей Лисицыной пришли.

— Люда Кочкина, — пробормотал Раздоров, — не припоминаю такую.

Еще бы, ведь я ее только что выдумала.

— Хотя у Райки знакомых, — продолжал Ваня, — чертова куча.

— Красивая девушка. Фигура, лицо, все в ажуре.

— Характером только Господь обидел, —

вздохнул парень, — и ума забыл положить, к тому
же выпить она не дура.

— Надо же, — притворно посочувствовала
я, — тяжело вам с ней.

— Уже нет, — хохотнул ассистент.

— Почему?

— Я, как колобок, укатился от нее. Врунья
оказалась жуткая.Представляете, все баки зали-
вала, что у Гарика Рахимова в ансамбле пляшет.
А тут выясняется: никакая она не балерина, а
стриптизерка дешевая. Ну, облом! С проститутками дела не имею. СПИДа боюсь.

— Кто бы мог подумать, — гнула я свое, —
такая приличная с виду девушка, красавица. Наверное, приятно с такой на людях показываться,
все мужики завидуют.

— Пройденный этап, — отмахнулся Ванька. —
Первое время и правда доволен был. Вечером
идем куда-нибудь, парни слюни пускают. Потом
надоело. Ну скажите, сколько можно по кабакам
и гостям шляться? Мне через две недели опроти-
вело. Работа, сами знаете, нервная, приползу
домой — одно желание ножки вытянуть, и даже
телевизора не надо. Сколько раз предлагал: давай
кассету посмотрим. Такие прикольные есть.
«Годзилла» или «Армагеддон». Нет, только на
пляски. Я прям балдел. Кругом свет, орут, как на
телевидении. Еще и пить надо.

Парень помялся и доверительно сообщил:

— Алкоголь совершенно не переношу, в ар-
мии печень посадил, теперь даже от запаха водки
тошнит.

Мы катили по Профсоюзной улице, когда
Раздоров вдруг попросил:

— Тормозните на минутку, домой заскочу.

Он вышел возле небольшого кирпичного дома.

Да, не похож паренек на шантажиста: простоват, глуповат и болтлив. А может, притворяется?

— Вы разве здесь живете? — спросила я. — Помнится, Рая называла какую-то другую улицу. Не то Летняя, не то Осенняя.

— Весенняя, — сказал Иван, — там Раискина квартира, а я тут, с мамой.

Через десять минут мы добрались до цели — кондитерско-булочного комбината, — и попутчик надолго исчез. Я буквально извелась от скуки: читала газету, слушала радио, протирала стекла. Наконец парень вышел из проходной с гигантской коробкой.

— В передаче приз вручаем, на заказ делают, — пояснил он, отдуваясь.

Огромная коробка с трудом влезла в багажник. Поехали обратно.

— Значит, живете на Профсоюзной, — стала я подбираться к самой интересной теме, — тогда все понятно.

Рискну, не похож парень на шантажиста.

— Что понятно? — изумился Ваня.

— Совсем недавно была вечером у друзей, на Сиреневом бульваре. И показалось, что видела, как вы выходили из телефонной будки с дамской сумочкой в руках. Значит — все-таки не вы. Но мужчина очень, просто очень похож на вас, прямо двойник.

— А, — засмеялся Ваня, — было такое дело. Приезжаю к Райке, только думал чайку попить, отдохнуть, она и говорит: Ванечка, котик! Съезди на Сиреневый, я там в телефонной будке сумку забыла с косметикой!

Сначала ассистент подумал, что сожительница издевается. Потом резонно заметил, что ехать бесполезно. Скорей всего сумочку уже уперли. Но Рая настаивала. Более того, оказалось, что она была у подруги, и эта самая подруга теперь смотрит в окно за будкой.

— Пусть она и сходит! — справедливо заметил Ваня.

Рая горестно вздохнула и сообщила, что товарка сломала на репетиции ногу и теперь не может спуститься без лифта с третьего этажа. Проклиная всю косметику на свете, Раздоров взял Райкину машину и отправился. К его изумлению, сумочка как ни в чем не бывало мирно покачивалась на крючке. Иван взял ее и сел в «Жигули», но двинуться с места не смог.

— Какая-то мерзопакость запихнула картошку в выхлопную трубу, — продолжал он, — еле-еле выковырял.

— А в сумочку не заглядывал? — поинтересовалась я.

— Зачем? Чего не видел? Прокладки да косметика! Вообще, не страдаю любопытством.

Вот и плохо, Ванюша. Открыл бы сумочку и удивился, какая замечательная губная помада у твоей мадамы. Значит, все концы сходятся в пучках у милейшей Раи.

— Небось разозлился, когда картошку вытаскивал!

— Не без того, — хмыкнул ассистент. — Думал, увижу гада, убью. А с другой стороны хорошо, что так разозлился.

— Почему?

— Умом-то понимал, что Раису давно послать надо, да все никак не получалось. А тут приехал назад с сумкой дурацкой, грязный весь, хотел ванну принять, а там везде крышечки от йогурта Данон вымытые разложены. Райка как заорет: «Не трогай их!» Я плюнул, и все: прошла любовь, завяли помидоры.

— Господи, крышечки от йогуртов зачем мыть?

Иван захихикал:

— Райка-то дитя природы. Знаете, о чем мечтает? Выиграть в каком-нибудь конкурсе. То обертки от сигарет «Петр I» собирала, там обещали автомобиль. Потом крышечки от пепси-колы и спрайта коллекционировала — велосипед ждала. Теперь отсылает фольгу от йогуртов в фирму «Данон», позарилась на бытовую технику: утюги, тостеры, вафельницы.

— У нее что, утюга нет?

— Есть, конечно. Только очень хочет приз выиграть. Дура, и все.

Да, тяжела работа частного детектива. Дома я оказалась вечером усталая, голодная, злая.

На следующее утро позвонила Женьке на работу и минут десять выслушивала восторженный отчет о поведении собак. Лиззи съела накидку на кресле, а Карлотта спит только в детской кровати. И они такие миленькие, душеньки, симпатюшеньки, кушают яйца только с рынка, от магазинных нос воротят.

— Женечка, — попыталась я прервать вдохновенный панигирик собакам, — скажи, вот, к примеру, есть две фотокарточки. Одна лет в 16—17, другая — старушки. Можно доказать, что на них запечатлено одно и то же лицо?

— В принципе, да, — ответил Женька, — а что?

Я пообещала приехать к нему на работу и на месте все объяснить.

— Только не с утра, — закричал приятель, — можешь к шести?

Вот и ладно. Пока познакомлюсь поближе с Раей Лисицыной. Телефон гудел и гудел, наверное, танцовщицы нет дома; уже хотела повесить трубку, как вдруг услышала сонный голос:

— Алло!

— Госпожа Лисицына? Вас беспокоят из представительства фирмы «Данон».

Рая сдавленно ахнула.

— Вы выиграли один из призов. Сообщите, когда сегодня будете дома, чтобы наш сотрудник мог вручить его вам.

— До пяти вечера никуда не выйду, — захлебываясь от восторга, сообщила счастливица, — приезжайте.

Ну и дура! Где это видано, чтобы сотрудники сами развозили подарки!

В ближайшем магазине «Свет» купила электрочайник. В продовольственном набрала рекламных листков «Данон» и с помощью скотча наклеила на коробку. Чудесный приз, мечта идиотки.

Рая открыла сразу, словно сидела у двери, ожидая звонка. Я заулыбалась, внося коробку. Девушка, глядя во все глаза, как я снимаю куртку, не проронила ни слова. Кондрашка, что ли, от радости хватил?

— Где кухня? — бесцеремонно осведомилась я. — Нужно проверить, как работает приз. Вскипятить воду.

Очнувшись, стриптизерка провела меня по коридору. Вот уж не думала, что в подобной квартире такая большая кухня. Почти пятнадцатиметровое помещение до отказа оказалось забито вещами. На стене навешаны умопомрачительные ярко-красные шкафы. На подоконнике, столе, разделочных столиках и вообще на всем свободном пространстве висели, лежали, стояли разнообразные вещички красного цвета всех оттенков. Губки, щетки, кастрюльки, чашки, клеенка, салфетки, сахарница, солонка — все в одной гамме: от просто красного до пурпурно-огненного.

В глазах зарябило, к виску стала потихоньку подкрадываться головная боль. Как можно существовать в подобном интерьере! Не зря бедный Раздоров удрал от красавицы. Хотя сейчас Рая вовсе не показалась мне ослепительно прекрасной. Бледная, глаза с ненакрашенными ресницами смахивают на поросячьи, брови белесые. Нос тонкий и слегка длинноватый для кругло-кукольного личика, на шее уже обозначились морщинки. Никаких признаков радости у нее на лице я не заметила.

Торжественно распаковав коробку, вытащила хорошенький беленький чайничек и торжественно установила его на подставке. Надо сказать, он смотрелся на «пожарной» кухне инородным предметом. Но работал прекрасно, вскипятил воду за считанные минуты. Вылив кипяток и снова наполнив чайник, я вздохнула.

— Кажется, вам не очень нравится приз. Может, предпочитаете утюг или миксер? Могу попросить на фирме замену.

— Нет-нет, — слабо запротестовала Лисицына, распространяя сильный запах перегара, — замечательная вещь.

— Извините, но я обязана заполнить небольшую анкету.

Раиса послушно сообщила имя, фамилию, год рождения и место работы — ансамбль Гарика Рахимова. В душу закралось сомнение: может, девушка вовсе не жаждала никакого приза? Поглядев на вскипевший чайник, я пробормотала:

— Пить хочется!

Но чаю мне не предложили. Хозяйка налила стакан минеральной воды, я пила его, наверное, минут пять. Однако «Vera» не чай, к доверительным разговорам не располагает.

— Милая у вас кухня... — попыталась я завязать разговор.

— Нормальная, — согласилась хозяйка. И

спросила: — Ничего больше не требуется? Подписать где-нибудь? Тогда простите, очень спешу на работу.

Вот те на! А ведь только что говорила, что до пяти будет дома. Я ничего не узнала! Нет, надо придумать предлог, чтобы еще раз здесь побывать. Принесу бутылку хорошего виски; глядишь, разговорю хозяйку. В этот момент зазвонил телефон. Рая сняла трубку.

— Алло, хорошо, жду.

Она еще больше побледнела и стала кусать в волнении губы. Я начала шумно прощаться, Лисицына вежливо, но настойчиво теснила меня к двери и наконец буквально вытолкала на лестничную клетку.

Ну, погоди, красавица. Посмотрю, кого ты с таким нетерпением ждешь, и вернусь в квартиру. Когда Раиса-стриптизерка отвернулась к телефону, я незаметно бросила под стол свою телефонную книжку. Скажу, что забыла.

Я открыла дверь, за которой прятался мусоропровод, и пристроилась на подоконнике, поглядывая в окно. То и дело подъезжали машины, люди входили и выходили из дому, лифты ездили без остановки. Наконец кабина затормозила на седьмом этаже. Я осторожно приоткрыла дверь и выглянула в щелочку. В квартиру Лисицыной звонил мужчина. Лица не видно. Длинная коричневая дубленка, меховая шапка, перчатки. Дверь беззвучно распахнулась, мужик шагнул внутрь. Так, торопиться некуда, подожду еще. Назад-то он выйдет, тогда и увижу лицо. Но мужик не спешил. Минуты текли, а из-за тяжелой металлической двери не доносилось ни звука. Стало темнеть. Наконец щелкнул замок. Мужик направился к лифту. Шапка натянута по самые брови, глаза скрыты темными очками, вдобавок огромная ло-

патообразная борода смоляного цвета. Чучело го-
роховое, а не парень! Лица совершенно не видно,
будто его и нет. А на площадке, будто назло, из
трех ламп дневного света горит только одна. Может, к Лисицыной ходят клиенты на дом? И этот
замаскировался, чтобы его не узнали?

Ладно, пойду опять к стриптизерке. Но сначала надо спуститься на первый этаж в супермар-
кет. Магазин оказался дорогой и пустынный.
Взяв бутылочку виски «Белая лошадь» и тоник, я
снова отправилась к Раисе. Но дверь никто не открыл. Неужели ушла? Я жала и жала на кнопку,
звонок соловьем заливался. Безрезультатно. Вот
черт, придется приезжать завтра, от злости пнула
дверь ногой. Металлическая створка начала медленно приоткрываться. Вот это удача! Хозяйка
унеслась, в спешке не заперев квартиру. Бывает,
по себе знаю. Ага, и замок такой, что сам не за-
хлопывается.

— Рая, — крикнула я, — Рая!

В ответ — тишина. Я закрыла дверь, зажгла
свет. Попыталась рассуждать логически. По телефону девушка заявила, что до пяти никуда не
уйдет, сейчас полшестого. Скорей всего умелась
в «Бабочку». Приняла дома левого клиента, увидела, что опаздывает, заторопилась и не заперла
дверь. Думаю, несколько часов у меня есть. По-
хожу, погляжу, вдруг найду магнитофонные записи или еще какие-нибудь улики.

Бутылку «Белой лошади» и тоник поставила
на столик у зеркала. Комнат оказалось три. Первая — спальня. Просто домик Барби, мечта деся-
тилетней девочки. Огромная круглая кровать под
розовым балдахином завалена подушками, мяг-
кими игрушками и пледами. Большой зеркаль-
ный шкаф до отказа был набит всевозможными
шмотками — платья, блузки, брюки, пуловеры.

В ящиках горы белья и косметики. Вытащила нечто непонятное, напоминающее трусики, но без задней части. В тумбочке обнаружилась книжка «Что ждет после смерти», пачка бумажных носовых платков и крем для рук.

Вторая комната явно гостиная. Кожаный диван, два кресла, новомодный телевизор, торшер. На полу ослепительно белый ковер.

Третье помещение косило под кабинет. Этакий будуарно-офисный стиль. Крохотный письменный стол на золоченых ножках, парчовый диванчик, маленькие, страшно неудобные, вычурные креслица. Если не ошибаюсь, в мебельных магазинах подобная красота проходит под названием «Людовик XIV». Хотя сам король скорее всего окаменел бы от ужаса, увидев нечто подобное.

Ящички совершенно нелепого письменного столика оказались практически пустыми, если не считать книжек по оплате квартиры. Только я собралась пойти в ванную, как в полной тишине резко и громко зазвонил телефон. Забыв, что не дома, машинально схватила трубку:

— Алло!

— Райка, ты? — с сомнением спросил звонивший.

— Ага, — прохрипела я, нарочно изменив голос.

— Почему не пришла?

Я молчала, раздумывая, что ответить, но на том конце провода уже решили все за меня.

— Фу, опять напилась. — Трубку повесили, и раздались гудки.

Следовало поторопиться, но пока ничего интересного я не нашла, никаких кассет, а магнитофона в доме, похоже, вообще не было. Заглянула в туалет, подняла крышку сливного бачка.

«Rien», — как говорят французы, а по-нашему «ничего». Унитаз сиял белизной, дернула за рычажок, потекла голубая вода. Надо же, и до Москвы добрались красящие таблетки. Просто полный разврат. А ведь не так давно за туалетной бумагой давились. Хорошо помню, как носила на шее гигантские связки рулонов.

Дальше по коридору шла ванная. Я вошла, вдохнув влажный, слегка спертый воздух, и зажгла свет. Полочка над умывальником буквально прогибалась от флаконов. Чего тут только не было. Сама чаша ванны была задернута пластиковой занавеской. На обогревателе висели полотенца, на крючке прехорошенький голубенький махровый халатик. Отдернула занавеску.

Ванна была наполнена водой с густой мыльной пеной. На поверхности колыхалась непонятная масса, напоминавшая кудри блондинки. Через секунду я поняла, что это и правда волосы, под тающей пеной угадывались очертания женского тела. Подвернутая рука, в другом конце — нога. Рая Лисицына, читавшая на ночь «Что ждет после смерти», теперь знала точный ответ на этот вопрос.

На какой-то момент прямо-таки оцепенела, но тут же спохватилась, заметалась по квартире с полотенцем, лихорадочно протирая все, чего касались руки: мебель, выключатели, компьютеры, дверная ручка... Телефон зазвонил снова, но я не рискнула взять трубку. Так, вроде навела порядок. Осторожно приоткрыв дверь, выглянула на лестничную клетку. Никого! Чуть ли не на цыпочках подошла к лифту, но передумала и пешком спустилась по лестнице.

В безопасности почувствовала себя только дома, загнав «Пежо» в гараж. На ужин кухарка приготовила картофельную запеканку с грибами —

любимое блюдо детей. Глядя, как Маня и Аркадий наперегонки опустошают тарелки, немного оттаяла. Но тут страшная мысль пришла в голову. Я видела преступника, знаю, кто убил Раису. Тот странный мужчина в длинной дубленке. Он пришел после меня, пробыл в квартире довольно долго, а потом я нашла девушку мертвой. Что же теперь делать?

— Мамуля, — заорала Маня, — дядя Женя звонит.

Женя недовольным голосом сообщил, что ждал меня на работе почти до восьми, если не надо, то...

— Женечка, прости, не успела. Скажи лучше, снимают опечатки пальцев у жильцов квартиры, где произошло убийство?

— Как правило, да, — ответил осторожный, привыкший во всем сомневаться эксперт.

— Допустим, нашли отпечатки, а их нет в картотеке, ну, не привлекался ни разу оставивший их, тогда что?

Женька хмыкнул:

— Тогда ничего, не с чем сравнивать. У всех, кто проходит по делу, берут отпечатки и потом смотрят. А ты что, криминалистику изучать решила?

— Да нет, просто так. Завтра непременно приеду.

— Ладно, а сейчас дай телефон Войцеховских, хочу насчет Лиззи посоветоваться. Ест одни крабовые палочки! Хотелось бы знать, это не вредно?

Очень плохо запоминаю цифры. Пообещав перезвонить через несколько минут, принялась искать записную книжку. Так, куда же она запропастилась! Вытряхнула содержимое сумки, но и там ее не оказалось. Неужели потеряла... маленькая, плоская, электронная — подарок Мани на прошлый Новый год. Где же я ее оставила? И тут волна ужаса понеслась от затылка вниз по спине. Боже, книжка лежит себе преспокойненько под столом на кухне у несчастной Раи Лисицыной.

Глава 24

Утро не принесло облегчения. Еле-еле дождавшись, пока Маня отправится в колледж, а Кеша с Зайкой в институты, я вскочила в «Пежо» и покатила на Весеннюю. Вчера, на мое счастье, лифтерша отсутствовала. Сегодня бдительно спросила:

— Вы к кому?

— Я из поликлиники, в 52-ю квартиру.

Консьержка задремала. Из соображений конспирации я доехала до пятого этажа, а дальше потопала пешком. На седьмом тишина. Потянула дверь, она легко подалась. Слабый утренний свет едва освещал коридор. И тут в дверь позвонили. Положение становилось катастрофическим. Быстрее молнии юркнула в спальню и залезла в шкаф. Авось позвонят, позвонят и уйдут. Напрасно надеялась. Скрипнули петли, кто-то вошел в квартиру и шепотом спросил:

— Рая, ты где?

Так, сейчас незнакомка обнаружит труп, заорет дурным голосом, примчатся соседи, вызовут милицию, а я в шкафу. Никакой полковник не отмажет. Сколько там по 102-й положено?

Но женщина, стараясь не шуметь, бродила по квартире. Вошла в спальню, и я услышала пиканье: она набирала номер на мобильном телефоне.

— Уверен, что в квартире? — спросила женщина и сообщила: — Я сейчас в спальне.

И опять стала ворошить вещи. Я сидела ни

жива ни мертва. На вешалке висела длинная, до полу, норковая шуба. Когда незнакомка стала приближаться к шкафу, я влезла в застегнутое на крючки манто, сунула руки в рукава, поджала ноги, опустила как могла низко голову. Авось плечики выдержат мои пятьдесят килограмм. Боже, пронеси!

Тут в шкаф проник свет, дверцы открылись. Женщина слегка пошевелила вешалки, свет исчез, дверцы закрылись. Я расслабилась. Вот уж не думала, что могут вспотеть уши.

Таинственная незнакомка снова принялась за мобильный. «Не нашла. Скорей всего не дома».

Через некоторое время послышались удаляющиеся шаги и тихий стук закрывшейся входной двери. Я выползла из шубы и с наслаждением чихнула. От меха исходил резкий запах духов «Опиум», их тяжелый, сладкий аромат вызывает у меня что-то похожее на аллергию.

Необходимо было бежать отсюда, немедленно, однако ноги подкашивались и противно дрожали. Наконец на корточках я вывалилась из гардероба и потащилась на кухню. Но тут дверь в ванную стала медленно приоткрываться, тихо зажурчала вода. Это было уже слишком; забыв обо всем на свете, я рванула на лестницу и, не чуя ног под собой, понеслась вниз к любимому другу «Пежо».

Какое-то время ехала, словно в тумане, и очнулась только возле «Макдоналдса». Нестерпимо ныла спина, будто в районе поясницы застрял какой-то посторонний предмет. Это неприятное ощущение возникало всякий раз, как я откидывалась на спинку сиденья. На стоянке пощупала спину и под блузкой обнаружила что-то твердое. Вытащила блузку из джинсов, отряхнулась, как мокрая собака, и на резиновый коврик выпал маленький полиэтиленовый пакетик с оборванной красной ниткой. Как он попал под одежду? Очевидно, был прикреплен к норковой шубе, а когда я пыталась втиснуться в нее, сидя в шкафу, ниточка оборвалась, и пакетик скользнул за воротник блузки. Что, интересно, в пакетике? Всего лишь кассета с пленкой. Уж не ее ли искала та женщина?

В «Макдоналдсе» было полно народу, еле-еле пристроилась за столиком у окна и, разворачивая хрустящую бумажку с «Роял-чизбургером», принялась размышлять. Итак, что мы имеем? Записная книжка осталась под столом в квартире Раисы. Ехать туда в третий раз нет никаких сил. Ну, предположим, нашли ее милиционеры, и что? Ни имени, ни фамилии моей там нет, только телефоны знакомых. И как можно найти владельца? Подумают, что книжку обронил кто-то из приятелей стриптизерки. Одна проблема решена.

— Вам плохо? — участливо спросил мужчина в темно-синем модном пальто.

— Нет, с чего бы?

— Простите, простите, — забормотал добрый самаритянин, — но у вас такое выражение лица!

Слышал бы это Аркадий. Сын тоже говорит, что стоит мне задуматься, и лицо искажает гримаса. Отвернувшись от назойливого мужика, я принялась за жареную картошку. Итак, что делать дальше? Дел невпроворот. Поехать к Женьке показать фотографии Фриды, проявить найденную пленку и попытаться проникнуть в «Бабочку», чтобы все разузнать про Лисицыну. С чего начать? И я отправилась к Женьке.

Он повертел в руках сделанную на паспорт фотографию и снимок двухлетней давности, приуроченный ко дню рождения Лариски.

— Можно попробовать, только я не специалист, да и зачем тебе это? Опять лезешь в какое-нибудь расследование? Смотри, Александр Михайлович голову оторвет.

Я сразу нашлась что ответить.

— Скажи, дружочек, вот вы с женой и сынулей летом обязательно соберетесь в Турцию?

Эксперт оживился:

— Обязательно. Кормят от пуза, сервис выше всяких похвал, море теплое, и по деньгам подходит.

— Хорошо, хорошо, — усмехнулась я, — а Лиззи с Карлоттой куда денешь?

Женька погрустнел. Рано или поздно перед любым собачником или кошатником встает жуткая проблема. Куда деть любимцев на время отдыха? Отдать в питомник на передержку? Там животное, привыкшее валяться на диване и кровати, запрут в клетку и станут кормить по часам научно сбалансированным рационом. Весь отдых будут терзать угрызения совести, что ваш обожаемый Шарик тоскует. Лучше всего пристроить свое сокровище к знакомым, желательно к тем, которые тоже держат животных. Но и здесь свои сложности. Надо, чтобы хозяева не сгрызли гостей.

— Если поможешь, — продолжала я усмехаться, — возьму йоркширов к себе на месяц.

— Дашка, — завопил Женька, — да за это все, что пожелаешь!

В это время вошел Александр Михайлович. Женя быстро опустил фотографии в карман.

Полковник искренне удивился:

— Даша? Что привело тебя в наши пенаты?

— Ехала мимо, дай, думаю, зайду. Просто так.

— Просто так не получается, — вздохнул Александр Михайлович, — нужно заказать пропуск и паспорт при себе иметь. Так что скорей всего вы с Женькой сговорились заранее.

Представляете, иметь такого мужа? Катастрофа, всех видит насквозь.

— В общем ты прав, — начала я выкручиваться, — договорились вчера, но не была уверена, что смогу...

— Ну и зачем понадобился наш Женечка? — не отставал полковник. Эксперт, помня о предстоящем отпуске, решил прийти мне на помощь.

— Это она мне понадобилась. У Лиззи что-то с желудком, посоветоваться хотел.

— Ну, ну, — пробормотал Александр Михайлович, роясь в сложенных на подоконнике папках. — Выяснил, как лечить несчастного пса?

Пришлось нам с Женькой затеять громкую беседу о собачьей прожорливости. Полковник послушал немного и вышел.

— Не поверил, — сообщил эксперт, — нисколечко не поверил. А ты, Дарья, мерзкая шантажистка. Нет чтобы так просто помочь.

Я пожала плечами. Любишь кататься, дорогой, люби и саночки возить.

Пленку пристроила в ближайший «Кодак». Ждать сутки не хотелось, поэтому пообещала пареньку-лаборанту двойную оплату, если сделает за два часа. Мальчишка с радостью согласился, я хотела пойти в магазин, но передумала. Как там бедная Рафаэлла? Совсем про нее забыла, надо бы узнать, кому она рассказывала о визите ко мне.

Купив мандаринов и соков, поехала в Склифосовского. В палате у Рафаэллы был маленький предбанник со всеми удобствами. Войдя в предбанник, я услышала доносившийся из комнаты женский голос. У Рафаэллы кто-то был.

— Понимаешь, что тебя ждет? — восклицала посетительница. Я притормозила у входа и стала прислушиваться. Но ответа Рафаэллы не разобрала.

— Вижу, что понимаешь, — удовлетворенно констатировала женщина, — значит, так, выздоравливай быстрей и сматывайся отсюда в свой Зажопинск. Не вздумай в колледже маячить, образование закончено.

Стриптизерка опять что-то забубнила. Надо же так невнятно говорить, словно ваты в рот напихала.

— Нечего сопли распускать, — оборвала ее неизвестная дама, — лучше быть живой в Мухосранске, чем трупом в Москве. Недаром говорят, язык мой — враг мой, так вот, пока не отрезали, прикуси его.

Раздался звук двигающегося стула, гостья, видимо, собралась уходить.

Я опрометью выскочила в холл и села в кресло. Сейчас увидим, кто пугает несчастную Валю-Рафаэллу.

Дверь бокса хлопнула, и в коридор вышла женщина. Рост — под метр восемьдесят. Волосы иссиня-черные, подстриженные под пажа. Такая прическа уже вышла из моды. На лице бронзовый загар. Ярко-красные, как кровь, губы занимали чуть ли не половину лица. Вторую половину надежно скрывали темные квадратные очки. Стройную фигуру плотно облегали черные брючки-стрейч и черная же водолазка. Поражало количество украшений: на шее — штук пять цепей и цепочек, в ушах серьги в виде гвоздик с подвесками. На запястьях— браслеты. Закрыв за собой дверь, дама поправила волосы, и я увидела, что все пальцы, кроме большого, унизаны кольцами и перстнями.

Твердо впечатывая высокие каблуки в старый больничный линолеум, незнакомка, распространяя вокруг удушливый аромат «Кензо», двинулась к лестнице. Подождав, пока небесное видение скроется, я толкнулась к Рафаэлле. Девушка сидела на кровати и курила.

— Ай-яй-яй, — укоризненно покачала я головой, протягивая мандарины и соки, — нехорошо курить в постели.

Рафаэлла махнула рукой.

— На лестнице холодно, да и ходить пока трудно, просто сил нет.

— Кто к тебе сейчас приходил?

— Никто. Одна день-деньской лежу, хорошо, конечно, в отдельной палате, но скучно.

Я села на стул и поглядела на блюдечко, служившее пепельницей. Два окурка «Парламент» и один «Вог», выпачканный кроваво-красной помадой.

— Это чей? — без всяких церемоний спросила я, ткнув пальцем в остатки «Вог».

Рафаэлла покраснела, как рак, но не раскололась.

— Медсестра курила.

— Ах, медсестра! Такая черная, вся в цепях и браслетах? Видела я, как она только что выходила!

Тут стриптизерка зарыдала в голос:

— Не мучайте меня, оставьте в покое, дайте умереть спокойно.

Я попыталась погладить ее по грязной, растрепанной голове, но девушка завизжала и заколотила кулаками по одеялу. Пришлось идти на пост. Молоденькая медсестра, взглянув на сопливую красавицу, позвала дежурного врача. Тот велел сделать успокаивающий укол.

Спустя двадцать минут Рафаэлла, умытая и почти умиротворенная, откинулась на подушки:

— Простите.

— Ничего, ничего, с каждым бывает. Я сама

однажды от злости швырнула на пол кофейник и растоптала его ногами.

Стриптизерка слабо улыбнулась.

— Злости-то у меня как раз нет. Просто отчаянье охватило, не знаю, что делать.

Я присела на кровать и взяла девушку за горячую, какую-то воспаленную руку:

— Тебе сколько лет, Валечка?

— Двадцать два.

Надо же, моложе Аркашки и Зайки, почти ребенок.

— Как же ты в этот бизнес попала?

Рафаэлла пожала плечами:

— Как все.

— А все как попадают?

Девушка снова заплакала, только тихо, вернее, захныкала. Так скулит обиженный Снап, когда Маня отнимает у него любимые, но строго запрещенные куриные косточки. Продолжая держать ее за руку, я как можно более ласково и убедительно сказала:

— Валюша, может, расскажешь мне все? Изольешь душу? Иногда от этого становится легче.

Стриптизерка шепнула:

— Боюсь.

— Кого?

— Хозяйку.

— Это она приходила?

Рафаэлла кивнула.

— Грозила неприятностями? Гнала из Москвы? Пожалуй, я смогу тебе помочь, но должна знать все. Надеюсь, ты никого не убила?

Девушка всхлипнула, утерла нос ладонью и начала рассказывать.

Валечка приехала в Москву из маленького провинциального городка. Она хорошо училась в школе и решила продолжить учебу в столице. К своему удивлению, легко поступила в колледж, получила место в общежитии, и жизнь понеслась. Только не все в этой жизни шло так, как хотелось девушке.

Институтская аудитория четко делилась на две группы: столичные штучки и провинциалки. Москвички хорошо одевались, тратили деньги на косметику, некоторые разъезжали на собственных автомобилях. Валечке приходилось считать каждую копейку, и даже китайский свитер с вещевого рынка казался невероятным приобретением. К концу первого курса она оголодала окончательно и принялась искать приработок. Сначала подалась в «Макдоналдс», но там платили немного и заставляли носиться всю смену с тряпкой и идиотской улыбкой на лице. К тому же все эти чизбургеры, гамбургеры и картошки одуряюще пахли, и у Валечки началась аллергия. Потом она попробовала приторговывать на рынке колготками. Но в первый же день усатый хозяин-азербайджанец высчитал с нее за две украденные с лотка упаковки. Валюша плюнула на чулочный бизнес, как раз подоспело лето, уехала домой к маме и два месяца отъедалась, благо мамочка хоть и работала бухгалтером, но держала свинок, корову и каждую весну возделывала своими артритными пальцами гигантский огород.

Плохо стало в начале второго курса. Промозглая московская осень заливалась холодными лужами в драные сапоги и задувала злым ветром под курточку на рыбьем меху. К тому же от постоянного недоедания Валечку всегда познабливало, и ученье не шло на ум.

Вскоре девочка познакомилась с чувством зависти. Одна из соседок по комнате, такая же ободранная провинциалка, неожиданно превратилась в ослепительную красавицу. Откуда-то взялся роскошный гардероб, престижная косметика. А вскоре она сняла квартиру в городе.

В конце концов Валя, плюнув на гордость, обратилась к удачливой подружке с просьбой дать денег в долг. Та отказала, но предложила интересную работу в ночном клубе «Бабочка». У бедной Вали не было выбора, и она отправилась на собеседование.

В «Бабочке» ее принял милый мужчина, сразу сообщивший, что он «голубой» и приставать к сотрудницам не намерен. В массажный кабинет набирали только студенток и только иногородних. Никаких документов не оформлялось. Не требовали и каждый день ходить на работу. Следовало сообщить в понедельник о своем расписании, и администратор подыскивал клиентов. Валя снялась для альбома и стала Рафаэллой. Две коллеги-студентки показали ей кое-какие «па», и бизнес пошел. Через два месяца Рафаэлла перестала терзаться моральными проблемами. Быстренько отсиживала занятия и неслась в «Бабочку». Появились и личные клиенты — вполне солидные пожилые мужчины. С одним она даже ходила в театр. Господь хранил дурочку, и она ни разу не столкнулась ни с бандитами, ни с негодяями. По большей части ей попадались одинокие, неустроенные мужики, желавшие поболтать с хорошенькой приветливой девочкой.

Хозяйка «Бабочки» — загадочная личность, с которой девочки не общались, поставила дело круто. Наркоманки и алкоголички изгонялись в два счета. Заболела гриппом — не беда, лечись спокойно. Подцепила венерическое заболевание — пошла вон. И никаких споров. Велят обслуживать трех здоровенных негров одновременно — вперед и с песней. Отказываешься — пошла вон. Рафаэлла приняла все условия безоговорочно.

Уж очень нужны были доллары. На первые заработки она оделась, отъелась, сняла квартиру в городе и стала регулярно посылать мамочке деньги.
Пить или колоться боялась, лишь во время работы принимала немного спиртного, чтобы было не
так противно. Рафаэлла копила деньги на собственную квартиру в Москве. Девушка искренне не
считала себя проституткой. Ну танцует голая с ре-
зиновой змеей, ну ложится с мужчинами в койку,
но ведь не пьет запоем! А проститутки — наркоманки и пьяницы, в этом Валечка была твердо
убеждена.

Несколько месяцев назад Рафаэллу неожиданно вызвала сама хозяйка. Дрожа от ужаса,
стриптизерка предстала пред царственные очи.
Она очень, ну просто очень боялась потерять работу. К тому же теперь знала, что «Бабочка» —
заведение уникальное, пользующееся особенным
спросом у пожилых обеспеченных мужчин и парней, которых судьба чем-то обидела. Рафаэлле
попадались иногда горбуны, карлики и прочие
уроды. Но оказалось, что обслуживать таких мужчин намного удобней, чем здоровенных жереб-
цов. Еще хозяйке удавалось, расширяя клиентуру, избегать частых контактов с братками, ну не
обращались они почему-то в «Бабочку», хотя телефоны регулярно печатались в газетах.

«Бабочка» походила на своеобразный клуб для
респектабельных клиентов обоих полов.

К огромному изумлению Рафаэллы, хозяйка
оказалась молодой. И хотя закрывала лицо чел-
кой, темными очками и ужасающим макияжем,
свежую кожу на шее и руках не могла скрыть.
Мило улыбаясь, бандерша похвалила Рафаэллу за
примерное поведение и дала ей очень выгодный
заказ. Сотрудники одного из банков хотели пошутить над холостым управляющим и подарить

ему в день рождения торт с сюрпризом. Рафаэлла вылезла из коробки под радостные аплодисменты и получила из рук смеющегося, довольного мужика конверт с солидными чаевыми.

После этого случая хозяйка еще несколько раз давала девушке выгодные заказы. А еще через неделю попросила об одолжении: она забыла в телефонной будке сумочку с косметикой и попросила Валюшу привезти ее домой. Девушка послушалась. Но любопытство взяло верх, и стриптизерка открыла ридикюльчик. Внутри вместо помады и пудры лежали пачки долларов.

Рафаэлла отдала хозяйке сумочку. Та больше не вызывала ее к себе. Но через некоторое время снова обратилась к ней с просьбой. Речь снова зашла о сумочке, только на этот раз она лежала в камере хранения на Казанском вокзале. И опять внутри оказались доллары. Рафаэлла не поленилась сосчитать зеленые бумажки — ровно пять тысяч.

В конце декабря снова пришлось привозить «потерянное». Однако сумка, одиноко лежащая возле мусорных бачков, оказалась пустой. Валя испугалась, что хозяйка подумает, будто это она украла баксы, и, протянув бандерше кожаную торбочку, совершила роковую ошибку.

— Я ничего не брала, — пролепетала девушка.

Хозяйка спокойно заглянула внутрь и ледяным голосом сказала:

— Ну и народ, помаду сперли.

Больше Рафаэллу никогда ни о чем не просили. Хозяйка перестала давать ей выгодные заказы, а в кабинет зачастила Рая Лисицына. Валечку не подвергали никаким преследованиям, просто хозяйка перестала замечать стриптизерку, но из «Бабочки» не выгнала, и жизнь пошла по-старому. Все было более или менее нормально до того момента, пока Рафаэлла по моей просьбе не стала расспрашивать о любовнике Раи Лисицыной.

К самой Рае Валя не рискнула обратиться. Они хоть и здоровались при встрече, но никогда не дружили, и было бы странно вдруг в лоб спросить девушку: «С кем живешь сейчас?»

И Рафаэлла подумала, что лучше всего разговорить администратора Шурика. Тот знал все и про всех. Рафаэлла улучила момент и, прихватив бутылку ликера «Айриш крим», до которого Шурик был большим охотником, начала расспросы. Администратор охотно рассказал всю биографию Раисы. Танцевала в ансамбле у эстрадной звезды Рахимова, жила сначала с каким-то торгашом, а теперь с телевизионщиком. И тут Валя, закатив глаза, попросила:

— Шурик, котик, узнай имя этого парня с телевидения, очень хочу хоть разок на съемки попасть.

— Попроси Райку, — сказал администратор.

— Ну, миленький, — ныла стриптизерка, — знаешь, какая Райка вредная, ни за что не поможет.

Лисицына и впрямь не отличалась любовью к ближним. Могла так сказануть, что потом три дня не отмоешься. И Шурик, подмазанный ликером, обещал помочь. Утром все координаты Ивана Николаевича Раздорова лежали у Рафаэллы в кармане. Радостная, она поехала ко мне за обещанной наградой и получила пулю в ухо. Оказавшись в больнице, девушка позвонила в «Бабочку», сообщила, что подхватила вирусную инфекцию и теперь вынуждена лечиться. Но в колледже пришлось сказать правду, впрочем, в учебную часть уже позвонили с Петровки, и целую неделю в аудиториях только и говорили о случившемся.

Валечка была не единственной девушкой в колледже, подрабатывающей в «Бабочке». Очевидно, из колледжа слухи дошли до работы, и сегодня к Вале заявилась сама хозяйка.

Бедная Валя чуть не грохнулась в обморок, когда та возникла в палате, звеня украшениями.

— Как самочувствие? — осведомилась работодательница.

— Хорошо, — пролепетала стриптизерка, думая, что ей будет за вранье про вирусный грипп. Теплилась надежда: отстреленное ухо — не сифилис. Может, разрешат вернуться в «Бабочку».

Бандерша, закурив, задумчиво спросила:

— А ноги как?

— При чем тут ноги? — окончательно растерялась Рафаэлла.

— При том, милая, — любезно пропела посетительница, — что бежать тебе придется из Москвы далеко и быстро.

Валечка похолодела, а хозяйка, спокойненько выпуская дым из густо накрашенного рта, говорила страшные вещи:

— Тебе доверили важное дело, надеялись на твою честность. А ты открывала сумки и пересчитывала деньги, ведь так?

Стриптизерка молча кивнула, говорить не было сил.

— А в последнем ридикюльчике долларов не оказалось, точно? Но я знаю, они там были, и теперь докажи, что не ты их взяла!

Валя стала оправдываться, что-то бормотала о своей честности, но бандерша ее перебила:

— О какой честности ты толкуешь? Порядочные девушки не заглядывают в чужие сумки и не пересчитывают чужие деньги. Верни пять тысяч «зеленых».

— Нет у меня таких денег, — заплакала девушка, — и не брала я ничего, только смотрела.

— А кто просил узнать про сожителя Раи Лисицыной? — вдруг резко сменила тему хозяйка. Рафаэлла хоть и была недалекой, однако сообразила, что правды говорить в этом случае никак нельзя. Одно дело, если просто хочешь отбить парня у товарки, другое, когда кто-то оплачивает полученную информацию.

Размазывая по лицу сопли, стриптизерка сказала, что давно мечтала поучаствовать в съемках.

Хозяйка выслушала ее и приказала:

— Выздоравливай и убирайся из Москвы подобру-поздорову. Да скажи спасибо, что на счетчик не посадили и баксы не требуем. Даже не пытайся задержаться в столице и пойти работать в другое место. Воровки и шпионки никому не нужны. Не послушаешься, в следующий раз окажешься в подвале Склифосовского. Там тоже получишь отдельную площадь — только очень холодную — полку в морозильнике. Чтоб через три дня духу твоего не было.

Она ушла, хлопнув дверью. Рафаэлла принялась рыдать.

Мне стало не по себе. В конце концов из-за меня девчонка вляпалась в историю. Надо помочь дурочке.

— Не реви, — приказала я, — какой от этого толк? Сегодня еще переночуешь здесь, а утром отвезу тебя к приятелям. Временно поживешь у них в Подмосковье, станешь помогать по хозяйству за плату. Будешь тише воды, ниже травы и в Москву ни ногой. В колледже оформим академический отпуск. Скажем, после несчастного случая мучают головные боли. Год потерпишь, а там все утрясется, и хозяйка забудет. Сколько у тебя денег сейчас есть на квартиру и где они?

Рафаэлла молчала. Я обозлилась.

— Мне твои гроши без надобности. Просто интересно, они в надежном месте?

Девушка кивнула:

— Отвезла к маме.

— Ну вот и хорошо. Теперь давай адрес колледжа.

Стриптизерка, оказывается, училась в том же заведении, что и покойная Милочка Котова, на Полянке. И курс психологии вел у нее Серж Радов.

Глава 25

В «Кодак» за пленкой я примчалась не через два, а через четыре часа. Мальчишка-лаборант, боясь, что не получит обещанных денег, сразу заявил, что снимки были готовы в назначенный срок. Я расплатилась, сунула бумажный пакет в сумку и понеслась домой.

Посмотрю фото в спокойной обстановке.

Но дома меня ждала буря. Красная от злости Маня орала на несчастного Аркадия. Брат пытался успокоить разбушевавшуюся сестрицу, но не тут-то было. Девочка налетела на него с воплем:

— Как ты мог!

— Это не я, — слабо сопротивлялся Кеша.

— Не ври, — затопала ногами дочь, — не смей лгать. Оставила домик вот здесь в гостиной на столе. Никого, кроме тебя, не было, говори, куда дел?

Ольга тихо хихикнула. Маня посмотрела на нее своими большими голубыми глазами и четко проговорила:

— И нечего лгать, как сивая корова!

Я решила приструнить разошедшуюся девицу:

320 ДАМА С КОГОТКАМИ

— Сивой бывает не корова, а мерин, и вообще, что тут происходит?

Оказывается, в лицее дали задание оформить экспозицию «Быт русской деревни XVIII века». Манюня рьяно принялась за дело. Склеила из спичек избушку. У порога посадила вылепленных из пластилина крестьянина с крестьянкой. Возле домика располагался огород с миниатюрными овощами и скотный двор. Все животные сделаны из глины и любовно раскрашены. Особой гордостью стал пруд. В него превратилось круглое зеркало из Зайкиной косметички. На гладкой поверхности сидели толстые бумажные лебеди.

Страшно довольная результатом, Маруся притащила поделку в гостиную, где на диване у телевизора мирно спал усталый Кешка. Сестрица растолкала брата и велела придумать, как упаковать «усадьбу». Аркадий побрел в гараж за коробкой из-под новой СВЧ-печки, которую вчера купила Зайка. Вернувшись, он не нашел ни домика, ни крестьянина с крестьянкой, ни пруда, только деревянную доску, на которой недавно стояла красота. Абсолютно уверенный в том, что Манюня унесла «деревню» к себе, Аркашка мирно задремал. Пробуждение оказалось ужасным. Над ним нависла багровая от злости Маруся, требовавшая ответа. И вот так они ругались уже добрый час. Вернее, Машка вопила, а Аркадий слабо отбивался.

С моим приходом страсти разгорелись. Правда, интересно, куда все подевалось? В разгар ссоры Зайка заглянула под стол, вытащила зеркало и слегка обжеванных лебедей.

— Ага, — воспрял духом приунывший Кеша, — ты уверяла, что я сломал твою поделку и спрятал, но не будешь же утверждать, что я ее съел?

И он указал пальцем на изгрызенных лебедей. Маня на секунду притихла. Но глаза по-прежнему продолжали полыхать голубым огнем.

— Так, — ледяным тоном произнесла она. — Банди, Снап, ко мне.

Ротвейлер и пит, радостно помахивая хвостом, тут же явились на зов.

— Кто это сделал? — прогремела Маня.

Но собаки по-прежнему виляли хвостами. Они не умеют врать. Провинившийся, чаще всего это Банди, тут же лезет под диван и начинает мелко дрожать. Однако сейчас их морды выражали искреннее недоумение.

— Черри! — возвестила Машка. — Поди сюда!

Но пуделица словно испарилась. Всегда сидит в гостиной и выпрашивает сдобное печенье, а сегодня исчезла. Мы бросились на поиски и обнаружили ее в кухне между мойкой и холодильником.

— Так это ты! — возмутилась девочка. — Слопала в одночасье крестьянскую деревню XVIII века, набила живот спичками, пластилином и глиной. Ладно бы Банди, он и камни переварит, но пудель! Катастрофа.

Черри виновато выглядывала из-под сбившейся кудрявой «шапочки». Карие глаза влажно поблескивали, маленькая пасть открывалась и закрывалась, словно пуделица пыталась сказать:

— Прости, прости, дорогая хозяйка, но так вкусно пахло клеем!

Черри с детства отличалась необычными вкусовыми пристрастиями. Кусок сырого мяса мог лежать у самой ее морды, но она даже не прикасалась к нему. Другое дело тюбик с зубной пастой или клеем, а еще лучше чьи-нибудь носки.

Благодаря Черри домашние стали необыкновенно аккуратны. Раньше, умывшись, они и не думали втыкать зубную пасту в стаканчик на стене. Пуделиха выжидала, пока все уйдут, входила в ванную, утаскивала тюбик к кому-нибудь на кровать и принималась грызть добычу. Поменяв пару раз перепачканное постельное белье, дети теперь ставили пасту на место. Потом началась охота за носками; Черри выходила ночью, когда в доме все спали, влезала в корзинку с грязным бельем, вытаскивала оттуда носки и возвращалась в спальню. Правда, всегда почему-то в кровать к Зайке с Аркадием. Надо сказать, что носки она не сгрызала, а просто относила и складывала на Ольгину подушку. После чего засыпала с чувством выполненного долга. Обнаружив первый раз утром у своего лица приятно пахнущую кучу, невестка сказала пару нежных слов и купила бачок для белья с плотно закрывающейся крышкой. Но пуделиха с обезьяньей ловкостью проникала внутрь и осчастливливала Зайку каждую ночь. Теперь, снимая носки и колготы, домашние моментально стирают их, и все благодаря маленькой, робкой собачке.

— Клизма, — громко заявила Маня, — клизма, вот что завтра ждет вас, глубокоуважаемая Черри.

Кеша захихикал и сказал:

— Помнишь воздушную тревогу?

В восьмидесятые годы в институте, где я работала, обожали устраивать военные тревоги. Это было суровое время «холодной войны», «першинги» в Европе и угроза атомной атаки со стороны американцев. Ректорат решил, что мы должны встретить опасность во всеоружии. Кафедра гражданской обороны, в просторечии ГРОБ, раздала всем противогазы. По сигналу мы должны были натягивать их и стройными рядами идти в подвал.

На деле получалось иначе. Студенты умирали со смеху, преподаватели от злости. Большинство из нас бросило дома резиновые морды и игнорировало «учение». И вот накануне Нового года партком нанес удар ниже пояса. Нам торжественно объявили, что праздничные продовольственные заказы с колбасой салями, шпротами и куском сыра дадут только тем, кто примет участие в тревоге. Причем по всей форме, то есть натянув противогаз.

Маленький Аркадий, трепетно любивший шпроты, приготовил трубчатую морду, вывесив ее в ванной на крючок. Утром, когда я уже стояла в пальто, он крикнул: «Мама, противогаз». Чертыхаясь, не снимая сапог, я влетела в темную ванную, ощутила под рукой что-то резиновое и запихала в сумку.

В полдень взвыла сирена. Подогреваемые мыслями о дефицитных вкусностях, преподаватели дружно побежали по коридорам, натягивая «индивидуальное средство защиты». Я бежала в середине толпы, не понимая, почему вытягиваю из сумки что-то очень длинное и тонкое. И только добежав до нашего партийного секретаря, проверявшего по часам скорость «бойцов», обнаружила, что вынула... клизму. Ну перепутала в темноте, схватила не то, с кем не бывает.

Разразился страшный скандал. Коллеги, увидав меня с клизмой, просто валились с ног от хохота, проверяющий от райкома грозно хмурил брови, парторг бледнел и краснел, наливаясь злобой. Короче, обвинив меня в срыве проводимого мероприятия, партийная организация вынесла решение не давать нарушительнице заказа. Тем, кто робко вступился за меня, говоря, что я не член КПСС, а значит, не обязана подчиняться партийной дисциплине, сразу заткнули рты. Новый год встречали без шпрот, и теперь каждый раз, как взгляд натыкается на банку с вкусными рыбками, сразу вспоминается клизма.

— Ну что? — торжествующе спросил Аркадий, глядя на Маню. — Как извиняться будешь?

Марусе стало неловко.

— Ладно, Кешик, — примирительно сказала она, — ну прости, погорячилась.

Аркашка вздохнул и опять улегся на диван, намереваясь поглядеть футбол, но не тут-то было. Маня так убивалась, так горевала!

— Что делать! Что делать! Завтра сдавать экспозицию. Три дня клеила, что делать!

Не хватало только греческого хора, трагически заламывающего руки. Но Аркаша продолжал глядеть на экран. Тогда сестрица применила другую тактику. По румяным детским щекам потекли крупные слезы. Маня молча принялась шмыгать носом. Это было уже слишком. Брат сел на диване и безнадежно сказал:

— Неси клей, ножницы, попробую помочь.

Я ухмыльнулась, глядя, как он, чертыхаясь, лепит свиней из пластилина, и пошла в спальню смотреть фотографии.

Большинство оказалось неинтересными, на них в разных позах и одеждах была запечатлена Рая Лисицына. Девушке нравилось позировать. Но несколько снимков привлекли внимание. На одном — воркующая за столиком любовная парочка. Кажется, мужчина и женщина не подозревали, что их фотографируют, потому что не смотрели в объектив, однако лица были отлично видны. Кавалером оказался Кирилл, муж Дианы, близкий приятель Степки Войцеховского. А дама! Просто невероятно! Сжимая тонкими пальцами, унизанными перстнями, бокал и глядя на Кирилла влюбленными глазами, сидела Изабелла Радова. Я видела жену Сержа всего раз, и то мертвую, сидевшую в кресле с простреленным виском. Но в кабинете у психолога на книжной полке стояло несколько фотографий жены. И я была абсолютно уверена: на снимке Изабелла. Следующая фотография повергла меня в еще большее изумление. На набережной, облокотясь на парапет, беседуют Кирилл и Лена, любовница Сержа. Затем Лена была запечатлена в магазине продуктов и в парикмахерской. На последней фотографии я увидела хозяйку «Бабочки» — прическа а-ля паж, огромные очки, куча цепочек.

Значит, Кирилл откуда-то знал Изабеллу. Интересное дело, а мне показалось, что на Новый год он впервые познакомился с Сержем! И где же это они с Изабеллой сфотографированы?

Вооружившись лупой, я прочитала вышитое на салфетке название «Пиккадилли».

Следующий день оказался хлопотным. Утром позвонила Войцеховским и потребовала к телефону старуху.

— Да, — ответила, как всегда, недовольным голосом Фрида.

— Это Даша. Вы, кажется, искали домработницу?

— Ну!

— Сегодня привезу милую девушку. Она поживет у вас какое-то время, поможет Катерине на кухне, будет убирать дом. Жалованье сами назначите.

Войцеховская помолчала, потом вздохнула:

— Я у тебя в когтях. Надеюсь, не слишком часто станешь злоупотреблять своими правами. Твоя протеже не воровка?

Заверив Фриду в честности Рафаэллы, я поехала в Склифосовского. Честно говоря, выглядела Валентина не лучшим образом. Лицо отечное, глаза опухшие. Вместо уха — марлевая нашлепка. Ни за что не наняла бы такую в прислуги, к тому же девушку подташнивало, и пришлось несколько раз останавливаться.

Взглянув на предлагаемую кандидатку, старуха поморщилась и спросила:

— Вещи где?

— Тут, — ответила Рафаэлла, показывая пакет с зубной щеткой.

— Катька, — заорала Фрида, — проводи девчонку наверх. — Потом повернулась ко мне и ехидно спросила: — Где откопала сокровище? На помойке? Надеюсь, блох у нее нет.

Не обращая внимания на старухино зубоскальство, я двинулась в кабинет, поздороваться со Степкой. Но он торчал в питомнике, там же, к моему удивлению, обнаружился и Серж.

— Даша, — изумился Радов, — не ожидал.

— Я тоже. Вот привезла Войцеховским новую домработницу.

Мы пошли в дом, в гостиной сидела Лена. На этот раз на ней было вызывающее сине-белое платье с глубоким декольте и короткими рукавами. Не совсем по погоде, но зато как эффектно! Сели обедать, вкатилась старуха и по обыкновению заорала:

— Несите суп.

В гостиную робко вошла Рафаэлла с большой фарфоровой супницей. Девушка явно старалась не обращать на себя внимания. Увидев Сержа, она изумленно ахнула, но суп благополучно донесла и поставила на стол. Потом уставилась на Фриду, ожидая указаний.

— Иди, иди, — махнула старуха в сторону двери, — позовут, когда понадобишься.

Валентина покорно вышла.

— Какая-то она странная, — хмыкнул Степан, — вид болезненный.

— Где я ее видел? — спросил Серж. — Очень знакомое лицо.

— В очереди за водкой, — фыркнула Фрида, наливая суп, — начнет пить, выгоню.

Лена молчала. На верхней губе у нее блестели капельки пота. Надо же, в таком легком платье и потеет, может, вегетососудистая дистония?

— Валентина не пьет, — успокоила я старуху, — бедной девочке сильно досталось в жизни. Недавно в нее стреляли и попали в ухо. Вот и привезла ее к вам, чтобы спрятать, пусть поживет немного.

— Не хватало еще, чтобы сюда явились наемные киллеры, — заявила, входя, Полина.

— Не волнуйтесь, это не ее хотели убить, кого-то другого, ранили случайно, — стала я объяснять ситуацию, — никто не знает, что она здесь. Девочка вроде бы аккуратная, работящая. Все равно у вас нет сейчас домработницы. Пусть поработает. Не понравится, позвоните, пристрою бедолагу в другое место.

— Тебе что за интерес? — фыркнул Степка. — Кем она тебе доводится?

Тут, к счастью, дрожащая Рафаэлла втащила рыбу, и Фрида принялась орать, что осетрина переварена.

Посидев часок для приличия и дав Валентине последние наставления, я пошла к «Пежо». Во дворе возле «Жигулей» с печальным видом стояла Полина.

— Вот зараза, — проборматала она, пиная колесо.

— Что случилось?

— Не заводится. — Женщина села за руль и

повернула ключ зажигания. Безрезультатно. «Жигуленок» даже не вздохнул. Я поглядела на обозленную ветеринаршу и предложила:

— Могу подбросить. Вы где живете?

— На Садовом кольце.

Интересно, интересно. Хорошо помню, как вы с Кириллом отправились после французской булочной в Большой Козловский переулок. Впрочем, может, это его вторая квартира? Снял тайком от Дианиного папашки, водит в гнездышко любовниц?

«Пежо» помчался по улицам. Возле Центрального театра кукол Полина попросила притормозить, поблагодарила и вошла в подъезд большого серого дома. Я отъехала, завернула в переулок и стала ждать. Минут через пять женщина вышла, перешла на другую сторону Садового кольца и направилась к остановке троллейбуса. Я знала, куда она поедет, поэтому быстренько развернула «Пежо» и огородами добралась до Большого Козловского намного раньше ее. Спрятала машину во дворе дома номер девять, поднялась на второй этаж и через лестничное окно стала наблюдать за зданием напротив. Спустя какое-то время появилась Полина. Она зашла в магазин, потом с полными пакетами исчезла в подъезде, и через несколько минут в уже знакомой квартире на втором этаже открылась форточка. Так, интересно. Подожду, пока она куда-нибудь уйдет, и узнаю, кто проживает на этой площади.

Я закурила и приготовилась к длительному сидению на лестнице. Но тут вдруг подъехал жутко грязный «Мерседес» персикового цвета. Водитель побибикал. Из подъезда выскочила Полина, на ходу застегивая шубу, и нырнула в салон. Затемненные стекла прочно скрывали владельца авто. Бросив недокуренную сигарету, я пошла в седьмой дом и обнаружила на площадке второго этажа всего одну дверь: квартиру 2. Кто же тут живет? Выяснить это не составит труда.

В домоуправлении мирно решала кроссворд женщина лет шестидесяти пяти. Судя по вытравленным безжалостной химией кудрявым волосам, дама еще пыталась сопротивляться своему возрасту. Некоторые женщины в своем стремлении стать привлекательными ухитряются достичь противоположного результата. Ей бы аккуратно постричься, перестать краситься в блондинку и сменить оранжевый тон помады на нейтрально-коричневый. Точно лет на десять помолодеет. Но глаза у хранительницы домовой книги были добрыми, и я попыталась ее разжалобить.

— Уже договорилась в риэлторской конторе о покупке квартиры. Меня уверяли, что площадь свободна, никто не прописан, но ключ не давали. Сегодня приехала посмотреть, а на окнах занавески висят, и слышно, как за закрытой дверью радио играет. Не хочется зря волновать жильцов. Посмотрите, пожалуйста, не прописан ли кто во второй квартире?

И я подкрепила слезную просьбу приятной бумажкой. Паспортистка порылась в документах и спокойно сообщила:

— Сейчас столько жульничества с жильем. Очень правильно делаете, что проверяете. А то отдадите денежки, а на жилплощади другие живут, доказывай потом в суде правду. Во второй квартире Марина Игоревна Коваленко прописана. Она здесь давным-давно обитает, родители умерли. Очень приятные люди, а вот сама Марина...

И женщина поджала губы.

— Ну, — поторопила я рассказчицу.

— Мошенница, — авторитетно заявила паспортистка.

— Почему вы так решили?

— Да ее судили по 147-й статье, пять лет дали. Знаете, чем занималась? Втиралась в доверие к пожилым мужчинам, она медсестрой работала, охмуряла несчастных, женила на себе, а через два-три месяца исчезала, прихватив деньги. У нее не то восемь, не то десять паспортов было, все на разные фамилии. Правда, жила тогда она не здесь, но родители, когда узнали, просто ума лишились. Отец инфаркт заработал, мать по двору как тень шмыгала. Дом у нас ведомственный, все друг друга знали, это сейчас попродавали квартиры. Уж они от соседей скрывали, скрывали. Да толку! Жила в другом месте, а прописана тут, в Козловском. Сюда и запрос из милиции пришел. Мать, бедняга, так и умерла, не дождавшись дочку. А отец проскрипел до ее возвращения и назад прописал.

Потом началась перестройка. Марина стала ходить с гордо поднятой головой, всем рассказывала, что коммунисты ее преследовали. Сидела, мол, за убеждения, в общем, диссидентка. Со временем соседи забыли, что Марину судили за обычное мошенничество. К тому же в наше время иметь пару лет отсидки за плечами — хорошая стартовая площадка для карьеры. Коваленко вела себя тихо, выучилась новому ремеслу — стригла собак чуть ли не всех пород. Обзавелась клиентурой, стала хорошо зарабатывать. В прежние года ее частенько навещал старик-участковый, приглядывавший, не стала ли бывшая уголовница вновь на кривую дорожку. Но потом он вышел на пенсию, а новому поколению стражей порядка стало не до того, чтобы шляться по квартирам, проверяя благонадежность бывших сидельцев.

Старые жильцы поумирали, их дети разъехались кто куда. А новые наперебой приглашали Марину стричь собак.

— Такая расфуфыренная стала, — сплетничала паспортистка. — Я вот всю жизнь честно проработала, и что? Нищая. А у этой шуба не шуба, машина не машина. Небось не все конфисковали. Не хочу зря наговаривать, живет сейчас тихо, но не советую покупать у нее квартиру. Лучше поискать другой вариант. Обманет как пить дать.

Поблагодарив словоохотливую паспортистку и пообещав не связываться с Коваленко, я поехала домой.

На столе лежала записка: «Звонил Женя».

Эксперт, услышав мой голос, тут же начал ругаться:

— Во что ты меня втравить собираешься? Откуда взяла карточки, отвечай немедленно!

— Не психуй. Это снимки одной моей знакомой.

— Не ври, это снимки двух твоих знакомых. И одну из них, Ольгу Никишину, объявляли в розыск.

— Ты откуда узнал?

Женька снова ругнулся и сказал:

— Приезжай ко мне домой. Скоро буду. Разговор не телефонный.

Женька живет далеко, в Митине. Получил квартиру с видом на крематорий, но они с женой счастливы и этому варианту. В свободное время, а его у Женьки практически нет, он начинает что-то мастерить и, как правило, не доделывает. Процесс создания шкафа в прихожей растянулся на три года. Каждый раз, приходя к ним, я спотыкалась о доски и палки. Но сегодня моему взору предстал абсолютно готовый гардероб.

— Неужели закончил? — усмехнулась я, вешая куртку в пахнущее лаком нутро.

— Карлотта лапу о гвоздь поранила, — доверительно шепнула Лиля, — вот Женька за две ночи и доделал.

Я пошла в ванную мыть руки. Так, неплохо. Шампунь для собак с чувствительной кожей, ополаскиватель для йоркширов, пудра от колтунов, бальзам для блеска собачьей шкуры и уйма щеточек, расчесочек, массажных рукавичек и когтерезок. На веревках сохли два утепленных комбинезончика: синий и красный. Внизу стояли свежевымытые крохотные туфельки на липучках. Даже обувью обзавелись!

На кухне там и сям маячили банки с кормами: «Чаппи», «Педигри-пал», «Пурина». Похоже, перепробовали весь ассортимент магазина «Марквет». И конечно же, йоркширицы ели из изящных фарфоровых мисочек, на прогулку им нацепляли элегантные кожаные поводочки. И по всем углам — тьма разбросанных костей и резиновых игрушек. Завершала картину двухместная будка-домик, обитая снаружи и внутри искусственным мехом. Хозяйки всего этого хабара — Лиззи и Карлотта, кинулись ко мне со всех лап целоваться. Погладив их нежные, шелковые ушки, я спросила у хлебающего суп Женьки:

— Ну как собачки, не дерутся?

— Никогда, — тихо сообщил эксперт, посмотрел на жену и пошевелил губами.

Лилька глянула на мужа и, не говоря ни слова, поставила перед ним котлеты. Ну не чудеса ли. В былые времена они бы уже орали друг на друга, а сейчас тихо переставляли тарелки. Приятель одним духом проглотил второе и грозно рявкнул:

— Признавайся, где взяла фото!

Лиззи тоненько взвизгнула. Женька осекся, достал сигареты и прошелестел:

— Пошли на лестницу, здесь поговорить не дадут...

Мы сели на подоконник.

— Фото дала одна знакомая, — стала я вдохновенно врать, — после смерти матери разбирает семейный альбом. Ранних фотографий практически не осталось. Свою мать, когда той было семнадцать лет, она не видела, вот и интересуется: это мама или кто?

— Или кто! — заорал эксперт. — На первом снимке Ольга Никишина, убийца. Придавила мужа, дочку и скрылась. Объявили розыск, но потом обнаружили предсмертную записку и одежду на берегу реки, решили, что она утонула.

Через несколько лет в архив поступил запрос из Красного Креста. Мать Ольги Никишиной интересовалась, можно ли найти следы дочери, пропавшей во время войны в Белоруссии. Отдел розыска Красного Креста обнаружил, что девушка сидела в фашистском лагере возле Минска, живая вышла на свободу, получила проездные документы и исчезла. Потом выяснилось, что она вернулась в Москву, получила две комнаты в коммуналке, проживала в столице. Странно, но Ольга не искала родных, хотя жила с матерью в одном городе. В милицейском архиве матери показали несколько фото из семейного альбома пропавшей Никишиной. Пожилая женщина категорически не признала на них свою дочь. Интересно, где же настоящая Ольга и кто тогда присвоил ее документы?

«В каком-то сарае недалеко от Минска давно истлели ее косточки», — подумала я, но вслух сказала:

— Ну и что, подумаешь! Значит, на фотографиях разные женщины?

— Абсолютно, — заверил эксперт.

Ладно, Фрида, значит, сказала правду. Пользовалась паспортом Никишиной, боялась его менять. Вдруг в милиции заметят, что фотография не совсем похожа на оригинал. Хотя можно и отговориться: изменила прическу, цвет волос. В конце концов не запрещено. Так, версия старухи полностью исчерпана.

Глава 26

Ресторан «Пиккадилли» размещался в Новых Черемушках. Даже зная адрес, искала заведение битый час. Причем раз пять проходила мимо обшарпанной двери без вывески, не догадываясь, что вход именно здесь.

То, что «Пиккадилли» не ресторан, а место встреч только для своих, стало понятно сразу. Называлось оно ужасно — «Клуб по интересам при ДЭЗ-18», но на всех шторах стояло — «Пиккадилли».

Не успела я войти в роскошный, устланный коврами холл, как навстречу поспешил строгий молодой человек и потребовал членскую карточку. Узнав, что карточки нет и посетительница просто решила здесь пообедать, администратор развел руками:

— К сожалению, все столики заняты.

Но почти пустой гардероб опровергал это утверждение. Я вздохнула и предложила купить у них членство.

Молодой человек покровительственно усмехнулся и сообщил, что членский билет на месяц стоит пятьсот долларов. Открыв сумочку, я вытащила кошелек и спросила, берут здесь наличные или могут снять с карточки. При виде золотой кредитки администратор присмирел. Я же успела снять курточку «Аляску», и мальчишка оценивающим взглядом окинул серьги с брильянтами — подарок Наташки на день рождения, золотые часы и сумочку из крокодиловой кожи. Поколебавшись несколько секунд, он широко улыбнулся и позвал управляющего.

Из глубин клуба показался мужик лет пятидесяти, очень похожий на Черри. Черные мелко вьющиеся волосы обрамляли лицо и спускались до плеч. Издали их можно было принять за пуделиные уши. Маленькие карие глазки маслянисто посверкивали, тучное невысокое тело было запаковано в великолепный костюм от Хуго Босс. Немного нелепо на фоне шикарных вечерних брюк выглядели замшевые ботинки. Распространяя невероятный аромат «Иксес» от Пако Рабанна, пудель быстро подошел ко мне, маленькой липкой ладонью схватил мою руку, поднес к губам и с чувством произнес:

— Простите Базиля. Он слишком молод, чтобы распознать настоящую даму. Для него критерий — норковая шуба. Зато я хорошо разбираюсь в людях.

Базиль, или по-нашему Васька, потупившись, смотрел в пол. Пудель продолжал болтать, пока я причесывалась у зеркала.

— Кстати, — внезапно осведомился он, — где ваша машина?

— У двери.

— Давайте ключи, Базиль отгонит ее на стоянку для членов клуба, там охрана.

Я протянула Ваське колечко с ключами и сообщила:

— Светло-фиолетовый «Пежо».

Пудель в восторге закатил глаза и поволок меня в ресторан. В первом зале не было никого. Официант посоветовал салат «А-ля рене», то есть королевский, и фрикасе. Я милостиво кивнула. Пока заказ готовили, управляющий стал показывать клуб. Двухэтажное, обшарпанное снаружи здание внутри оказалось роскошным. На первом этаже ели, пили и развлекались. На втором была библиотека, кабинеты и... спальни.

— Некоторые члены нашего клуба предпочитают работать здесь, — сообщил управляющий, открывая дверь одной из комнат.

Я огляделась: письменный стол, компьютер, пустые книжные полки.

— Этот кабинет сейчас свободен, — пояснил мужчина.

Он прошел внутрь и, открыв маленькую дверь между шкафами, поманил меня. За дверью находилась уютная спальня с широкой кроватью, шкафом и тумбочкой. В углу стоял телевизор. У стены — два уютных глубоких кресла, журнальный столик и торшер. За другой дверью обнаружилась небольшая ванная с душевой кабинкой и унитазом.

— Многие остаются на ночь, — тарахтел управляющий, — устанут, да и вообще не хотят ехать домой.

Понятно. Ну что ж, вполне подходяще для адюльтера, тайных встреч и обделывания темных делишек. Мы спустились в ресторан. Официант принес закуску. Я предложила управляющему выпить, и кельнер притащил бутылку бордо. Глянув на этикетку, я нахмурилась и ткнула пальцем в мелкие цифры внизу:

— Вам следует более внимательно выбирать вина. 1984 год был не самым лучшим для винограда «бордо», хочу посоветовать 1975 год, на крайний случай 1990-й. Хотя, признаться, предпочитаю 1963-й.

Пудель воскликнул:

— Дорогая, вы превосходно разбираетесь в винах!

— Да, — снисходительно улыбнулась я, — живу по большей части в Париже, капиталы тоже держу во Франции.

Управляющий покраснел и сказал:

— Болтаем, болтаем, а я еще не представился: Алексей, друзья зовут меня просто Пусик.

Я царственно кивнула и сказала:

— Госпожа Саида ибн Рашид.

Пусик закивал головой и растаял. Он был весь мой, с потрохами, в особенности после того, как увидел, сколько чаевых получил официант. Закурив с наслаждением сигарету, я принялась вытряхивать из пуделя нужную информацию.

— Пожалуй, стоит оформить членство в клубе. И еще неплохо снять кабинет, будет где отдохнуть от семейного уюта, но хотелось бы сначала узнать, какая у вас клиентура. Не поймите превратно, в моем положении следует быть разборчивой.

Пусик сочувственно кивнул и назвал множество громких фамилий. Я вскинула брови и одобрительно щелкнула языком. Управляющий промокнул губы салфеткой и задал вопрос, не ставший для меня неожиданным:

— А как вы узнали про «Пиккадилли»?

— Знакомая рассказала, Изабелла Радова.

Легкая тень пробежала по лицу Пусика.

— Вы, конечно, знаете Беллу?

Управляющий кивнул:

— Госпожа Радова давно у нас не показывается. Честно говоря, мы не очень огорчены. Вы, естественно, в курсе ее проблем?

— Да, к сожалению, Белле следовало лечиться, но она не захотела.

Пусик сосредоточенно поворошил свои кудри и признался:

— Не в наших правилах сплетничать о гостях и членах клуба, но здесь просто криминальный случай. Несколько раз приходилось вызывать «Скорую помощь». Однажды ей стало плохо в три утра, всех перебудили, потом оставшиеся ночевать долго жаловались. Люди платят деньги, хотят иметь покой. Честно говоря, хозяин велел под благовидным предлогом не пускать ее больше сюда, но мне жалко господина Торова!

— Кирилла?

— Да. Знаете, он прекрасный доктор и посоветовал мне в свое время замечательное, но малоизвестное лекарство. Я камни в почках лечил несколько лет, никакого результата. Денег ушла уйма. А тут господин Торов узнал о проблеме, выписал рецепт и велел заказать в аптеке микстуру. Я сначала засомневался: какой толк от жидкости стоимостью две копейки. И представляете, избавился от камней.

— У Изабеллы с Кириллом такой красивый роман, — провокационно заметила я, — настоящая страсть.

— Красивая пара, — согласился Пудель, — если бы не наркотики!

— А господин Торов сейчас посещает клуб?

— Конечно, и ночевать остается. Довольно часто он работает над докторской диссертацией и засиживается за полночь.

— Каждый день приходит?

— Нет, нет, только по понедельникам и средам.

Так, значит, прямо сейчас оформляю членство, снимаю кабинет. Остаюсь в ночь с четверга на пятницу и пытаюсь проникнуть в комнату Кирилла. Пороюсь у него в столе и компьютере, авось что-нибудь найду интересненькое.

Вечером я тщетно пыталась вспомнить название родного городка Лариски, не выдержала и позвонила Войцеховским. Подошел Степан.

— Валентина твоя вполне симпатичной оказалась, — сообщил он веселым голосом, — аккуратная, не пьет и Фриду не злит. Только со здоровьем у нее плоховато, то и дело в обморок падает.

Узнав, что Лариска родилась и прожила девические годы в Качалинске, я спросила:

— А как в питомнике? Полина справляется?

— Знаешь, — доверительно сообщил Степа, — она чудесная. Очень похожа на Лариску, но характер мягче, женственней, что ли. Нет Ларкиной злости и ехидства. Удивительно хорошо со всеми ладит. Даже Фрида не орет в ее присутствии. Мишка, тот просто обожает ее, вчера случайно мамой назвал.

Вот оно как повернулось! Сорока дней не прошло после смерти Люлю, а уже появилась заместительница. Ну погоди, Марина Коваленко! Выведу я тебя на чистую воду, уголовница. Будешь знать, как обманывать.

Полная негодования, я позвонила Федьке Зайцеву. Лет двадцать тому назад я вела курс французского языка в Высшей комсомольской школе. Много воды утекло с тех пор, «иных уж нет, а те далече», но Федька оставался на плаву при всех режимах и сейчас преуспевал в банковской сфере.

— Качалинск? — переспросил Зайцев. — Найдем, если надо. Тряханем старыми связями, раз ты просишь.

Хорошо иметь дело с благодарными людьми.

Федька не мог забыть целый букет незаслуженно полученных зачетов. А в прошлом году по моему совету его дочка подала документы в областной педагогический институт и поступила. Получила на вступительных одни тройки, но в вузе был недобор, и дурочку взяли. Потом я тихонько после первой успешно сданной сессии перевела красавицу в недоступный иняз. Хитрый путь, неизвестный большинству абитуриентов. Поступаете в никому не нужное учебное заведение, а потом оказываетесь в престижном. В общем, Зайцев горел желанием отплатить мне за добрые дела. Заручившись его клятвенными обещаниями, я стала собираться в «Пиккадилли».

Но на пути проникновения в кабинет Кирилла могло встретиться очень серьезное препятствие — замок. Скорей всего, доктор тщательно запирает комнату. Но нет на свете такой проблемы, которую нельзя решить при помощи друзей и знакомых. На такой случай существовала Марта, весьма преуспевающий адвокат. Правда, клиентура у нее в основном мелкие уголовники: мошенники, воришки, всякие хулиганы. Марте каким-то образом всегда удается доказать их невиновность. Запутывает судью она не хуже Перри Мейсона. Откуда ни возьмись на процессах появляются нужные свидетели, а на представителей обвинения выливается такое количество компромата, что у народных заседателей уши вянут. К тому же Марта безотказно протаскивает в тюрьму абсолютно все, от жареных куриных окорочков до сотовых телефонов, не связывается только с наркотиками. Правда, один раз у нее из сумочки торжественно извлекли маникюрные ножницы. Но подруга, подбоченясь, сообщила моленькому милиционеру, что это ее личные ножницы. Дескать, отгрызть ногти на руках она еще может, но на ногах сделать подобное слабо. А то, что делает маникюр на работе, ее личное дело, к тому же изъятие вещей из сумки следует оформить специальной бумагой в присутствии двух свидетелей, а по статье... Бедный солдатик внутренней службы замахал руками, сунул запрещенный предмет в необъятный саквояж Марты и быстренько впустил ее внутрь.

Мне всегда казалось, что из Марты вышел бы чудесный режиссер-постановщик. Все ее подзащитные предстают пред грозные судейские очи в безупречных пиджаках, брюках и белых рубашках с галстуками. Никаких, столь любимых тюрьмой тренировочных костюмов... В первом ряду на судебном процессе стройными рядами, демонстрируя семейное единство, сидят родственники. Подсудимые громко каются, угрызаются, дают обещания. Многие картинно рыдают. Характеристики, принесенные с места жительства и работы, таковы, что впору прямо со скамьи подсудимых занимать пост министра юстиции. Конечно, судьи понимают постановочный характер представления, но все равно попадают под его влияние. В особенности когда Марта, словно кролика из шляпы, внезапно вытаскивает свидетеля, утверждающего, что именно в час дня и именно второго числа он красил с подсудимым забор на даче. Результат налицо: как правило, клиентов либо освобождают в зале суда, либо они получают смешные сроки. Не берется она защищать только тех, кто совершил изнасилование или убил ребенка. Ни за какие деньги.

Я набрала номер и без всяких обиняков сообщила:

— Марта, нужен набор отмычек и человек, который научит ими пользоваться.

Подруга кашлянула и тут же отреагировала:

— Есть такой, миленький паренек. Но хочу предупредить, что проникновение в чужую квартиру квалифицируется как взлом. И лучше действовать в одиночку. Вдвоем — это уже преступная группировка, срок больше.

«Миленький паренек», владелец прекрасного набора отмычек, жил в районе Автозаводских улиц. Новенькая квартирка с сияющими лаком полами и почти полное отсутствие мебели, только две табуретки. Предупрежденный Мартой хозяин вытащил колечко, на котором висели какие-то крючочки с палочками, и приступил к обучению. Я оказалась на редкость тупой ученицей, и «профессор» взмок, объясняя, как цеплять пружинки. Провожая меня, он посоветовал:

— Не берись за это дело. Талант везде нужен, а у тебя руки, прости Господи, из того места растут, откуда у других ноги.

Вооруженная дружеским напутствием и связкой железок, я отбыла в «Пиккадилли».

Вечер прошел замечательно. Несколько парочек, нежно шептавшихся по углам, и штук пять одиночек обоего пола совершенно не интересовались мной. На горячее подали осетрину по-монастырски, и в погребах обнаружилось вполне пристойное белое вино. Пудель радостно зачирикал:

— Ах, дорогая, счастлив, просто счастлив.

В комнате на столе красовались ваза с фруктами и букет цветов — подарок администрации на новоселье. Не успела я со стоном рухнуть на кровать, как зазвонил телефон. Сладким голосом Пусик осведомился:

— Дорогая, как насчет десерта?

Подумав, что он предлагает торт, я мысленно простилась с благоразумием и лихо ответила:

— Отдыхать так отдыхать, велите принести.

Только люблю все со взбитыми сливками и клубникой.

Администратор захихикал:

— Чудесная шутка. Сейчас пришлю клубнички.

Ну не идиот ли? Что смешного в клубнике со сливками?

Я надела халат, вытащила припасенный детектив и блаженно вытянулась на безукоризненно белых, похрустывающих от крахмала простынях. До чего здорово! Разве дома отдохнешь так! Сейчас бы уже все на разные голоса орали «мама» и ломились в дверь. А тут невероятно тихо. Почитаю «Убийство на лестнице» и съем в кровати десерт. Приятные мысли прервал тихий стук.

— Войдите, — крикнула я. — Открыто.

Дверь легонько приоткрылась, и в проеме появился высокий блондин в кимоно. В руках он держал баллон взбитых сливок. Парень был красив, как мыльная обертка. Кудрявые волосы уложены феном и слегка покрыты лаком, громадные голубые глаза без признаков мысли, крупный рот с капризно изогнутыми губами. Он шагнул в комнату, притворил дверь и, протягивая наманикюренной рукой баллончик, сказал мужественным голосом:

— Ваши сливки.

— А где клубника? — растерялась я.

— Здесь, — улыбнулся мальчишка, демонстрируя тридцать два безукоризненных зуба, и одним движением развязал пояс. Кимоно свалилось к красивым ногам. Я глядела на «десерт» во все глаза. Фигура у юноши просто замечательная, такую можно приобрести, только регулярно занимаясь культуризмом. В приглушенном свете настольной лампы кожа поблескивала — очевидно, намазался для пущего эффекта маслом. Паренек принял мой обалделый вид как комплимент, потому что встал в картинную позу и сказал: — Рад знакомству, Жюльен.

Навряд ли он читал «Красное и черное» Стендаля, иначе ни за что бы не взял себе имя любовника, которого постигла столь печальная участь. И потом в масле я люблю только рыбу, ну на крайний случай блины! Мужчин предпочитаю чистых и желательно тщательно вытертых.

Забрав у него баллончик со сливками, я отправила «клубнику» на кухню. Через секунду позвонил Пусик.

— Милая, простите, — заюлил администратор, — ужасно неразумно подсовывать такой даме, как вы, Жюльена. Глуп как пробка. Хотите брюнета? Сейчас свободен Патрик.

Ну только Патрика мне не хватало, к тому же это имя носит Марусина морская свинка, и я представила, как она на задних лапах, выпятив безволосое розовое брюшко, приближается ко мне. Следовало немедленно расставить все точки над «и», да и другие знаки препинания.

— Мне не нужны мужчины.

— Какая изысканность, — восхитился Пудель. — Должен был догадаться, такая дама, как вы, тяготеет к розовому цвету. Сейчас исправлю ошибку, только закажите: блондинка, брюнетка, рыжая?

— Пусик, — как можно любезней сказала я, — мой супруг, Гарун ибн Рашид, мужчина неукротимого темперамента. И эту ночь я хочу провести спокойно, просто отдохнуть.

— Понял, — сообщил администратор, — испаряюсь. Но если передумаете, мы все, включая меня, к вашим услугам.

Ну просто катастрофа! Однако Пудель больше не навязывался, и никто не звонил и не скребся в дверь. Я заснула и проснулась в три утра. Пора. Надев джинсы и рубашку, выскользнула в темный, освещаемый небольшими светильниками коридор. Дошла до седьмого номера, который, по словам Пусика, занимал Кирилл, вытащила связку отмычек и, стараясь не шуметь, принялась ковыряться в замке. Через секунду спина покрылась липким потом, в мокрых руках заскользили отмычки. Прав «милейший паренек», не мое это дело, к тому же очень боюсь, что поймают. Дверь не поддавалась. В отчаянии я дернула крючок, чтобы вставить другой, и язычок внезапно щелкнул.

Попав внутрь, не решилась зажечь свет, вдруг обслуга увидит полоску под дверью. Кабинет и спальня точь-в-точь как мои. На кровати велюровый халат, в тумбочке будильник, томик Рекса Стаута и пачка неизвестных мне таблеток «Норвакс». Надо же, тоже детективы любит. Еще обнаружила восемь книг о язве желудка. Основной интерес представлял компьютер.

Я включила агрегат. Раздалось мерное гудение, промелькнула заставка «Windows-95», и возникло окошко, требовалось ввести имя пользователя. Я набрала — Кирилл, но не попала, тогда переделала на Kirill, снова мимо. Следующие полчаса в безумном ажиотаже подбирала различные варианты на русском и латинском шрифтах: Кирюша, Кирюха, Киря, Кирик, Кирилл Михайлович, Кирец, Кирунька, Кирунчик, Кирелло, Кирлло. Все не то. Может, фамилия — Торов? Нет, и не фамилия. Что же он тут придумал? Детское или любовное прозвище — Зайчик, Котик, Рыбонька, Бегемотик. Фантазия иссякла, а проклятый компьютер не собирался впускать. Ну не мерзкий ли доктор? Вдруг экран сменил фон. Оказывается, я машинально набрала «доктор».

Пользователь — доктор. Однако радоваться рано, теперь проклятая машина требовала пароль. Это уже более серьезно. Пришлось признать временное поражение, выключить компьютер и вернуться к себе.

Дома я рванулась к старой записной книжке и принялась лихорадочно листать странички. Требовался хакер. В конце концов уже к вечеру раздобыла имя — Николай Марленович и адрес — Капотня. Далеко, конечно, но что делать!

Николай Марленович оказался тощеватым пареньком лет двадцати. Но друзья, порекомендовавшие его, сообщили, что он кандидат физматнаук и светило. Восходящая звезда компьютерологии.

Звезда поминутно поправляла падающие очки и слегка заикалась.

— Сначала, — сообщил хакер, — надо знать, зачем лезешь в машину.

— За информацией, — ляпнула я.

— Правильно, — одобрил математик, — теперь рассмотрим сам термин «информация».

Через десять минут моя бедная голова стала раскалываться от ненужных сведений, парень говорил и говорил. Я покачивалась, как кобра, загипнотизированная дудкой факира, не понимая ни слова: матрица, свободная память, файл подкачки, автозамена, форматирование... Не вынеся мучений, прервала словесный поток:

— Как можно влезть в компьютер, если не знаешь пароль?

— Существует несколько методов, — охотно принялся объяснять хакер, — можно применить осциллограф.

И опять хлынул поток информации, скорей всего правильной и нужной, но совершенно непонятной.

— Неужели нет какого-нибудь приборчика, подключил, а он сам ищет пароль методом подбора. Видела такой в фильмах про Никиту.

— Ах это, — махнул рукой математик, — есть, конечно, но ведь неинтересно, когда прибор просто работает. Увлекает сам по себе поиск. Сидишь и думаешь день, другой, третий, вертишь варианты.

Это же надо! Неинтересно ему. А мне в самый раз.

— И где это чудо техники раздобыть?

Мальчишка пожал плечами:

— Можно поискать, есть один умелец, но придется заплатить. Он сам собирает.

Утром, поглядевшись в зеркало, я печально вздохнула. Как ни жаль времени, придется съездить в парикмахерскую. Не может госпожа ибн Рашид таскать на голове воронье гнездо. Уже совсем собралась уходить, как вдруг зазвонил телефон. На том конце провода была... Лена.

— Даша, — с места в карьер начала она, — в субботу сорок дней со дня смерти Ларисы.

— Как же, хорошо помню и обязательно приеду.

— Мы тоже, — сказала Лена, — но хотелось бы предварительно переговорить с вами, возникли некоторые сложности. Какие у вас планы на сегодня?

— Сейчас еду к парикмахеру, а потом до семи свободна.

— Ладно, а где находится парикмахерская? Может, неподалеку от нее и встретимся?

— Салон на Лесной улице. Когда увижу, что дело близится к концу, позвоню вам.

На том и порешили, и я поехала приводить себя в порядок.

Салон на Лесной не из дорогих и новомодных.

Но стригусь я там уже много лет подряд и не вижу причины менять мастера. За долгие годы регулярного общения почти сдружилась с мастерицей Людой. Во всяком случае, она знает, что у меня часто болит голова, а я в курсе ее проблем с сильно поддающим мужем. Этих тем нам вполне хватает на полуторачасовой разговор. К тому же, зайдя как-то раз из любопытства в модный салон «Бьянка», я поняла, что не собираюсь отдавать двести долларов за то, что до сих пор стоило двести рублей.

Вот и сегодня Люда усиленно щелкала вокруг моей головы ножницами, рассказывая о том, как супруг, «козел вонючий», нажрался и разбил «любимую вазу». Потом волосы намазали краской, и я, завернувшись в клеенку, принялась ждать. Немилосердно хотелось курить. Но любимые сигареты, к которым я пристрастилась в Париже, естественно, забыла в машине. Люда предложила «Мальборо», но, к сожалению, на меня от курения нападает кашель. Стоит сделать первую затяжку, как легкие начинают отчаянно протестовать. Парадоксально, но синие французские «Голуаз» не вызывают такой реакции, хотя набиты довольно крепким табаком. Не раз Аркашка фыркал, объясняя, что даме больше подходит «Давидофф», на худой конец «Парламент», но я все равно предпочитаю «Голуаз». К сожалению, в России они не распространены. Наши люди традиционно курят американские табачные изделия. Поэтому, услышав, что я хочу закурить, мастера наперебой стали предлагать «Винстон», «Пэлл-Мэлл» и «Даллас». Но мне требовались любимые «Голуаз», к сожалению, недоступные. Ну не выходить же на январскую улицу в клеенке и с мокрой головой.

Видя мои страдания, Люда крикнула:

— Михалыч, иди сюда!

Из недр парикмахерской появился старик сторож.

— Дай ему ключи, — распорядилась Люда, — пусть сбегает за сигаретами, пьянь несчастная.

Распространяя удушливый аромат перегара, Михалыч, шаркая валенками, побрел к «Пежо». Через большое окно я наблюдала, как он не очень умело запихивает ключ в замок, поворачивает, тянет на себя дверцу...

И тут раздался оглушительный взрыв. В парикмахерской тоненько задрожали стеклянные бутылки, местная кошка, испуганно мяукнув, кинулась под кресло. Клиенты и мастера ринулись к окнам. На улице полыхал костер, в воздухе носились какие-то непонятные предметы. Все разинули рты. Вдалеке послышался вой сирены. Пламя бушевало, истребляя останки несчастного «Пежо». На тротуаре одиноко лежал рваный валенок с калошей — все, что осталось от алкоголика Михалыча. Я буквально остолбенела и, почувствовав слабость в коленках, рухнула прямо на грязный линолеум. Тут же ко мне кинулась очумелая киска. Плохо помню, как мне вымыли и высушили феном волосы. Откуда ни возьмись появились валерьянка и стакан горячего чая с сахаром. Люда поглаживала мою спину и приговаривала:

— Вот уж покурили так покурили.

Потом появилась милиция. Несколько парней в форме принялись деловито разгонять любопытных и натягивать вокруг останков машины красно-белую ленту. Толстый мужик в штатском, вытащив блокнот, принялся записывать мои данные. Узнав фамилию и адрес, устало вздохнул и поинтересовался:

— Подозреваете кого?

— В чем? — растерялась я.

— В факте организации взрыва машины.

— Как? — окончательно растерялась я. — Разве это не несчастный случай?

Милиционер отложил блокнот и тоном, которым учительница разговаривает со слегка недоразвитым ребенком, заметил:

— Человек подошел, сунул ключ в замок и раз... несчастный случай?

— Ну, может, замкнуло, сломалось!

Больше всего оперативнику хотелось сказать, что шарики сломались в моей голове, но, находясь при исполнении, он удержался и лишь безнадежно махнул рукой. Так и не сумели договориться. И я, забыв расплатиться с Людой, побрела в метро.

Станция «Белорусская-кольцевая» встретила гомоном толпы. Купив несколько лет тому назад беднягу «Пежо», я перестала пользоваться подземкой. И сейчас стояла, как старушка из глухой деревни, в полном обалдении.

Во-первых, совершенно непонятно, как войти. Все засовывают в незнакомые турникеты кусочки картона. Ага, это магнитные билеты, как в Париже. Во-вторых, в сумочке только доллары и кредитная карточка. Пришлось искать обмен. Наконец благополучно спустилась вниз и окончательно потеряла ориентацию. Сколько новых станций построили! Ладно на окраинах. Но в центре! Как ухитрились возвести «Лубянку» и куда подевалась «Дзержинская»?

Поезд, постукивая, вез через темноту. Голова гудела. Думать мешали толпы убогих, больных, погорельцев, протискивающихся по вагону. В Париже моментально бы арестовали «ветерана афганской и чеченской войн», сидящего в инвалидной коляске на подвязанной ноге. И мало кто из попрошаек рискнет появиться на станции «Елисейские Поля» в центре города. Здесь же на «Театральной» в вагон ввалилась неопрятная старуха и, опершись на две палки, поковыляла по проходу, задевая пассажиров дурно пахнущим пальто. На «Тверской» я увидела, как эта бабка, сунув палки под мышку, резво скачет по платформе, торопясь успеть в другой вагон. Стало противно, и от скуки принялась разглядывать сидящих напротив. Землистые лица, грязные сапоги. Баба в вязаной голубой шапке сидела, широко расставив толстые ноги, рядом с ней парнишка с прыщеватым лицом самозабвенно читал книжку. Голая девица на обложке сжимала в хищных руках пистолет. «Несостоявшаяся встреча» — чудесное название. Внезапно в голове пошел мыслительный процесс. А ведь у меня сегодня тоже не состоялась встреча. Странно, но Лена не приехала на Лесную улицу, хотя мы четко договорились. Может, просто забыла?

Глава 27

Домашние с ужасом восприняли кончину «Пежо». Зайка, уставившись на меня своими огромными карими глазищами, сердито сказала:

— Как ты могла допустить такое. Можно ли быть столь безответственной! А если бы дверцу открыла ты!

Ну и что? Меня хоронили бы в баночке из-под йогурта. В ней вполне уместилось бы то, что от меня осталось.

Зайка накапала себе валокордин и позвала Аркадия. Вдвоем дети принялись меня ругать. Ну надо же! Нет чтобы порадоваться, что мать жива. Но это были цветочки. Ягодки созрели к вечеру, когда приехал румяный и улыбающийся Александр Михайлович.

Полковник преспокойненько сел ужинать и демонстративно не говорил ни слова о взрыве. Разговор крутился вокруг утки с яблоками и печеной картошки. После ужина мы закурили. Приятель ехидно спросил:

— Не бросила?

— С какой стати?

— Думал, сегодняшнее происшествие надолго отобьет у тебя охоту дымить. Ну, кому насолила?

— Понятия не имею, — искренне ответила я. — Может, ошиблись. Перепутали одну иномарку с другой? Хотели банкира убрать, а досталось мне?

— «Пежо» в Москве не так много, не «шестисотый» «мерс», — покровительственно объяснил Александр Михайлович, — к тому же редкого цвета. Лучше вспомни, кто знал о поездке в парикмахерскую. Бандиты понимали, что сразу из салона ты не уйдешь, и спокойненько установили элементарное, но эффективное взрывное устройство.

— Кто знал? Машка и Ольга.

— Больше никто?

Сказать про Ленку? Впутать бедную девушку, которая совершенно ни при чем, в расследование?

— Нет.

— Ладно, — бросил приятель, — сменим тему. Что ты искала в квартире погибшей Раи Лисицыной?

— Никогда там не была.

— Значит, признаешь, что имя и фамилия знакомы?

— Нечего на мне свои милицейские фокусы демонстрировать, — разозлилась я, — женщину не знаю, в квартире не была.

Полковник посмотрел в окно, потом почти ласково сказал:

— Душенька, нельзя же мерить всех по себе и думать, что мир состоит из одних идиотов.

— Я не идиотка!

— Только кретинки оставляют на месте преступления записные книжки.

— Вот это да. Как догадались, что моя?

— Элементарно, Ватсон, — ухмыльнулся полковник, глядя на мое растерянное лицо. — Позвонили по всем телефонам и выяснили, что у всех абонентов есть одна общая знакомая — ты. К тому же лично я хорошо помню, как ты чертыхаешься, пользуясь электронной книжкой, да и мой домашний телефон там есть, а его имеют всего пять человек.

— Ладно. У меня недавно украли сумку. Вор, наверное, пришел к Лисицыной и забыл книжку на кухне.

Александр Михайлович затянулся и тихо спросил:

— Откуда ты знаешь, что на кухне?

Вот черт, проговорилась.

— Не расстраивайся, — успокоил приятель, — там еще полно улик. Например, виски с содовой.

— Виски?

— Ну да, «Белая лошадь». Раиса была сильно пьющей, и ты купила в супермаркете на первом этаже ее дома дорогую бутылку. Продавщица отлично тебя запомнила и описала в деталях. Кстати, в другой раз, когда соберешься кого-нибудь убивать, снимай приметные серьги. Они особенно понравились торгашке. И совсем глупо, вытерев выключатели, оставить на столике в холле хорошо залапанную «Белую лошадь».

— Никого я не убивала, она уже плавала в ванне, когда я пришла.

— С этого места поподробней, — попросил приятель.

— Раисина мать моя дальняя знакомая. Живет не в Москве и, конечно, волнуется о дочери. Вот и попросила сходить к ней, посмотреть, что к чему. Когда я пришла, дверь оказалась незапертой, а в ванне лежал труп хозяйки.

— Зачем ходила по квартире?

— Искала девушку.

— В шкафу тоже?

— Туда просто из любопытства заглянула.

— Почему не вызвала милицию?

— Испугалась до полусмерти и убежала.

Полковник принялся равномерно постукивать ботинком об пол.

— Не надо, — бросила я раздраженно.

Ну что за люди вокруг! В любой другой семье пережившего взрыв положат в постель, окружат заботой и вниманием, подадут чай со сладкими булочками. Но только не в нашей. Орут, ругают и устраивают допросы.

Я демонстративно зашмыгала носом, взяла со стола салфетку и принялась вытирать лицо.

— Ой, перестань, пожалуйста, — захохотал приятель, — «не верю», как говорил Станиславский. К тому же у тебя совершенно сухие глаза. Вот что, кончай ломать комедию. Пока, честно говоря, не понимаю, в какую гадость ты вляпалась. Но, имей в виду, лучше прямо сейчас рассказать правду. Думаешь, убийца остановится?

С этими словами полковник встал и, уходя, так хлопнул дверью, что Черри с перепугу подскочила на диване. Я прислушалась к скрипу лестницы. Приятель пошел на второй этаж, подговаривать сына с невесткой установить за мной слежку.

Следовало признать, однако, что кое в чем

полковник оказался прав. Глаза и в самом деле совершенно сухие. В следующий раз капну чуть-чуть нашатыря в платок, веки тут же покраснеют, и польются слезы. И передвигаться по городу стану на наемных машинах, пусть взрываются себе на здоровье.

Вечером, вернее уже ночью, позвонил Федька Зайцев. Комсомольская работа приучила его тут же докладывать о достигнутых успехах. В общем, правильная привычка. Чуть зазеваешься — и кто-нибудь не ленивый первым прибежит к начальству и снимет пенки.

— Нашел, — бодро отрапортовал Федька, — пиши. Качалинск, Вокзальная улица, 11.

Я повесила трубку. Действовать начну завтра.

В Качалинск, маленький городок, можно добраться на поезде всего за три часа. Купив билет на экспресс и заняв место в купе, я облокотилась на столик и стала смотреть на пробегающий за окнами унылый пейзаж. Ну не чудеса ли — проехали какой-то час и попали в совсем другую страну. Во Франции, к примеру, нет такой ужасающей разницы между уровнем жизни в Париже, Дувре или крохотном Эксе в Провансе. Там в провинции просто иной образ мыслей, более спокойное, монотонное существование. У нас же такое ощущение, что едешь по территории, где только что отгремела война. Везде неработающие заводы, незаконченные стройки и стаи грязных, ободранных собак.

Качалинск был типичным промышленным городком. Прямо у станции высилось пятиэтажное стеклянное здание с вывеской «ООО «Качалсталь». На площадке тосковало несколько машин. Плохо заасфальтированная дорога вилась между небольшими разномастными домиками. Из железного ларька, набитого дешевой водкой, жвачкой и «Сникерсами», неслась слезливая песня про чью-то плюшевую юбку. Несколько толстомордых теток разложили на картонных ящиках нехитрый товар: головки чеснока, соленые огурцы, сигареты и трусы невероятных размеров и раскрасок.

Наконец рядом со мной тормознул дребезжащий «жигуль».

— На Вокзальную!

— Дорого стоит, — почесал в затылке шофер, — очень далеко ехать.

Ну вполне в провинциальном духе. Вокзальная улица в противоположном конце города.

— Сколько?

— Ой дорого, — продолжал сокрушаться водитель, — к чему тратиться? Садитесь на трамвайчик.

И он ткнул пальцем в небольшую группку замерзших граждан, переминающихся с ноги на ногу.

— Долго ехать?

— На трамвае — часа полтора.

— А на машине?

— Минут десять, но дорого, вам не подойдет.

— Сколько? — прервала я его стоны, ожидая, что мужик сейчас выдаст: «Как минимум сто долларов».

Шофер секунду поколебался, потом еще раз окинул взглядом мою куртку, сумку, сапоги и решил, что может требовать по максимуму:

— Десять рублей.

Едва не расхохотавшись, я села в машину и сказала:

— Действительно дорого, но я тороплюсь.

Задыхаясь и издавая предсмертные стоны, «Жигули» покатили, подскакивая на бесконечных выбоинах. Летом городок, наверное, смотрелся неплохо, но сейчас выглядел ужасно.

Вокзальная улица, длинная и изломанная, оказалась на другом конце Качалинска. Лихо затормозив возле облупившегося двухэтажного барака, машина заглохла.

Я вошла внутрь. Узкий коридор с выкрашенным масляной краской полом встретил закрытыми дверями комнат и букетом всевозможных запахов: щей, перегара, кошачьей мочи. Но сильней всего тут пахло бедностью, даже нищетой.

Я постучалась в первую дверь. Высунулась толстая тетка в застиранном халате:

— Чего надо-то?

— Где найти Полину Нестерову?

— Если под забором не валяется, то у гастронома стоит, — сообщила добрая соседка.

— Комната ее где?

— Последняя слева, — буркнула баба и исчезла.

Я дошла до указанной двери. Она оказалась незапертой. Впрочем, красть здесь было нечего.

Окно, не мытое, пожалуй, лет десять, прикрывала прикрепленная кнопками газета. На подоконнике стояла засохшая герань, вокруг валялись окурки. На круглом столе — черная чугунная сковородка с засохшими остатками чего-то несъедобного. Рядом примостилась щербатая чашка с отбитой ручкой. Кровать с железными спинками и шишечками не застелена, простыни приобрели цвет асфальта. Единственный стул с продавленным сиденьем угрожающе покачивался. На вбитых в стену гвоздях висела одежда хозяйки. Старое драповое пальто с потертым меховым воротником и ярко-красная кофта с игривой надписью «Kiss me».

Я вздохнула и пошла к гастроному искать хозяйку. Возле магазина кучковалось несколько помятых личностей с опухшими мордами.

— За бутылку отведете к Полине Нестеровой? — спросила я.

— Конечно, — засуетился плюгавый мужичонка в кроличьей ушанке, — гони пузырек.

— Сначала баба, потом ханка, — оборвала я его.

— Да вон на ящичках спит.

Я купила мужику жидкость с невероятным названием «Качалинская отличная горькая настойка» и двинулась к ящикам.

На голых фанерках мирно похрапывала в стельку пьяная тетка. Я огляделась по сторонам, соскребла немного снега с ближайшей машины и сунула ей за шиворот. Ноль эмоций. Вокруг захихикали. Одна сердобольная старушка посоветовала:

— Эдак ты ее никогда не разбудишь. Она привыкшая к холоду, на снегу дрыхнет. Если уж очень надо, купи бутылку, открой да к морде поднеси, живо вскочит. Только если она у тебя чего сперла, не надейся, не вернет, моментом любой товар на водку меняет.

Поблагодарив бабульку, я приобрела еще одну «горькую», содрала алюминиевую нашлепку и подсунула спящей красавице. Через секунду на меня глянули такие родные Ларискины глаза... Даже не заглядывая в паспорт, можно было сказать: это Полина. Цвет ресниц, форма бровей — все точь-в-точь как у Ларисы, нет только в глазах искорки, делавшей Люлю столь привлекательной. Взгляд тусклый, почти безжизненный. Легкий интерес возник в мутноватых зрачках, когда они сфокусировались на бутылке.

Баба села на угрожающе дрожащих ящиках, потрясла всклокоченной головой и прохрипела:

— Дай!

В моей богатой мужьями жизни имелся один алкоголик. И я великолепно знала, что тетка, пока не выпьет, невменяема. Протянутую бутылку алкоголичка ухватила твердой рукой и сделала гигантский глоток. Так путник глотает иссохшими губами ключевую воду.

Настойка оказала целительное действие. Полина даже попыталась улыбнуться и просипела:

— Ты кто?

— Ларису помнишь?

— Кого?

— Сестра у тебя была Лариса, помнишь?

— Ты кто?

— Ларису помнишь?

— Кого?

— Сестра у тебя была Лариса, помнишь?

Баба попыталась сосредоточиться, но, очевидно, мысли в голове расползлись, как тараканы, потому что она сказала:

— Да, не помню.

Досадно. От пьяницы еще можно было чего-то добиться, но от кретинки толку никакого. Тетка допила бутылку и через секунду снова захрапела на ящиках. Я постояла несколько минут в задумчивости, затем стала обозревать обклеенный объявлениями фонарный столб. Так, чиним холодильники, пылесосы, телевизоры, уничтожаем клопов, перевозим мебель. Вот оно: выводим из запоя. Я вытащила телефон и набрала номер.

Вскоре к магазину подъехал «рафик» защитного цвета с красным крестом на окнах. Высунулся парень в весьма грязном халате и бодро осведомился:

— Где клиент?

— Здесь, — ответила я и ткнула пальцем в ящики.

Фельдшер вылез и в задумчивости уставился на Полину, потом вынес вердикт:

— Большое поле для деятельности. Дорого станет.

Местные стоны о безумной стоимости услуг начали меня раздражать:

— Сколько?

— Двести рублей.

— Ладно.

— А то и двести пятьдесят, — заломил парень, почуяв выгодного клиента.

— Хорошо, — согласилась я, — но надо, чтобы девушка пришла в себя и смогла доехать до Москвы. И еще, учти, поезд в три часа дня.

— Девушка-розанчик, душечка-бутончик, — запел похмельщик, втаскивая безжизненную Полину в «рафик».

Пока он звякал биксом, я опять принялась звонить, на этот раз докторше Светлане Александровне из 18-й больницы. Той самой, что вылечила несчастную Милочку Котову и не смогла помочь Изабелле.

Очевидно, сегодня был мой день, удача улыбалась, Светлана Александровна оказалась на месте. Выслушав просьбу и без обиняков назвав сумму, она согласилась ждать нас.

Примерно через полтора часа Полина уже смогла встать на ноги и даже двигать ими. На поезд мы не опоздали. В купе трепетная нимфа моментально захрапела, распространяя миазмы. Попутчики с удивлением поглядывали на нас, но с расспросами не лезли. В Москве я с трудом запихнула Полину в автомобиль и доставила в больницу.

Светлана Александровна окинула ее профессиональным взглядом и спросила:

— Нет сомнений, что дама не самостоятельно приняла решение лечиться от зависимости.

— Совершенно справедливо. Сколько дней понадобится на реанимацию?

Докторица задумчиво повертела конверт с долларами. Она уже заглянула внутрь и осталась довольна. Я предпочитаю иметь дело с теми, кто четко знает тарифы на услуги, а не мямлит: «Сколько сочтете нужным!»

— Неделю, днем больше или меньше, — наконец изрекла Светлана Александровна, — главное, не оставляйте ей никаких денег и одежду увяжите, а то сбежит.

Я оставила плохо соображающую Полину на попечение медицинского персонала и отбыла восвояси.

В субботу позвонил «звезда компьютерологии» и сообщил, что нужный прибор меня ждет. Я поблагодарила Николая Марленовича, но приехать пообещала только в воскресенье. Сегодня должна быть у Войцеховских — сорок дней со дня смерти Люлю.

У Войцеховских сидели все те же: Петька с Анной, Кирилл с Дианой, Серж и Ленка. Последняя принялась шумно извиняться:

— Дашенька, простите. Договорились о встрече, так неловко. Что-то последнее время я очень плохо себя чувствую. Прилегла на полчаса отдохнуть и проспала весь день. Так неудобно! Стала звонить, но вас застать невозможно.

Я посмотрела на ее фарфоровое личико со здоровым, не косметическим румянцем и промолчала. Ленка продолжала мести хвостом, но тут открылась дверь, и вошла лже-Полина. Что и говорить, выглядела мошенница эффектно. Простое маленькое черное платье, тоненькая золотая цепочка. Фигура изумительная — крупная, но ничего лишнего, никаких выпирающих валиков жира на спине или бедрах. Сильное, большое тело. Впечатление слегка портил слишком яркий макияж. Ну зачем она мажет полные губы бордовой помадой? И вовсе ни к чему накладывать на щеки и нос тонны жидкой крем-пудры.

Следом за Полиной-Мариной вбежал радостный Степан. Мне его оживление показалось и вовсе неуместным. Не бракосочетание же здесь. Хотя, глядя на Войцеховского, можно было подумать, что именно свадьба. Степка поминутно трогал «сестрицу» за руку, подкладывал ей на тарелку салат и прочие закуски. Негодяйка смотрела на Войцеховского с обожанием. Фрида казалась присмиревшей, даже маленький Мишенька жался поближе к тетке, так напоминавшей ему мать.

Первый тост подняли за светлую память. Выпили не чокаясь, с грустными лицами. Затем Рафаэлла внесла гигантское блюдо с запеченной семгой — любимым кушаньем Фриды. Я не очень люблю рыбу, но остальные гости принялись с энтузиазмом поглощать розоватое филе. Потекла плавная беседа.

Поговорили о самых разных вещах. Обсудили погоду, сравнительные характеристики бытовой техники «Бош» и «Мулинекс», посетовали на дороговизну. О Ларисе больше не вспоминали. Степан раскраснелся и налил себе еще водки. Полина-Марина подняла бровь и тихо, но достаточно внятно произнесла:

— Дорогой, не советую. Утром будет болеть голова. Ты же знаешь свою норму — пять рюмок, а эта уже шестая.

Степка весит около 120 килограмм и рост имеет под метр девяносто. Поесть любит страстно, но к выпивке равнодушен. Вернее, один не пьет никогда, но в компании да под хорошую закуску радостно опрокидывает рюмашки одну за другой. И здесь его подстерегает опасность. Опьянение не приходит к нему, как ко всем людям, постепенно. Гигантская масса тела стойко сопротивляется алкоголю, и Степке, наливающему себе десятую рюмку, кажется, что он трезвее папы римского. Но тут в организме отказывает какой-то механизм, и Степан разом делается пьяным. Смотреть со стороны смешно. Вроде только что сидел веселый и нормальный, а через секунду пьяный в зюзю. И злой. Стоит алкоголю массово проникнуть в кровь, Степка делается вредным, гадким и нетерпимым. Бедной Лариске каждый раз доставалось от него на орехи. Однажды муж высадил ее ночью из машины посреди дороги, в другой раз стукнул зонтиком по шее. И, как правило, в таком состоянии он орет, что его не уважают, и вообще всем стоять смирно. Люлю приходилось всячески изощряться, чтобы не дать мужу напиться. Сделать замечание и попросить больше не трогать бутылку — нельзя. Как все мужчины, Степка не терпит запретов и из вредности поступает наоборот.

Мысленно потирая руки, я приготовилась к скандалу. Сейчас старший Войцеховский покажет мошеннице, где раки зимуют. Очевидно, присутствующие подумали о том же, потому что притихли.

Но случилось непредвиденное. Мужчина виновато улыбнулся и отставил стопку.

— Спасибо, Полюшка, что приглядываешь за мной. Твоя правда, лучше воздержаться.

Не знаю, как остальные, но я просто ахнула. Ай да уголовница! Просто высший пилотаж. Интересно, как добилась подобного результата?

Степка поглядел на нас и сказал:

— Давление подскакивает, и сердце пошаливает. Надо беречься, а то умру в одночасье, как Лариска.

— Если тебе поднесут стрихнин, точно в один момент окочуришься, и нормальное давление не поможет, — хихикнул Петька.

Анна встала из-за стола и преувеличенно вежливо принялась благодарить Фриду за ужин.

Глава 28

Николай Марленович вытащил в прихожую довольно громоздкий железный ящик и гордо сообщил:

— Прошу любить и жаловать: дешифратор.

Я уставилась на почти неподъемный прибор и спросила:

— Точно он? В кино у шпионов такая малюсенькая коробочка, двумя пальцами ухватить можно.

Николай Марленович пожал плечами:

— В кино и из меня русалку сделают. И потом, это же самодел, приятель на заказ собрал, а заказчик не явился, вот вам и достался.

Выслушав тягостные инструкции, я, кряхтя, взяла прибор и мелкими перебежками потащилась искать такси. В прошлый раз математик был более галантен и довел до машины, но сейчас предпочел остаться дома. Оно и понятно. С неба сыпалась ледяная крошка, по земле разливалась грязная каша, ветер противно задувал под куртку, и я подумала, что идти к машине, если не близко, следует в пальто или шубе. Куртка хороша, когда сразу запрыгиваешь в теплый салон. Да и обувь не годится: коротенькие ботиночки на тонкой подметке. Придется купить военные ботинки на платформе.

Дома я, к счастью, не попалась на глаза никому из детей и спрятала дешифратор в гараже. Завтра поеду в «Пиккадилли».

Но на завтра планы резко изменились.

Около часа позвонил Степка и принялся, как кот вокруг горячей каши, ходить кругами:

— Как дела?

— Спасибо, хорошо. А ты как?

Приятель замялся и сказал:

— Просто чудесно. Только погода плохая.

Посудачив минут пять о циклонах и антициклонах, я решила облегчить Степкину жизнь и спросила в упор:

— Говори, зачем звонишь?

— Наверное, это все не очень вовремя, и ты сочтешь меня бесчувственным чурбаном, — заюлил Войцеховский.

— Давай короче.

— Завтра мы с Полей подаем заявление в загс.

Вот уж новость так новость. Правда, штампа в паспорте им придется ждать целый месяц, и время еще есть.

— Подъезжай завтра к пяти, — продолжал Степка, — регистрация в восемнадцать тридцать.

— Как регистрация? — ужаснулась я. — Вы же только заявление несете!

— А я договорился с заведующей, чтобы нас тут же и расписали. Чего канителиться? Правда, там очередь, но она ради нас останется после работы, поэтому и время такое дикое — полседьмого вечера.

Я треснула трубкой о рычаг и понеслась ловить такси.

Коридоры 18-й больницы — унылые, кишкообразные помещения, застеленные протертым линолеумом. По ним, зябко кутаясь кто в халат, кто в платок, бродили больные. Единственный телевизор в холле, черно-белый «Рубин», показывал очередное «мыло», и возле экрана сидели на железных стульях безвозрастные женщины. Светлана Александровна пила в ординаторской кофе. Мы поболтали минут пять, и она пошла за Полиной. От нечего делать я подошла к окну и выглянула на улицу. На снегу бродили встрепанные вороны. Птицы рылись в помойке, выискивая съестное.

Дверь кабинета стукнула. В комнату вошла Лариска. Только похудевшая на двадцать килограмм. Тот же рост, те же глаза и нос, крупный рот. Вот только волосы подвели — пережженные дурацкой химической завивкой и редкие, они совершенно не походили на роскошные Ларкины кудри. Хотя на такой случай имеются парики.

Полина секунду постояла у двери, потом неуверенно сказала низким, хриплым голосом:

— Это вы меня в эту тюрягу укантропупили?

— Хочешь тысячу долларов? — спросила я в лоб.

Полина принялась пересчитывать сумму на бутылки, потом, ошеломленная радужными перспективами, осторожно осведомилась:

— Чего делать надо?

Я поудобней устроилась на жестком больничном стуле и принялась обрисовывать ситуацию. Пришлось нелегко. Мозги женщины, совершенно проспиртованные, отказывались ей служить. Еле-еле воткнула в ее глупую голову нужные сведения. Узнав, что ничего криминального от нее не требуют, Полина согласилась, и мы начали действовать.

Для начала я велела ей надеть привезенные вещи. Специально подобрала их в Ларискином стиле — черные брюки и ослепительно красный пуловер. Уши у Полины оказались не проколотыми, и от серег пришлось отказаться. Коротенькие сапожки на каблуке, красивый кулон с цепочкой. На голову нахлобучили парик. Лицо я покрыла светлым тоном и подкрасила глаза. Губы не тронула. Люлю редко пользовалась губной помадой. В качестве завершающего штриха опрыскала женщину духами «Коко Шанель». Любимый Ларисой запах поплыл по ординаторской. Я отступила на пару шагов и залюбовалась достигнутым результатом. Да, одень пенек, будет как майский денек.

К Войцеховским прибыли ровно в пять. Велев Полине ждать условного знака, я вошла в дом. В гостиной в светло-бежевом костюме сидела невеста. Меня опять поразило несоответствие элегантной одежды и вульгарного макияжа. Рядом топтался обряженный в вечерний костюм жених. Я оглядела присутствующих: все те же лица. Что ж, это к лучшему, что собрались только свои.

— Дашка, — возбужденно закричал Петька, — вот новость так новость!

Я совершенно не разделяла ни его энтузиазма, ни его радости, поэтому сказала:

— Новость, конечно, удивительная. Всего сорок дней прошло после смерти Ларисы, а у вас свадьба.

Степка покраснел как рак, а невеста даже не вздрогнула. Мило улыбнувшись, она спокойно смотрела перед собой.

— Живым жить, — вздохнул Кирилл, — жаль Люлю, но у Степы ребенок, бизнес; ему, не в пример тебе, деньги с неба не упали. Одному трудно со всем справиться. Я, например, очень рад, что он нашел себе такую очаровательную жену. И, вообще, Дарья, на свадьбе принято дарить подарки, а не говорить гадости.

Ах, так! Ну погоди, доктор.

— Подарок здесь, — спокойно сообщила я, — сейчас придет.

Отодвинув занавеску на окне, я помахала рукой и с удовлетворением увидела, как Полина вылезла из такси и направилась к дому. Вошла в холл, сняла пальто, приблизилась к двери гостиной и... раз, распахнула ее. Эффектный вход.

Уставившись на вошедшую, Степка слегка прибалдел, потом робко спросил:

— Вы кто?

— Это мой подарок, — сказала я как могла спокойно, — познакомься, пожалуйста. Младшая сестра Ларисы — Полина.

Невеста вскочила на ноги, но я была начеку и быстренько схватила ее за руку:

— Нет, Мариночка, вам еще следует объяснить весь маскарад.

Петька растерянно переводил взгляд с одной женщины на другую и бормотал:

— Ничего не понимаю.

— И понимать-то нечего, — сообщила я, — съездила в Качалинск и привезла вам настоящую Полину. А то Степка собрался жениться на мошеннице. Прошу любить и жаловать, Марина Коваленко, авантюристка. Судима по 147-й статье, как брачная аферистка. И никакой она не ветеринар, а просто собачий парикмахер. Спасибо Марусе, она сомнения в моей душе поселила.

— Но у нее же паспорт на имя Полины Николаевны Нестеровой, — тихо произнес Степка, — и завещание.

— А у этой тоже паспорт, — фыркнула я, — только завещания нет.

Настоящая Полина сунула руку в карман и

протянула обалдевшему мужику бордовую книжечку. Степка раскрыл и уставился на фамилию. Потом растерянно опустился в кресло и произнес:

— Ничего не понимаю.

— Понимать надо только одно, — начала я злиться, — тебя спасли от необдуманного шага, дурацкой женитьбы.

— Но она так похожа на Люлю! — воскликнула Анна.

На это тоже существовал ответ. Я схватила со стола бутылку минеральной воды и салфетку. Марина попыталась вырваться, но злость придала мне силы. К тому же на помощь кинулся Петька. Несостоявшийся шурин силой усадил Марину на стул и держал ее, пока я возила мокрой тряпкой по лицу женщины. Через пару минут белая салфетка превратилась в кусок буро-красной материи. Лицо авантюристки немедленно потеряло сходство с Люлю. Исчезли крупные губы. Рот оказался маленьким и тонким. Соболиные брови превратились в белобрысые щеточки. Поросячьи припухлые глазки без теней и яркой подводки потеряли всякое очарование. Под стертым загаром проступила не очень чистая кожа, а на правой щеке обнаружился небольшой шрам.

Довольная эффектом, я сдернула с головы мошенницы парик, и перед всеми предстала коротко стриженная голова брюнетки.

Фрида лишилась дара речи.

— Эту, — картинно произнесла я, указывая на настоящую Полину, — можете хоть теркой тереть. Она — подлинная.

Окружающие слабо реагировали на происходящее. Со злорадством я заметила, как Кирилл вылущивает из фольговой упаковки какую-то таблетку. Ага, доктор, за лекарством потянулись. То ли еще будет!

— Но как, как, — бормотал, нелепо вертя головой, Степка, — почему?

Очевидно, в этот момент я расслабилась. Свеже-вымытая Марина рванулась со стула, плечом распахнула дверь и в мгновение ока кинулась на улицу. Никто не побежал за ней. Мы услышали, как во дворе заработал мотор.

Степка упал на диван и уткнул лицо в ладони. Петька подошел ко мне:

— Как ты узнала?

— В общем, случайно. Ужинала во французской булочной и заметила за соседним столиком Кирилла и «Полину». Очень удивило, что он называл ее Мариной. Проследила за ними, и все как-то одно к одному сложилось.

Анна с удивлением посмотрела на доктора:

— Ты знал, что она аферистка, и не предупредил?

— Да что вы, — замахал руками врач, — это был не я. Дашка перепутала.

Доктор смотрел на всех ясными, честными глазами:

— Это был кто-то очень похожий на меня. Я никогда не ходил во французскую булочную и не знакомился с мошенницей.

— Абсолютно уверена, что видела тебя, — настаивала я, — ты был в бордовом анораке и кепке.

— Подумаешь, — хмыкнул Кирилл, — да в таких куртках пол-Москвы ходит.

— Зачем она хотела выйти замуж за Степку? — задумчиво спросила Анна.

— Марина женит на себе состоятельных мужчин, — пояснила я, — узнает, где они прячут самые ценные вещи, и грабит ротозеев. Проделывала такое не то восемь, не то девять раз. Кстати, Кирилл разговаривал с ней как с очень близким человеком и велел что-то искать. Так и сказал: «Поищи лучше у Войцеховского в кабинете».

Кирилл затряс головой:

— Дашка, как не стыдно выдумывать! Никогда, вообще никогда не встречал эту тетку.

— Нет, — настаивала я, — совершенно точно видела, как вы сначала ворковали за столиком, а потом поехали в ее квартиру. Большой Козловский переулок, дом 7.

— Но у нее же паспорт, — все никак не мог прийти в себя Степан, — и она такая милая, заботливая, совершенно не похожа на мошенницу.

— Паспорт можно запросто купить,, — протянула Диана, внимательно глядя на Кирилла, — кстати, мошенник должен внушать доверие, иначе попадется. — Диана поглядела на меня и спросила: — Ты уверена, что видела Кирилла?

— Абсолютно. Бордовая куртка и зеленый шарф. Подумала еще, что у мужика совсем плохо со вкусом. А на черной кепочке — надпись какая-то серыми буквами. Очень хорошо разглядела, когда он этой Марине за пирожными побежал.

Диана резко встала.

— Думаю, сейчас нам лучше уехать. Свадьба накрылась.

Она, не прощаясь, пошла к двери, Кирилл последовал за ней. Мы видели через окно, как он бредет к машине, заматывая зеленый шарф и поправляя черную кепку с серыми буквами «USOP».

От стола донесся какой-то звук. Нерастерявшаяся Полина, пользуясь тем, что все отвлеклись, добралась до водки и теперь свалилась носом в тарелку. Степка в растерянности посмотрел на нее.

— Женщина — алкоголичка, — прояснила я ситуацию, — но ведь ты ни за что не поверил бы мне, если бы не увидел даму собственными глазами. И Марина твоя сумела бы как-нибудь отговориться. А так все! Финита ля комедиа.

— Бедная Лариска, — внезапно запричитал Степка, — бедная моя Ларка! Теперь понятно, почему она говорила, что все ее родственники умерли, — и он разразился бурными, женскими слезами.

Проняло наконец женишка. Фрида подкатила к двери и заорала:

— Катька, Валька!

На зов прибежали кухарка и Рафаэлла. Вдвоем ухватили блаженно храпящую Полину и поволокли в спальню для гостей. Не проронив больше ни слова, старуха выкатилась из комнаты. Продолжая всхлипывать, Степка выскочил за ней. Петька с Анной и Серж с Ленкой, все время хранившие молчание, уставились на меня.

— Надо было разрешить ему жениться на этой уголовнице? — стала я оправдываться. — Чего так смотрите?

— Дорогая, — бархатным, профессорским голосом завел Серж, — вы поступили абсолютно правильно. Только показался немного странным ваш, хм, метод действия. Ну, зачем было ждать свадьбу? Просто мексиканский сериал получился: злодейка, жертва и благородная подруга!

— Ничего я не ждала, только вчера узнала, что у Степки с этой дамой свадьба намечается. Вот и пришлось срочно действовать.

— Вы давно знакомы с Кириллом? — спросил Серж.

— Думаете, он все знал? — отреагировал Петька.

Серж пожал плечами:

— Во всяком случае, жена безоговорочно поверила Даше и сразу уволокла мужа, — засмеялся профессор, — странная пара. Я-то думал, она станет наслаждаться конфузом супруга, но ошибся. Кинулась спасать.

— Кирилла мы знаем лет десять, — сказала Анна, — а вот с Дианой дружила со школьной скамьи. Мне ее всегда было жалко: некрасивая, характер отвратительный. Мужики, правда, вокруг постоянно вились, но замуж не звали. И тут папа... Знаете, кто у нее папа?

— Миллионер, — ответили мы хором.

Анна усмехнулась:

— Это только одна сторона медали. Хотите, расскажу о второй?

Еще бы! В какой компании откажутся узнать всю подноготную?

Дианин папа, мелкий инженер, кандидат наук, тихо сидел в каком-то НИИ, получая грошовую зарплату. Неприметного сотрудника постоянно обходили премиями, заказами. Не поставили в очередь на машину и квартиру, не говоря уже о даче. Кончилось тем, что жена ушла к другому, более удачливому. Диана, к тому моменту уже взрослая, осталась с отцом. Таким образом, у папеньки прибавилась еще одна головная боль. Девица на выданье. Но женихи не спешили свататься. Особой красотой молодая женщина не отличалась, была вздорной, сварливой, терпеть не могла заниматься домашним хозяйством. В приданое этому райскому плоду давали двухкомнатную «распашонку» в Новых Черемушках, правда, вместе с еще довольно молодым папой, и золотое кольцо с искусственным рубином. Годы шли, а муж все не маячил на горизонте.

И тут приключилась перестройка. Тишайший Дианин папка, хорошо владеющий английским и знавший толк в математике, решил торговать компьютерами. Вдвоем с приятелем зарегистрировали фирму, и неожиданно дело пошло. Да так успешно, что все только диву давались. Через какое-то время на тихого, безропотного папаньку стала наезжать некая организованная структура. Бывший инженеришко не дрогнул, нанял ходивших без дела спортсменов и отбился, чем вызвал к себе уважение. Дальше события понеслись стремительно, и через год кандидат наук сообразил, что не только возглавил крупное объединение по торговле компьютерами, составляющими и программными продуктами, но имеет под началом несколько групп вооруженных боевиков. Ездит папашка на бронированном джипе. Смотреть без слез невозможно, как он вылезает из роскошного салона, в индийских джинсах, ботиночках «прощай, молодость» и дешевеньком китайском свитере. Почтительная охрана провожает его до дверей все той же «распашонки». Правда, подъезд теперь отремонтирован, лестница устлана ковровой дорожкой, а жильцы молются на разбогатевшего соседа. Папашка не жадный и охотно ссужает всех деньгами, часто забывая истребовать долг.

Жизнь Дианы тоже изменилась. Отец поселил ее в роскошных апартаментах, купил авто и достал мужа. Где он раздобыл Кирилла, не известно никому. Но через три дня после свадьбы рядовой терапевт из обычной районной поликлиники стал заведующим отделением в суперпрестижной поликлинике Литфонда, где лечились писатели, актеры, академики и члены их семей. Через месяц на свет явилась готовая диссертация.

Обладая всеми благами жизни — квартирой, дачей, машиной, счетом в банке, доктор тем не менее нищий. Все приватизировано и записано на Диану. Случись развод, он уйдет с тем, с чем пришел. Этот факт удерживает его от радикальных поступков. Он смиренно терпит жену, старается не замечать ее постоянных заигрываний с другими мужчинами. А кавалеров и женихов у Дианы теперь столько, что она может, выстроив их, успешно отразить атаку Кантемировской дивизии. Несколько раз женщина выгоняла Кирилла из дома, собираясь разводиться. Но добрейший папка проявляет в этом вопросе несвойственную жесткость, пугая дочь лишением щедрого денежного содержания. Работать Диана не хочет, да и не умеет, потому приходится слушаться. Живут они вместе уже десять лет и выработали своеобразный консенсус. Во всяком случае, всерьез не ругаются, любви друг от друга не ждут и вполне довольны сложившимся положением.

— Что же, — сказал Серж, — возможно, именно такой брак и бывает счастливым и страстная любовь тут совсем ни при чем?

Глава 29

Вечером следующего дня, сгибаясь под тяжестью дешифратора, я вползла в «Пиккадилли». Пудель бросился мне навстречу, велев охраннику взять сумку. Парень дернул кожаные ручки, крякнул и с уважением поглядел в мою сторону. Отказавшись от ужина, я сразу прошла наверх. На этот раз Пусик не присылал «клубнику», и я спокойно дождалась двух часов ночи.

376 ДАМА С КОГОТКАМИ

То ли руки не дрожали, то ли научилась пользоваться отмычками, но дверь поддалась сразу, словно не была заперта. На сей раз в номере пахло дорогими сигаретами, и я с трудом сдержала кашель. Стараясь не шуметь и отчаянно завидуя Никите́, я подтащила неподъемный прибор к столу и, отдуваясь, подключила его. Какое-то время ничего не происходило, потом вдруг... раз и компьютер вывесил свои значки.

Вот это да! Ай да Николай Марленович! А я-то какая молодчина, не хуже, чем у Никиты́, получилось.

Зашла в «портфель» и обнаружила кучу каких-то документов. Так, здесь разбираться не стану, сначала скачаю всю информацию на дискету. Пару минут спустя засунула готовую дискету в нагрудный карман джинсовой рубашки, отсоединила дешифратор, запихнула в сумку и совсем уже собралась уходить, как дверная ручка принялась дергаться, и раздался голос Кирилла:

— Черт, я же не запирал дверь!

Так вот почему она так легко открылась! Доктор сегодня здесь и все это время провел либо в ресторане, либо в сауне. И теперь, естественно, хочет попасть в номер, а здесь я, и спрятаться негде. Меня прошиб холодный пот, а врач уже негодующе взывал в телефон:

— Пусик, неси немедленно запасной ключ, дверь захлопнулась.

В полном ужасе я открыла окно и выглянула. Второй этаж, внизу сугроб. В коридоре раздался голос Пуделя:

— Сейчас, сейчас, вот ерунда какая.

Делать нечего, сначала вниз полетел дешифратор, за ним и сама «Никита́». Это только в кино герои, выпрыгивая с седьмого этажа, слегка приседают и моментально бегут дальше. Я же шлепнулась, как кусок сырой печенки, и потом ползком, таща за собой тяжеленную сумку, переместилась поближе к стене. На улице темнота, авось не заметят. Сверху раздался голос Пусика:

— Все понятно, вы не закрыли окно. Ветер дунул, сквозняк, дверь и захлопнулась.

— Я не открывал окна, — сообщил Кирилл.

— Значит, уборщица вытирала между рамами и не закрепила щеколду, — пояснял Пусик, — ветер дунул — окно открылось, дверь хлопнула.

Над моей головой раздалось поскрипывание, мужчины закрыли окно. Я перевела дух и попробовала двинуться в сторону улицы. Не тут-то было, ступни словно отсутствовали. Во всяком случае, не собирались мне подчиняться. Я поглядела вниз и поняла, в чем дело. Зимние сапожки на натуральной цигейке остались в номере. Я сняла их, чтобы не топать в коридоре, и вот стою сейчас на январском морозе, в снегу, в тоненьких колготках «Омса-велюр» и без шубы, оставшейся у меня в номере. Постанывая, доковыляла до проспекта и наткнулась на патруль.

Милые молодые милиционеры сразу поверили байке о грабителе, стянувшем с меня не только шубку, но и сапожки. Им не пришло в голову спросить, почему бандит оставил жертве сумку и кошелек. Во всяком случае, парни получили по зеленой бумажке и внимательно выслушали меня:

— Мальчики, не надо оформлять протокол. Лучше поймайте такси. Муж в командировке, а я у подруги задержалась, не хочу, чтобы свекровь знала, что я ночью по улицам бегала.

Милиционеры сочувственно хохотнули, подозревая меня в адюльтере, и поймали частника. Короче, через час вместе с дешифратором я была у себя дома в ванной и грелась в теплой воде. То есть в ванне нежилась я, а дешифратор преспокойненько стоял в спальне под кроватью.

Как ни странно, утром проснулась без малейшего признака простуды. То ли горячий чай с коньяком, проглоченный в кипящей ванне, купировал болезнь, то ли полезно гулять босиком по снегу.

Компьютер у нас один и стоит у Аркадия в комнате.

Я взяла дискету и пошла к сыну. Пяти минут хватило, чтобы понять: шантажист найден. На экране бежали фамилии незнакомых людей: Караулов (Вологда, поезд) — получено 17.04 — 3000, Федулов (Москва, жена, ванна), получено — 5000, 20.05, а вот и Селезнева, рядом моя Зайка. Значит, здесь он записывал приход. В другом файле оказались имена предполагаемых жертв.

Прекрасно, но это еще не доказательство. Интересно, где негодяй прячет копии кассет? Сдается, у Кирилла есть этакое маленькое гнездышко, тихая квартирка для любовных утех. Во всяком случае, мужик не глуп и понимает, что всю информацию хранить в одном месте не стоит. В «Пиккадилли» — списки, а где-то еще — кассеты. Но где?

Может, записаться в поликлинику Литфонда и поискать там болтливую медсестру?

Сказано — сделано. Уже к обеду я стояла в просторной регистратуре, оформляя карточку. Пятиэтажное здание сверкало свежевыкрашенными стенами и дубовыми дверями кабинетов. Сотрудников здесь, наверное, тьма. А кто лучше всех знает их подноготную? Конечно, кадровик, и я пошла на пятый этаж, где нашла кабинет с табличкой «Менеджер по персоналу Анна Павловна Киселева». Но как бы ни называлась теперь эта должность, ее обладательница выглядела типичной представительницей племени кадровиков: элегантная дама лет пятидесяти с хищным блеском в глазах. Скромный деловой костюм, безупречная стрижка и штук восемь разнокалиберных колец на пальцах.

Дама глянула на меня с легким беспокойством, но я знала, чем ее купить.

— Ах, дорогая, — простонала я, опускаясь на стул, — только что приехали с мужем из Парижа и совершенно потерялись. Поликлинику отремонтировали, врачей сменили, не знаем, к кому и обратиться.

Кадровичка вздохнула, взгляд слегка потеплел.

— Вы правы, начальство сменилось. Новая метла по-другому метет. У вас раньше кто был лечащий терапевт?

Я защелкала пальцами:

— Ну эта, господи, фамилию забыла. Такая темненькая, приятная, худощавая, ну как ее...

— Татьяна Наумовна Лифшиц? — пришла на помощь кадровичка.

— Да, да, — обрадовалась я.

— Уволили, — вздохнула дама, — всех хороших врачей повыгоняли, скоро до меня очередь дойдет.

— Дорогая, — умилилась я, — вы с вашим опытом работы, умением разбираться в людях, на улице не останетесь. Кстати, вот небольшой сувенирчик из Парижа, Анна Павловна.

На свет из сумки появился флакон туалетной воды «Коко Шанель» и килограммовая коробка шоколадных конфет. Анна Павловна ринулась ставить чайник. Посудачив немного об ужасных переменах в поликлинике, кадровичка спросила:

— Чем могу помочь?

Я замялась.

— Видите ли, дорогая, тут одна более чем деликатная проблема. Пока мы с мужем работали в Париже, дочь, ей всего 23 года, оставалась одна. Приехали, а у нее бурный роман с господином Торовым, врачом из вашей поликлиники. Моя дурочка влюблена, как кошка, в рот ему смотрит, каждое слово ловит. Но нам с мужем, честно говоря, доктор не слишком понравился. Во-первых, гигантская разница в возрасте, во-вторых, он, кажется, женат. Позавчера мы поговорили с девочкой по душам, а она психанула и убежала из дома. Наверняка живет сейчас у Кирилла, но я не знаю ни адреса, ни телефона. Идти к нему на поклон не хочу. Подскажите, где он живет?

Анна Павловна усмехнулась:

— Господин Торов плейбой и бонвиван. Почти все наши сотрудницы готовы целовать землю, по которой он ходит. Вот уж кто умеет из женщин веревки вить! Так что не удивительно, что девочка влюбилась. К сожалению, он женат, причем, насколько мне известно, разводиться не собирается. Жена — дочь очень богатого человека, а таких не бросают.

— Боже, — прикинулась я испуганной, — куда же пошла моя бедная дочка, если у него дома жена...

Кадровичка вздохнула:

— Есть у него еще одна квартира. Я совершенно случайно узнала. Как-то раз у Кирилла Петровича машина сломалась, и его отвозил наш шофер. Скорей всего ваша девочка там. Это недалеко отсюда, на Планетной улице. Только, пожалуйста, не выдавайте меня.

У милейшей Анны Павловны оказался не только заповедный адресок, но и телефончик. Мы попили чайку и расстались почти подругами.

Услужливая дама сообщила, что Кирилл сейчас на приеме и раньше пяти не освободится.

Прямо из поликлиники я понеслась на Планетную. Нюхом чую, кассеты там.

Следовало соблюдать осторожность, и, прежде чем засунуть в замок отмычки, я нажала на кнопку и долго слушала, как за дверью звенит звонок. Удостоверившись, что в квартире никого нет, принялась шуровать в замке. Опять вспотела, но победила хитрую пружину и оказалась в просторном холле. Неплохая квартирка. Дверь справа ведет из холла в большую комнату, очевидно гостиную. Кожаная мебель цвета топленого молока, небольшая стенка, телевизор. От угла до угла лежит красивый шерстяной ковер. Стены выкрашены белой краской, картина всего одна — сплошная абстракция в синей раме.

Между комнатами оказалась кухня, битком набитая всевозможными электробытовыми приборами: тостер, СВЧ-печь, мясорубка, кофеварка, миксер. На тумбочке еще один телевизор, маленький «Филипс».

Спальня располагала к любовным играм. Все двадцатиметровое пространство комнаты занимала кровать. И где он раздобыл эдакую красоту! Ложе стояло на четырех грифонах. Пятый, оскалившись, сидел в изголовье, на спинке. В потолок было вмонтировано зеркало.

Сексодром покрывала гигантская темно-синяя накидка с кистями. Справа и слева стояли две маленькие, узенькие тумбочки. В ящичках уже виденные мной в «Пиккадилли» таблетки «Норвакс» и том Рекса Стаута. Где же кассеты?

В этот момент послышался шум открывающейся двери, и звонкий, странно знакомый голос спросил:

— Кирилл, ты дома?

Не помня себя от ужаса, я нырнула под кровать и затаилась между грифонами. Зацокали каблуки, и в спальню, звеня цепочками, влетела хозяйка «Бабочки». Я глядела на нее через узкую щель между свисающим покрывалом и ковром. Женщина чувствовала себя абсолютно свободно. Она скинула башмачки на ужасающе высокой шпильке и с наслаждением пошевелила пальцами. Потом, сразу став ниже ростом, стащила черные брючки, сняла множество цепочек и пуловер. Настал черед парика. Черная прическа «а-ля паж» шлепнулась на тумбочку, и дама удалилась в ванную. Послышался плеск воды и пофыркиванье. Спустя пару минут она вновь появилась в спальне, вытирая полотенцем лицо. Я смотрела во все глаза, чувствуя, что сейчас потеряю сознание.

Она вытащила из шкафа элегантный синий костюм, потом лодочки. Пару раз взмахнула массажной щеткой, вспушив длинные белокурые волосы, интеллигентный макияж заменил боевую раскраску бандерши. Передо мной, удовлетворенно разглядывая себя в зеркале, стояла Ленка, племянница Лариски, невеста Сержа, без пяти минут кандидат психологических наук.

Девушка вытащила из сумочки телефон:

— Кирилл? Я ухожу, кстати, ты забыл закрыть дверь на замок.

Очевидно, Кирилл стал возражать, потому что девушка сердито оборвала его:

— Говорю же, не запер. Только что пришла, а дверь открыта. Надо поаккуратней. Соседи-то волки. Зайдут и сопрут, что увидят. Ладно, я в институт.

Засунув телефон в сумку, Ленка двинулась к

входной двери, распространяя аромат французских духов. Наконец щелкнул замок.

Полежав еще пару минут для надежности, я выползла из-под кровати. Вот это да! Значит, «Бабочка» принадлежит Ленке! Интересно, знает ли об этом Серж? Скорей всего, это не он содержит девушку, а она его. Понятно теперь, откуда деньги на эксклюзивные шмотки, драгоценности и косметику! И потом, с кем она живет: с психологом или доктором? Или сразу с обоими? Однако, сколь ни ошеломляющим было открытие, следовало побыстрей убраться отсюда. Как бы не появился Кирилл, проверить, все ли в порядке в квартире.

Но выйти оказалось намного трудней, чем войти. Замок оказался из тех, что запираются снаружи и изнутри, хитрая импортная система. Отмычки проворачивались в скважине, а толку никакого. Промучившись целый час, пошла на кухню попить воды. Ужасно хотелось закурить, но боялась дымить, вдруг вернувшийся хозяин учует запах чужих сигарет.

Налив воды, подошла к окну и, выглянув на улицу, похолодела от ужаса. Возле подъезда затормозил «Мерседес» Кирилла. Оставалось только одно.

В два прыжка, как заправская кенгуру, я рванулась в спальню и нахлобучила на голову парик. Потом натянула поверх своей кофты противно пахнущий чужими духами черный пуловер, обвесилась десятком цепочек. Так, теперь делаем жуткий макияж. Дверь заскрипела. Схватив сапожки, я влетела в ванную и заперлась на щеколду. Кирилл повозился у вешалки и толкнулся в дверь ванной.

— Погоди, — сказала я Ленкиным голосом.

— Ты не ушла, — скорей констатировал, чем удивился мужчина.

Я намазала лицо густым слоем тональной пудры цвета загара, намалевала жуткие оранжевые губы, нацепила закрывающие пол-лица очки-блюдца. Теперь сапожки. Проклятье! У девчонки нога как у Золушки, 35-й размер, не больше. А у меня полный 38-й. Однако альтернативы нет. Скрючив пальцы, кое-как втиснулась в замшевые копыта и, облившись стоящими на полочке духами, выпала из ванной. В коридоре и холле темновато, фигуры у нас примерно одинаковые, только у Ленки грудь побольше. Авось не заметит.

Покачиваясь на страшно неудобных шпильках, я дошла до входной двери. Из кухни выглянул Кирилл:

— Думал, ты в институт собралась.

Я отрицательно покачала головой, снимая с вешалки куртку.

— К Сержу поедешь?

Я кивнула.

— С Мариной проблема решена.

Я опять кивнула.

— Тогда положи на место.

И он бросил небольшой пакетик. Я поймала его и, не говоря ни слова, сунула в карман.

— Чего все молчишь? — изумился доктор.

— Горло болит.

— Давай посмотрю.

Только этого не хватало. Я открыла дверь, вышла на площадку и просипела:

— Некогда.

Кирилл с недоумением поглядел мне вслед:

— Куртка новая?

Но тут, на счастье, приехал лифт, и я, помахав

рукой, быстренько махнула в кабинку. Из подъезда постаралась выйти бойким шагом, вдруг он смотрит в окно. Но проклятые замшевые ботиночки жали так, будто сделаны из железа. Еле-еле добралась до угла и, поймав машину, моментально сняла «испанские сапоги». В изнеможении пошевелила онемевшими пальцами. Дома, растянувшись на диване, вновь обрела способность мыслить. В сверточке, который мне бросил Кирилл, оказалось две кассеты. Я воткнула одну в магнитофон. Из динамика полился незнакомый голос. Вяло и отстраненно мужчина повествовал о том, как, задавив ребенка, оставил его умирать на дороге. Вторая запись принадлежала женщине и содержала признание в супружеских изменах.

Вот, значит, как! Ленка таскает кассеты, Кирилл переписывает, а проституток они отправляют за деньгами. Ловко придумано. Интересно, Лариска узнала всю правду или только часть ее? Кто из двоих засунул в капсулы стрихнин? И потом, что значит «проблема с Мариной решена»?

Любопытство грызло меня. Мошенница любит деньги. Если предложить ей хорошую сумму, может, выдаст сообщника?

Кряхтя, я слезла с дивана и сунула стертые ноги в удобные, растоптанные кроссовки. Боже, какое блаженство! Недаром бабушка любила приговаривать: платье покупай на размер меньше, туфли на размер больше.

Со второго этажа послышался негодующий Манин крик:

— Опять напился как свинья.

Это она про попугая. На прошлый Новый год господин Жильбер в Париже, видя страсть девочки к животным, презентовал ей Коко. Милейшая птица, ласковая, послушная, гадит только в клетке. Смело можно отпускать летать по всему дому. Но, к сожалению, попугай достался нам законченным алкоголиком. Узнали мы о его пагубной привычке еще тогда, за праздничным столом. Прелестнейший Коко сел на бокал шампанского, засунул туда голову с крючковатым клювом и принялся, постанывая от восторга, поглощать сладкую жидкость.

Гости так и покатились со смеху. Попугай же, допив шампанское, влетел в клетку и сел на жердочку. Но через пару минут свалился с нее, выставив вверх морщинистые лапки. Маруся зарыдала, решив, что птичка скончалась. Однако уже через минуту стало ясно, что Коко спит мертвым сном. Он издавал жуткие звуки. Ни до, ни после никто из нас не встречал больше храпящего попугая.

К сожалению, Коко напивается каждый раз, когда появляется такая возможность. Как всякому алкоголику, ему совершенно все равно, что залить в глотку: коньяк, виски, вино или ликер. Мы сразу поняли, что попугай умеет не только пить из бокалов, но и открывать бутылки. Он умудряется длинным, острым клювом раскрошить пробку, потом сталкивает «Мартини» или «Наполеон» со стола на пол. Сколько раз мы сердились, обнаружив в гостиной на ковре липкие лужи спиртного! Наверное, до сих пор обвиняли бы друг друга в неаккуратности, если бы накануне майских праздников Зайка не увидела, как Коко «вскрывает» ликер. Теперь, если хотим чуть-чуть расслабиться, не выпускаем попугая из клетки. К тому же несчастное пернатое после возлияний страдает от похмелья и охает совершенно по-человечески. Жаль его ужасно, но пить рассол или принимать «Алказельцер» дурацкая птица отказывается наотрез.

— Аркадий оставил открытый пузырек с календулой в ванной, — орала Маня, — как будто неясно, что следует убирать за собой.

Девочка слетела вниз, потрясая маленькой бутылочкой, в которой совсем недавно хранилась сделанная на спирту настойка.

— Только не убивай брата, — попросила я.

— Что толку ругаться с этим нерягой! — рявкнула Маруся, обладательница самой захламленной комнаты в доме.

Она швырнула пустой пузырек на стол и спросила:

— Чай будешь?

— Только что попила, — ответила я, влезая в куртку.

— Мусечка, — неожиданно заныла дочь, — опять куда-то уезжаешь, а у меня отменили занятия в Ветеринарной академии, думала вечерок посидеть с тобой дома.

И в самом деле большая редкость. У общительной и любознательной Манюни после лицея, как правило, обширная программа. По понедельникам, средам и пятницам — занятия в академии до десяти вечера, и домой девочку привозит кто-нибудь из взрослых. Вторник и четверг — художественная школа. Домой Маня заявляется около девяти вечера. В субботу и воскресенье — дополнительные занятия английским языком и театральная студия. В промежутках несчастный ребенок ухитряется делать уроки и играть с подружками. Их у нее всего две, зато обе верные и любимые: Оля Чалова и Саша Хейфец. Иногда они ночуют друг у друга и тогда не спят всю ночь, болтают и дерутся подушками.

Сегодня же в стройной системе бесконечной учебы произошел сбой, и Манька маялась непривычным бездельем. Убедившись, что дома я не останусь, Машка со вздохом сказала:

— Устрою день лени. Сначала залезу в ванну, потом заползу в кровать с книжкой. Кажется, Зайка купила эклерчики с заварным кремом.

При слове «эклерчики» Банди радостно поглядел на нас и потрусил на кухню, Манька побежала за ним. Я вышла на улицу. Машка вполне ответственная девица и может ездить по городу без сопровождения. Но все-таки одолевает легкое беспокойство, когда девочки долго нет дома. Сегодня же я уходила с абсолютно незамутненной душой, дочка у себя в спальне, лопает пирожные, все в полном ажуре.

Благодушное настроение не покидало меня до самого приезда в Большой Козловский переулок. Не вызвал раздражения даже водитель такси, грязноватого вида старикашка, без конца твердивший, что «при коммунистах жили лучше». Под его причитания машина въехала в узенький переулок.

— Дальше нет проезда, — заявил шофер.

Дорогу загораживали две огромные пожарные машины, по мостовой и тротуарам текли реки воды.

— Напьются, а потом пожар устраивают, — ворчал таксист, засовывая в «бардачок» деньги.

Я выскочила из машины и угодила прямо в огромную лужу. Кроссовки моментально захлебнулись холодной водой. Но мне было не до этого. На месте окон Марининой квартиры зияли черные провалы. В воздухе сильно пахло горелым, снег покрывали черные хлопья сажи. Кто-то схватил меня за руку. Рядом стояла знакомая паспортистка.

— Благодарите Бога, что не купили эту квартиру, — растерянно произнесла она, сжимая мою ладонь.

— Что случилось?

— Говорят, газ взорвался. Сначала мы услышали сильный хлопок, и у половины подъезда стекла посыпались. Потом вспыхнуло пламя.

— А хозяйка?

Паспортистка пожала плечами:

— Разве останешься живой в таком аду?

Я поглядела на выгоревшую квартиру, выбитые стекла, кучи сажи, пепла и чего-то вонючего. Так вот о каком решении вопроса говорил Кирилл! Впервые за все время после смерти Лариски мне стало страшно. Даже жутко. Вначале расследование казалось детской игрой, этаким милым хобби. Сейчас стало ясно, что я подобралась к безжалостному убийце, не стесняющемуся в средствах для достижения цели. «Наплевать на все, — пронеслась в голове здравая мысль, — не все ли равно, кто отравил Ларку? Уноси, Дашка, ноги, пока жива». Но тут двери подъезда распахнулись, и благоразумие покинуло меня.

На пороге появились санитары. На носилках под толстым одеялом лежала женщина с абсолютно черным лицом. Она была еще жива, потому что врач держал над ней переносную капельницу. Из пластикового мешка по прозрачной трубке текло что-то желтое. Расталкивая зевак, я бросилась к медикам. Доктор мрачно бросил:

— Только «Дорожного патруля» не хватало.

— Я не журналистка, а родственница.

Врач отмахнулся:

— Не про вас речь.

Я оглянулась, за спиной маячили двое в синих куртках с переносными камерами в руках. В этот момент Марина пошевелилась, я наклонилась к ней, вернее, к тому, что от нее осталось. Женщина внезапно открыла глаза. Пронзительно яркие на фоне черной кожи, они смотрели в упор, не мигая, потом закрылись.

— Стервятники, — бормотал доктор, уворачиваясь от корреспондентов.

Один из парней сунул под нос микрофон.

— Вы родственница?

— Без комментариев, — ответила я и нырнула за носилками в «Скорую помощь».

Пока ехали до больницы, ждала, что Марина вновь откроет глаза. Но опухшие веки со сгоревшими ресницами оставались недвижимыми. В какой-то момент доктор пробормотал что-то невразумительное. Шофер врубил сирену, и мы без остановок понеслись по улицам. Несчастная скончалась в двух минутах езды от больницы. Ее потащили куда-то в глубь коридоров. Я бежала за носилками, но вскоре медики исчезли за дверью с надписью «Реанимация». Мне оставалось только плюхнуться на какой-то железный прибор у входа и перевести дух.

Ужасные муки совести терзали меня. Я, и одна я, виновата в том, что бедная женщина умирает сейчас за этими дверьми. Зачем уличила ее прилюдно в мошенничестве? Ведь если бы пришла к ней домой, объяснила, что знаю правду...

Двери с треском распахнулись, и вышла девушка в голубой хирургической пижаме и такой же шапочке.

— Вы привезли пострадавшую?

— Она жива? — ответила я вопросом на вопрос.

— Пока да.

— А какой прогноз?

Медсестра нахмурилась:

— Мертвых воскрешал только Христос. У вашей родственницы ожог почти шестидесяти процентов тела, переломы тазобедренного сустава и лодыжки, черепно-мозговая травма, отравление угарным газом. Вполне достаточно, чтобы прямо сейчас отправиться на тот свет. Нам нужен медицинский полис.

— У меня его нет, — растерялась я.

— Так привезите, надеюсь, она москвичка?

Я смотрела на ее профессионально-спокойное лицо. Конечно, работая в таком месте, ко всему привыкаешь. И все же! Еще не так давно мы от души сочувствовали американцам. Говорили, что их врачи — бездушные и алчные существа, для некоторых главное — кредитоспособность больного. И вот, пожалуйста!

— А если иногородняя, вы выбросите ее из больницы?

— Не говорите глупостей, — обозлилась девушка, — просто нужен полис. Медицина сейчас страховая.

Ага, от слова «страх». Я порылась в сумочке и вытащила пару купюр.

— Отдайте доктору и медсестрам. Если не найдем полиса, оплатим пребывание в больнице. Понимаете, в квартире взорвался газ, скорей всего, документы сгорели.

Медсестра спокойно взглянула мне в лицо:

— Оплата производится через кассу. Первый этаж, комната 12. Не надо оскорблять дежурную бригаду, совать нам деньги. Все, что нужно, сделают и так. Или вы думаете, что за мзду будем больше стараться?

Да, именно так я и думаю, но не говорить же это вслух.

Строгая девица вздохнула:

— Найдете полис — хорошо, не найдете — идите в поликлинику по месту жительства, дадут дубликат. И не предлагайте доллары медперсоналу. У нас это не принято.

Она ушла, а я осталась стоять с раскрытым ртом в коридоре. Ничего не понимаю! Может, в этой клинике работают монахи?

Глава 30

Я просидела в больнице долго. Чуда не произошло. В десять вечера Марина скончалась. Поймав такси, я поехала домой. Как же мне было тяжело! На душу словно камень лег. Я даже расплакалась, но, подъезжая к дому, утерла слезы. Не стану ничего рассказывать домашним. Поднимусь быстренько наверх и лягу в постель.

На следующий день я чувствовала себя совершенно разбитой. Проспала до обеда и еще сонная спустилась вниз, когда Маня приехала из лицея.

— Вот сегодня точно посидишь со мной, — возликовала она, — в академии полы не высохли.

Я помотала головой:

— Делай уроки, мне надо съездить в магазин.

Мне просто необходимо было восстановить душевное равновесие, и я прибегла к испытанному методу. Сначала отправилась в Дом книги «Молодая гвардия» на Полянке и скупила почти весь ассортимент детективов, затем пошлялась по ГУМу, приобретя кучу ненужных вещей. Завершила поход в любимом «Макдоналдсе». Короче, пробыла в городе до одиннадцати, пришла в себя и даже захотела спать.

Но уснуть в эту ночь так и не пришлось. В холле встретили взбудораженные Зайка и Аркадий. Перебивая друг друга, они принялись выкладывать страшные новости.

Марусе позвонили из Ветеринарной академии и сообщили, что занятия все же состоятся. Обрадованная девочка попросила Зайку довезти ее до метро. Как всегда, около десяти Кешка подъехал к академии и с удивлением узнал, что в здании на втором этаже покрыли паркет лаком и лекции отменены.

Решив на всякий случай проверить, так ли это, сын побродил по первому этажу, но Мани не нашел. На втором этаже вообще никого не было и сильно пахло лаком. Встревоженный Кешка явился домой. Они с Зайкой подумали было, что Маня приехала в академию и, узнав, что семинара не будет, отправилась к Чаловым или Хейфецам в гости. Странно только, что никому не сообщила об этом по телефону. Ни Оля, ни Саша не видели Маню.

— Может, Машка возвращалась домой и попала в аварию? — предположила Зайка. — Или пошла куда-нибудь, а нам сказала, что идет на занятия.

Я заметалась по комнате. Маруся никогда не врет, вообще никогда. С самого детства — может надуться, но скажет правду. Промолчать, утаить информацию — сколько угодно. Соврать — нет. Раз сказала в академию, значит, туда и поехала. К тому же мы запрещаем ей пользоваться такси, а тем более частниками, хотя деньги у нее всегда есть. Мы не раз обсуждали, что делать в случае нападения грабителя. И я знала, дочь не станет сопротивляться, а отдаст сразу серьги, колечко и кошелек. Для насильников у нее припасен электрошокер. Запрещенная в России, но весьма эффективная электрическая дубинка. Аркашка привез из Америки три штуки. Маленькая, чуть больше карандаша, она поражает ударом тока. Заманить Машку куда-нибудь невозможно. Никакими посулами. Она слишком умная и с посторонними никуда не пойдет, если даже пообещают показать коллекцию Барби.

Выпив залпом полстакана виски, я позвонила дежурному по городу. Тот официально сухим голосом велел обратиться в бюро несчастных случаев, но все же поинтересовался:

— Сколько лет девочке?

— Тринадцать.

— Не надо волноваться, скорей всего, загуляла с мальчиками.

Да не гуляет Манька ни с какими мальчиками! Всех ее кавалеров — Дениску, Мишку и Сережку — после девяти не выпускают из дому.

Дрожащей рукой я стала тыкать в кнопки. В бюро трубку взяли на тридцатый звонок.

— Алле, — прогнусавил раздраженный голос.

— Девочка пропала.

— Как выглядит?

— Полненькая, волосы русые, глаза голубые, тринадцать лет.

— Особые приметы?

— Вроде никаких. Одета в джинсы, розовый пуловер и черные сапоги. Куртка «дутая» синего цвета.

Трубка помолчала, потом пролаяла:

— Приезжайте, есть похожая.

Зайка и Кеша, с побелевшими лицами, так дрожали, что никак не могли попасть в рукава курток. Всю дорогу до морга мы тупо молчали и внутрь вошли, держась за руки.

Мрачная баба выкатила каталку и сдернула грязную, бурую простыню. Я уставилась на труп, чувствуя, что отлегло от сердца.

Мертвой девушке было не меньше семнадцати. Крашеная блондинка, на животе шрам. Тут же находились вещи. Джинсы, но не «Levi's», и кофта — не розовая, а бордовая. Кровь бросилась в голову, уши загорелись огнем, стало невыносимо жарко, потом холодно, пол кинулся навстречу, и я потеряла сознание.

Резкий, омерзительный запах проник в ноздри. Глаза открылись сами собой. Надо мной, дыша в лицо перегаром, склонился санитар со смоченной нашатырем ваткой в руке. Я села на грязном полу. Каталку с трупом уже увезли. Какое счастье, что это не Маня. И какой все-таки ужас. Ведь у убитой тоже есть мать!

Зайка с Аркадием помогли встать. Спотыкаясь, я добрела до машины и упала на заднее сиденье. В салоне успокаивающе пахло Олиными духами и Аркашкиными сигаретами. Внизу на коврике валялась оброненная Марусей белая варежка. Господи, вдруг ребенок пришел домой и ткнулся носом в закрытые двери!

На всей скорости понеслись обратно. Но надежда оказалась напрасной. В растерянности сели в холле. Что делать? Почему Машка не позвонила? И тут зазвонил телефон. Я схватила трубку и прохрипела:

— Алло!

— Добрый вечер, — вежливо сказал не то женский, не то мужской голос. — Надеюсь, вы не очень испуганы? Машенька у меня, жива, здорова и передает вам привет.

— Кто вы?

Голос тихо засмеялся:

— Не могу прямо ответить на этот вопрос.

— Что вы хотите?

— Немного. Всего сто тысяч долларов, для вас не слишком крупная сумма. Обязательно мелкими купюрами — по десять и двадцать баксов. Сложите их в сумку. Завтра в 22.00 позвоню и скажу, что вы должны делать дальше. И еще...

— Что?

— Дорогая, к чему такая торопливость! Во-первых, вы прекратите свои дурацкие расследования и никому не скажете о том, что сообщила вам в «Скорой помощи» умирающая Марина.

— Откуда вы знаете, что я была вместе с ней в машине?

Голос опять рассмеялся:

— Милая, когда суетесь не в свои дела, крайне опасно появляться на телеэкране, тем более в такой популярной программе, как «Дорожный патруль». И не перебивайте меня. Итак, будете вести себя тихо-тихо, не станете обращаться в милицию и похороните всю известную вам информацию. В противном случае Маруся никогда не вернется домой.

— Дайте девочке трубку.

Послышался шорох, треск, потом звонкий голосок произнес:

— Мамусечка, я жива, и мне не сделали ничего плохого.

— Детка, ты где?

Снова раздался треск, и голос произнес:

— Хватит, если сделаете все, как велено, скоро встретитесь с дочерью.

Раздались гудки. Я уставилась на сына с невесткой, они на меня. До девяти утра просидели в столовой, наливаясь кофе. От возбуждения совершенно не хотелось спать. Еще не было одиннадцати, когда я пришла в кабинет управляющего банком.

Семен Николаевич знает, какими суммами мы располагаем, поэтому каждый наш визит обставляется весьма торжественно. Только я подхожу к окошку и протягиваю документы, как за спиной оператора возникает сам управляющий. Мило улыбаясь, он ведет меня в кабинет, а там кофе и великолепный коньяк. Деньги в фирменном конверте я получаю из рук в руки.

Однако на этот раз вышла заминка. Услышав, что мне нужны сто тысяч купюрами по десять и двадцать долларов, Семен Николаевич вскинул бровь:

— Придется немного подождать.

Я кивнула, и мы завели беседу о последней выставке молодых художников. Банк поддерживает юные дарования, покупая у наиболее талантливых картины и скульптуры. Семен Николаевич как раз хвастался новым протеже, обнаруженным в Екатеринбурге, когда в кабинет вошла секретарша. На этот раз вместо конверта в ее руках был бумажный пакет с веревочными ручками. Она поставила его на обитый зеленой кожей стол и удалилась. Пересчитывать деньги в подобной ситуации не принято, и я положила пакет в большую сумку.

Семен Николаевич проводил меня до двери, затем помялся и сказал:

— Вы наш старый и очень уважаемый клиент. Банк заинтересован в таких вкладчиках, поэтому прошу вас: будьте осторожны. Как правило, люди, которым требуются крупные суммы мелкими купюрами, редко удовлетворяются одноразовой сделкой.

Я округлила глаза и пропела сладким голосом:

— Не понимаю, о чем вы! Плачу репетиторам дочери по десять и двадцать долларов за урок, поэтому дома должны быть мелкие деньги.

— Конечно, конечно, — поспешил согласиться управляющий.

Из дома позвонила Войцеховским и потребовала к телефону Фриду.

— Чего тебе? — рявкнула старуха.

— Как там Рафаэлла?

— Кто? — изумилась Фрида.

— Ну, новая домработница, Валентина.

— Нормально, сейчас мебель натирает.

— А Полина?

— Вчера Степка отвез ее в Качалинск.

— Вот что. Валентина в ближайшее время должна находиться дома. Если приедет Лена с Сержем, пусть спрячется в комнате, запрется на щеколду и никому не открывает. Запретите ей брать что-либо из рук Ленки: деньги, воду, еду. А еще лучше прямо сейчас позвоните Радову, скажите, что Степа заболел гепатитом, страшная зараза, и приезжать пока не следует. А Валю даже на пять минут в магазин не выпускайте. И проверьте, нет ли утечки газа в подвале.

— Что за чушь! — искренне изумилась старуха.

— Фрида, — строго сказала я, — делайте, что велю. Иначе у вас в доме будет еще один труп. Представляете, как обрадуются соседи! Им хватит пищи для разговоров на год. Немедленно звоните Сержу и постарайтесь его уговорить.

Старуха, помолчав, сказала:

— Во что ты нас втравила! Ладно, будь по-твоему, позвоню.

Нет, все-таки она молодец, в таком возрасте совершенно ясная голова.

С трех часов дня мы почти молча сидели у телефона. Как назло, он просто разрывался. Сначала позвонила классная руководительница, чтобы узнать, что с Марусей. Я наврала про грипп. Потом, словно почуяв беду, объявилась Наташка из Парижа. Ее трудно обмануть, подруга по голосу все чувствует, поэтому с ней фальшиво-бодро поговорила Зайка, сообщив, что я в гостях и вернусь поздно. Затем начали трезвонить знакомые. Восемь человек подряд! И каждый выражал желание именно сегодня вечером прибыть в гости. Пришлось пугать всех неведомой заразой с высокой температурой, приключившейся сразу у всей семьи.

Ровно в 22.00 раздался долгожданный звонок. Я взяла трубку и попыталась придать голосу твердость:

— Слушаю.

— Дашуньчик, — затрещала трубка, — сто лет с тобой не говорила...

Это была старая институтская подружка. Она болтала без умолку, а я в ужасе глядела на часы: 22.05, 22.10.

Тут Зайка выхватила трубку.

— Хватит болтать, надоела, дура. И не звони больше.

Не успели мы перевести дух, как вновь зазвонил телефон. На этот раз знакомый бесполый голос недовольно сказал:

— Не держите слова, мадам.

— Простите, случайный звонок.

— Вы готовы?

— Да.

— Значит, так. Садитесь в машину сына. Одна, без сопровождающих. Деньги положите в хозяйственную сумку. Доедете до 20-го километра Минского шоссе. У поворота на Баковку остановитесь и ждите. Вам позвонят в 23.00. Не занимайте телефон. Предупреждаю, едете одна, без сына и невестки. Никакой милиции. Не послушаетесь — пеняйте на себя.

— Ехать далеко, дорога плохая, могу не успеть.

— Ваши проблемы.

Я понеслась в гараж. Дорога, как назло, словно маслом намазана, жидкая грязь со снегом летит на ветровое стекло. «Вольво» — машина большая, не то что юркий «Пежо». Кое-как выехав из гаража, я, молясь всем известным святым, понеслась по шоссе. И, конечно, меня моментально остановил гаишник. Откуда только он взялся, хорошо помню, что здесь никогда не было поста. Как теперь выкручиваться, доверенности на вождение «Вольво» нет!

Мордастый милиционер потребовал права. Внимательно изучил их и спросил:

— Куда следуете?

— 20-й километр Минского шоссе, — не без удивления ответила я.

Постовой помахал жезлом.

— Езжайте, только аккуратно. Дорога — стекло.

Хранимая этим дружеским, совершенно неожиданным от стража порядка замечанием, благополучно добралась до нужного поворота за пять минут до назначенного срока. В 23.00 запикал мобильный.

— Где находитесь?

— На повороте.

— Прекрасно. Теперь налево, через поселок Переделкино, попадете в Солнцево и на Юго-Запад столицы. Остановитесь у метро «Юго-Западная». Звоню в 23.30.

Я завела мотор и поехала по узкой и темной, спасибо хоть асфальтированной, дороге. И снова, возле железнодорожного переезда, тормознул патруль. Что сегодня творится, столько милиции на улицах!

Сержант равнодушно проверил права, велел выйти из машины и открыть багажник. Осветил фонарем аккуратно уложенную запаску, огнетушитель, аптечку и спросил:

— Куда следуете?

— Метро «Юго-Западная». А что, сегодня открыли сезон охоты на «Вольво»?

Сержант с абсолютно каменным лицом захлопнул крышку багажника и сурово проговорил:

— Проезжайте.

Кое-как разобралась в дорожных указателях, добралась до метро и запарковалась у ларьков. Не успела стрелка часов прыгнуть на 23.30, как зазвонил телефон. Точный, мерзавец.

— Где стоите?

— На углу улицы 26 Бакинских Комиссаров.

— Так, следуйте по Ленинскому проспекту до Октябрьской площади, потом мимо кинотеатра «Ударник», по Тверской, Ленинградскому проспекту до метро «Аэропорт». Звоню в 0.30. И без глупостей, слежу за вами.

Он что, будет меня по всему городу гонять?

У Дома мебели опять наткнулась на гаишника. На этот раз спустила стекло и крикнула:

— Еду к метро «Аэропорт», абсолютно трезвая.

Милиционер, не спрашивая права, зачем-то поглядел на номерной знак и сказал:

— Давай, двигай!

В другой день столь странное поведение московских постовых могло озадачить, но сегодня голова была забита другими мыслями. Через пятьдесят минут, отдуваясь и чувствуя, как онемели от напряжения плечи, остановилась возле площади с памятником.

Похититель не заставил себя ждать:

— Теперь в первый переулок направо и выедете к Ленинградскому рынку. Машину поставьте у входа в универмаг. Дальше пойдете пешком на территорию оптовой ярмарки. Поставите сумку между контейнерами 9 и 8.

— А Маша?

— Будет ждать на выходе у ворот.

— Ну уж нет! Деньги отдам, только когда увижу ребенка.

— Мадам, — бесстрастно сказал голос, — не спорьте, иначе рискуете вообще никогда не увидеть дочь. Встреча через полчаса.

Я вытащила носовой платок и, размазывая остатки макияжа, вытерла вспотевший лоб. «Вольво» тронулся с места, но тут подъехал патруль.

— Ваши права.

Я молча протянула документы.

— Куда следуете?

— На Ленинградскую оптушку.

Патруль включил сирену и умчался. Помешались они сегодня, что ли? Никто денег не попросил. Что же творится в родимом Отечестве или их так напугало заявление министра МВД о борьбе с коррупцией?

Припарковав машину у темного универмага, я по узкой дорожке дошла до оптовки. Стояла пронзительная тишина. Ни единый звук не доносился с территории ярмарки. Не лаяли собаки, не мяукали кошки, не матерились бомжи. В эту ужасную январскую погоду все забились по щелям и крепко спали. Только я стояла посредине оптовки в промокших ботинках, сжимая в оцепеневших руках хозяйственную сумку со ста тысячами долларов.

Нужные контейнеры оказались как раз в центре небольшого прохода. Я положила между ними сумку и быстрым шагом двинулась к воротам, от которых ко мне молча метнулась знакомая фигурка. Схватив Маню в объятия и вдохнув ее знакомый детский запах, я едва не разрыдалась, но тут на ярмарке внезапно вспыхнул свет, и чей-то голос загремел откуда-то с неба:

— Всем лечь на землю, руки за голову, ноги на ширину плеч. Вы окружены.

Раздались выстрелы. Я рухнула в лужу, прикрыв собой Марусю. Девочка шлепнулась на бок и ловко выползла из-под меня. Свет слепил глаза, голос орал что-то невразумительное, по проходу с громким матом, стреляя, бежали абсолютно черные люди. Пули свистели в воздухе. Вдруг Маня дернула меня за руку и ткнула пальцем в большой зеленый мусорный контейнер, возле которого мы лежали в ледяной грязи. В мгновение ока подняв крышку, мы юркнули в зловонные внутренности бачка и «задраили люк». Стало тише. В полной темноте схватились за руки и молча прижались друг к другу. На ярмарке творилось что-то невообразимое: казалось, туда прибыла артиллерия, и уже рвутся фугасы, а может, пошли в ход установки «Град». Пару раз по бачку что-то чиркнуло, громоподобный голос не умолкал. Пересыпая речь отборным матом, он велел кому-то сдаваться немедленно. Я сидела, онемев от ужаса, чувствуя, как намокают джинсы, сапоги давно наполнились водой и противно чавкали при каждом движении.

— Мусечка, — прошептала Маня, — как ты?

— Отлично, а ты?

— Воняет очень.

Да, пахло не розами. Если не откроем в ближайшее время крышку, просто задохнемся.

В этот момент над головой загрохотало, появился свет, и грубый мужской голос произнес:

— Вот они, ловко спрятались, молодцы. Вылезайте.

Я поглядела вверх. В бачок заглядывал омоновец, в прорезях черного вязаного шлема поблескивали глаза. Я посильней вжалась в мусор, ни за что не полезу в этот кошмар и Маню не пущу. Ведь неизвестно, кто они такие.

Парень хихикнул:

— Давайте вылезайте, принцессы помойки. Все позади. Вы ведь Дарья и Марья?

Мы закивали головами.

— Меня полковник прислал, Александр Михайлович, знаете такого? Давайте скорей, а то воняет страсть!

Он протянул нам крепкую лопатообразную ладонь. Не знаю, какая сила помогла нам с Марусей одним прыжком влезть внутрь. Наружу, даже с помощью смеющегося омоновца, еле-еле выбрались. Теперь мы стояли посреди оптовки. Я выгребла из кармана консервную банку. Никогда больше не буду есть тресковую печень, вся провоняла ею, пока сидела в бачке. Омоновец подтолкнул нас, и мы на негнущихся ногах двинулись к выходу. Там у железных ворот стоял небольшой микроавтобус и две «Волги». Возле одной из них, уткнувшись лицом в капот, со скованными за спиной руками и широко расставленными ногами в непонятной полустоячей позе обнаружился мужчина.

Омоновец ухватил парня за волосы и повернул его голову в нашу сторону:

— Узнаете?

Я вгляделась в молодое, порочно-красивое лицо. Белокурые волосы, крупные карие глаза, нежная кожа, мужественный, как на рекламе одеколона, подбородок. Надо же, а я думала, это Кирилл.

— Нет, впервые вижу.

Омоновец впечатал голову парня в багажник. Раздался глухой стук и слабый стон.

— Не надо его бить, — воззвала я к жалости омоновца.

— Разве мы его бьем? — удивились стоящие

вокруг милиционеры и пнули задержанного по ногам, — так просто, шутим.

Дверь второй «Волги» распахнулась, и я услышала хорошо знакомый голос:

— Дарья!

Я пошла на зов. В машине уютно устроился полковник. В салоне приятно пахло его сигаретами.

— Садись, — сказал Александр Михайлович.

Я влезла внутрь и втащила Марусю.

— Ну что, — мирно осведомился полковник, — конец деятельности частного детектива?

— Не понимаю...

Александр Михайлович повел носом, как собака, потом сказал:

— Дашутка, не могла бы ты оказать мне любезность?

— Какую именно?

— Выйди из машины и вытряхни из капюшона объедки, а то вонища жуткая.

Я выскочила наружу и выполнила просьбу приятеля, оставив на тротуаре картофельные очистки, фантики, куски недоеденной пиццы, после чего снова залезла в салон. Водитель громко чихнул. Полковник усмехнулся:

— Да уж, аромат!

— Посмотрим, как запахнешь, если полежишь в помойке, — огрызнулась я.

— До сих пор Бог миловал от мусорных бачков, — вздохнул приятель, — и потом скажи, ты всегда ходишь на дело в домашних тапочках?

Я посмотрела на свои мокрые ноги и ахнула. Вылетела из дома в плюшевых, мягких башмачках. Неудивительно, что они насквозь промокли.

Александр Михайлович продолжал надо мной подтрунивать:

— Странно, что надела джинсы с курткой. Тебе больше подошла бы пижама с Микки Маусом.

Не выдержав, я заорала:

— Прекрати!

И тут мы с Марусей дружно заревели.

Глава 31

На следующее утро, в десять часов я сидела у полковника в кабинете. Видимо, он провел здесь всю ночь, так как выглядел помятым и осунувшимся, но лицо было, как всегда, чисто выбрито. Со вчерашнего дня меня преследовал запах гнилья, хотя мылась уже пять раз, и я втянула носом воздух.

Александр Михайлович, заметив это, хмыкнул:

— Сейчас благоухаешь благородным парфюмом, не то что накануне. Мы арестовали Кирилла Торова и Елену Ковалеву. Не удивляет?

— Нет.

— Ладно, — вздохнул приятель. — Давай сделаем так: расскажу, что знаю, но ты тоже поделишься информацией. Сложим наши знания и получим истину. Идет?

— Идет, — обрадовалась я, — только ты первый.

Кирилл Торов родился в небольшом селе Ленинградской области. Отца не помнил, тот умер, когда мальчику исполнилось два года. Мама — учительница математики, растила сына одна. Она панически боялась, что Кирилла заберут в армию. Но страхи оказались напрасными. Сын легко поступил в Ленинградский медицинский институт и великолепно учился до третьего курса. Но тут стряслась беда. Как-то раз в общежитии Кирилл повздорил с соседом по комнате. Началось с ерунды, а кончилось дракой. В пылу сражения Торов толкнул приятеля, тот поскользнулся и при падении ударился головой. В первый момент будущий медик даже не понял, что сосед мертв. Оказалось, убить человека можно за одну секунду. По счастью, дрались они на глазах у других студентов, и те на суде в один голос твердили о непредумышленности поступка. Сам Кирилл глубоко раскаивался и горько плакал. Все это произвело на судью впечатление. В результате приговор оказался до смешного мягким — два года общего режима. Торова отправили в Бологое. Мама-учительница прислала сыну за все время всего одно письмо. «Ты не оправдал моих надежд, — писала она аккуратным почерком на тетрадном листе, — навлек позор на семью, ты мне больше не сын». Она ни разу не приехала к нему и не передала даже пачки печенья.

Колония — тяжелое испытание для молодого парня, попавшего на скамью подсудимых по неосторожности и глупости. Вдвойне трудно, когда отворачиваются родственники. Первое время парень чуть не плакал, когда «коллеги» притаскивали сумки с продуктами или получали письма. Потом обозлился и научился кулаками отбивать у зеков сигареты, чай и колбасу. Начальник лагеря, узнав, что Торов недоучившийся врач, отправил его работать в санчасть. И здесь судьба подкинула мальчишке козырную карту. Санитаром в местной больничке числился непонятный человек — Иван Георгиевич Петухов. С фамилией этому зеку явно не повезло, но никто из «сидельцев» не смел и помыслить назвать его петухом. Начальник лагеря и воспитатели вежливо раскланивались с замухрышистым мужичонкой, и скоро Кирилл понял, что именно Петухов негласный хозяин зоны. Неизвестно за что, но Иван Георгиевич полюбил Кирилла.

— Держись подальше от урок, — поучал он парня, угощая неслыханным деликатесом: бутербродом с маслом и сыром, — отсидишь свое, пойдешь учиться.

Полтора года Петухов держал при себе «студента», так прозвали на зоне будущего врача. Но, отбыв срок, прежде чем выйти на свободу, очевидно, шепнул кому надо пару слов, потому что к юноше никто не привязывался. Через месяц после освобождения Ивана Георгиевича Кирилл получил первую посылку с воли: картонный ящик с сахаром, маслом, сигаретами, чаем и сухой колбасой. На дне лежали два куска мыла, пара белья, носки и тренировочный костюм. Озлобившийся парень рыдал, как ребенок. Затем стали приходить письма. Крупным, четким почерком мужчина писал о незамысловатых новостях и передавал приветы. Рядом с подписью всегда стояли телефон и адрес.

Ясное дело, что после освобождения Кирилл приехал в Москву, в небольшую квартирку на Песчаной площади. Через пару дней он понял, что Ивана Георгиевича ценят не только на зоне. Один телефонный звонок, другой — и Кирилла зачислили в медицинский институт на третий курс, дали общежитие. Еще звонок, и вот в руках у Кирилла абсолютно чистый паспорт, без каких-либо пометок.

— Никому не рассказывай о судимости, — наставлял Петухов, — в случае чего говори, что из Ленинградского меда выгнали за неуспеваемость, потом попал в армию. А теперь взялся за ум и хочешь учиться.

Парень слушался наставника беспрекословно. Успешно продирался сквозь частокол знаний.

Когда на пятом курсе он показал Петухову зачетку с одними «отлично», тот крякнул и похлопал любимца по плечу, а вечером повез к милейшей старушке — Евдокии Петровне. За небольшую сумму баба Дуся готова была признать Кирилла внуком и прописать к себе. Кому и сколько заплатил Иван Георгиевич, неведомо, но к лету Кирилл уже преспокойно проживал у «бабушки».

Затем жизнь слегка дала крен. Петухова, которого Кирилл уже считал своим отцом, снова посадили. На этот раз он загремел за Урал. Молодой доктор регулярно посылал посылки, каждые три дня писал письма и в положенный срок приехал на свидание. Иван Георгиевич глянул на Кирилла и сказал:

— Я в тебе не ошибся. Уж очень ты на моего погибшего сына похож.

Время шло, мотал срок Иван Георгиевич, работал в поликлинике Кирилл. Но тут грянула перестройка. Ворота лагерей распахнулись, Петухов вышел на свободу. Неожиданно оказалось, что у него припрятана тугая копеечка. Как по мановению волшебной палочки появилась шикарная квартира, дача, автомобиль, а сам урка начал заниматься торговлей и превратился в уважаемого коммерсанта.

Как-то раз вечером он позвонил Кириллу.

— Тебе пора жениться, — сообщил благодетель, — и невеста есть подходящая. Собирайся, поедем в гости.

Так Кирилл познакомился с Дианой. Не успели сыграть свадьбу, как Иван Георгиевич погиб. Кто-то из бывших приятелей нанял киллера, и тот метким выстрелом снес «коммерсанту» полчерепа. Никогда, ни до, ни после, Кирилл не убивался так, как на Ваганьковском кладбище, когда шикарный гроб на полотенцах опускали в могилу.

После смерти названого отца на Торова посыпались неприятности. Оказалось, что денег особых у него нет. Решительно настроенные кредиторы сообщили о гигантских долгах Петухова и забрали квартиру, дачу и машину. Кирилл попробовал сопротивляться, но ему намекнули, что можно потерять не только деньги, но и здоровье в придачу. В одночасье доктор опять стал нищим, как в студенческие годы. Комизм положения состоял в том, что формально у него имелось все. Он жил с женой в шикарных апартаментах, водил новенький «Мерседес», а по воскресеньям жарил шашлыки возле двухэтажной дачи. Но реально ему принадлежала только квартира на Планетной улице, оставленная бабой Дусей. Доктор отлично понимал, что в случае развода окажется в двух комнатах с небольшим чемоданом.

Отношения с Дианой тоже складывались не самым лучшим образом. Вспыльчивая и капризная, она не упускала случая попрекнуть мужа его бедностью. Кроме того, ей безумно нравилось кокетничать с мужчинами, чаще всего женатыми, и непременно на глазах у жен и Кирилла. Пару раз Диана заговаривала о разводе. Но здесь ее папашка, великолепно понимая, что, разреши он дочери поменять мужа, та не остановится, велел жить с Кириллом дружно.

Как-то взбесился сам доктор и, плюнув на устойчивое финансовое положение, съехал от жены. Вечером явился тесть и велел возвратиться, пригрозив, что в противном случае расскажет всем, что бывший зять на самом деле уголовник, отсидевший за убийство.

Испугавшись, врач побрел в стойло. Постепенно у них с женой выработалась модель брака.

Муж, соблюдая все приличия, заводил любовниц; супруга, делая вид, что ничего не замечает, развлекалась по-своему. Обоих это вполне устраивало, и они даже подружились. Единственно, что портило настроение Кириллу, — постоянное безденежье. Нет, питались они отлично. Тесть нанял им домработницу и давал той деньги на продукты и сигареты, оплачивал «молодым» жилье, покупал вещи, совал Диане деньги на карманные расходы. Но только Диане. Кириллу оставалась зарплата. А ее хронически не хватало для удовлетворения всех потребностей, и финансовый вопрос стоял у доктора крайне остро.

Однажды к нему на прием явилась элегантно одетая дама. На руках и в ушах сверкали драгоценности. В кабинете запахло парфюмом от Диора. Костюмчик, хоть и простенький, стоил немалых денег. Но сама пациентка выглядела неважно: бледная, под глазами синяки. Кусая губы, она сказала, что мучается радикулитом, и попросила сделать обезболивающий укол, желательно промедола. Это была Изабелла Радова.

Одного взгляда хватило Кириллу, чтобы понять — перед ним наркоманка. В тот судьбоносный день он пожалел Изабеллу, и та получила вожделенную инъекцию. Белла — красивая, яркая и какая-то по-животному страстная, отдалась ему сразу, тут же, в кабинете. Врач потом усмехался, вспоминая, как удивлялись больные, ожидавшие приема. Им пришлось просидеть под дверью битый час.

Роман стремительно набирал обороты. У Беллы с мужем тоже существовал негласный договор: каждый живет своей жизнью. Женщина никогда не лезла в кабинет к мужу, когда тот принимал пациентов или занимался с аспирантками, ее не волновали его длительные командировки.

Серж Радов снял для холостяцких утех квартиру, не упрекал жену и всегда, возвращаясь после отлучек, предварительно звонил домой, сообщая о приезде заблаговременно. Несколько раз профессор укладывал жену лечиться, но толку — чуть. Выйдя из больницы, Изабелла месяца три-четыре держалась, потом опять хваталась за шприц. Очевидно, природа наградила ее лошадиным здоровьем, так как, несмотря на постоянное употребление наркотиков, она чувствовала себя неплохо и, к удивлению Кирилла, почти ничем не болела.

Понимая, что жену не вылечить, Серж перестал давать ей деньги на хозяйство, а нанял домработницу, которая ходила за покупками. Это было роковой ошибкой. Белла сначала продала кое-что из драгоценностей, потом стала приторговывать порошком. Брала сразу большую партию, тут же расплачивалась, а потом продавала «снег» меньшими порциями. У нее даже сложился небольшой, но постоянный круг покупателей. Узнав об этом, профессор перепугался. Одно дело употреблять «дурь», совсем другое — распространять. Игры с Уголовным кодексом не входили в планы Сержа, и он велел супруге бросить торговлю. Белла не послушалась — как все наркоманы, она была очень хитра и постоянно нуждалась в деньгах. Кстати, последнюю партию взяла в долг и, не успев расплатиться, погибла. На профессора «наехали» поставщики. Бедный Серж должен был отдать им либо порошок, либо деньги. Наркотики он не нашел.

— Тайник в книжных полках, — радостно сообщила я, — хитро устроен, мне о нем домработница Марина рассказала.

Полковник покачал головой:

— Ну-ну. Профессор расстроится. Он уже вернул бандитам деньги, а героин мы, естественно, конфискуем. Насколько я знаю, там должно быть около сорока граммов. А один грамм на черном рынке идет примерно по сто восемьдесят долларов. Жаль такую сумму. Но не о нем сейчас речь.

Кирилл часто оставался ночевать у Изабеллы. Однажды на него напала бессонница. Мужчина стал ходил по квартире и забрел в кабинет Сержа. Богатая библиотека с книгами по медицине привлекла его внимание. Он начал рыться на полках, обнаружил кассеты, сунул одну в магнитофон и обалдел: какой-то мужчина признавался в совершенном убийстве. Но мысль о шантаже не приходила Кириллу в голову, пока он не встретился с Ленкой.

Как-то раз в хорошо отлаженной семейной жизни Радовых произошел досадный сбой. Явившись, как всегда, около одиннадцати вечера к Изабелле, Кирилл не нашел любовницы. Он открыл дверь своим ключом, прошел на кухню и обнаружил там Сержа и Лену, мирно пивших чай. Мужчины сделали вид, что ничего не произошло. Кирилл сказал, что привез Белле подарок от знакомых из Англии, а дверь в квартиру оказалась незапертой. Серж изобразил полное понимание и представил Ленку как свою аспирантку. Они мирно ели торт, когда вошла Изабелла. Супруги все-таки соблюдали внешние приличия, поэтому через какое-то время Кирилл и Лена удалились. Они вместе вышли на улицу. Ленка наморщила хорошенький носик и сказала: «Представляю, какие у них сейчас морды». Доктор захохотал как ненормальный и пригласил девушку к себе на Планетную. Их захватила самая настоящая страсть. Горечь ей придавало то, что Ленка сразу сообщила о своем намерении выйти за профессора замуж. Но, говорят, горечь придает некоторым блюдам пикантность.

Кирилл и Ленка стали жить вместе, вернее, встречаться, когда были свободны. Их роднило многое: не очень устроенная прошлая жизнь, провинциальное происхождение и неуемная жажда денег. Иногда любовники принимались мечтать, что будет, если они найдут миллион долларов. Кирилл уйдет от Дианы, Ленка плюнет на профессора.

В один из вечеров Лена не без ехидства сказала доктору, что он выбрал не ту специализацию.

— Терапевт! — возмущалась девушка. — Кому это надо? На худой конец — хирург, имел бы за каждую операцию. Гинеколог или стоматолог тоже неплохо. А лучше всего — психотерапевт. Знаешь, сколько Серж загребает в месяц? Тебе за три года столько не собрать.

И тут Кирилл рассказал ей о кассетах. Ленка примолкла, а через несколько дней предложила простой, но гениальный, как все простое, план. Доктор берет записи, они делают копию и шантажируют «автора». Пациенты Сержа — люди более чем состоятельные, не разорятся. Зарываться не надо, деньги можно потребовать только раз.

— Ты пойми, — уламывала любовника Ленка, — клиенты находятся в гипнотическом сне, проснувшись, ничего не помнят. К тому же никто не знает, что Серж делает записи. Я узнала, он включает магнитофон только после того, как пациент заснет. Никакой опасности.

Кирилл сопротивлялся недолго. В воскресенье Ленка увезла ничего не подозревающего профессора в дом отдыха. Доктор сделал Изабелле укол и, пока та лежала в разноцветных облаках, отобрал пару кассет, посмеиваясь над детским шифром, придуманным Сержем.

В качестве первого клиента наметили даму, избавившуюся от ненужной падчерицы. Получив пленку, мадам испугалась так, что готова была на все. Оставалось только получить денежки. Но как? Любовники, опасаясь слежки, не хотели сами идти за «гонораром». И тогда Ленка раскрыла Кириллу свою страшную тайну.

Еще на втором курсе колледжа, отчаянно голодая, она обратилась за помощью к бывшей подружке по группе Милочке Котовой. Милочка в начале первого курса бегала в стоптанных туфельках и рваных чулках, но уже к маю приоделась и стала швыряться деньгами. Любопытным девушка говорила, что поступила на работу в фирму. Вот Ленка и осведомилась робко, не найдется ли там местечка и для нее. Неожиданно Милочка согласилась и отвела подружку в... «Бабочку». Так Лена стала стриптизеркой. Но поскольку девушке не хотелось быть кем-нибудь узнанной, она придумала себе маскарадный костюм: черный парик, отвратительный макияж, темные очки, карикатурные каблуки. В таком виде Лена ходила только в «Бабочку». Потом Милочка Котова «села на иглу» и оказалась в больнице, а через несколько дней погиб управляющий Шурик. Ленка неожиданно получила лестное предложение. Ее позвали в кабинет директора и дали телефонную трубку. Странный, не то женский, не то мужской голос назвался хозяином клуба и предложил Ленке стать управляющей.

На новой должности Лена просто расцвела. Для начала она полностью обновила состав девиц, безжалостно выгнав почти всех, кто помнил ее простой стриптизеркой. На работу брала только студенток и только тех, кто проживал в общежитии. Тактика правильная, за этими девушками не приглядывали родители, и в случае неприятностей шум поднять было некому.

Новенькие панически боялись Ленку и считали ее хозяйкой. Прокол произошел только раз, когда вернувшаяся из больницы Милочка Котова ворвалась в кабинет и стала требовать у Ленки телефон настоящего хозяина. Пришлось пообещать ей дать номер, хотя на самом деле Ленка его не знала. Связь была односторонней. Деньги предписывалось класть в сейф, а около десяти вечера раздавался звонок с требованием отчета за день. Лена рассказала про скандал, учиненный Милочкой. Голос кашлянул и недовольно заметил, что подобные вопросы как раз и должен решать управляющий. И если Ленка не справляется, то, пожалуйста, можно вернуть ее в ряды рядовых стриптизерок.

Бедная девушка затряслась от ужаса, но неожиданно голос смилостивился и пообещал в первый и последний раз помочь. Через какое-то время стало известно, что Котова скончалась от передозировки.

Ленка решила отправлять за деньгами девиц. Им рассказывала сказочку о забытой сумке, и девчонки покорно привозили потерю. В сумку заглянули только любопытная Рафаэлла и Рая Лисицына. Но об этом после. Канал заработал, денежки потекли. Шантажисты не зарывались и в месяц обрабатывали только четыре заказа, им хватало. Казалось, жизнь наконец засверкала радужными красками, но тут случился облом.

Ленка снимала квартиру, где проводила пару ночей в неделю. Однажды, вернувшись домой, она обнаружила неизвестно каким образом оказавшихся в комнате парней. Один силой усадил ее в кресло, другой велел отвечать, каким бизнесом занимаются они с Кириллом. Девушка притворилась, будто не понимает. Тогда бандит молча включил паяльник и на секунду приложил к ее руке. Ленка заорала. Парень усмехнулся и ласково сообщил, что это цветочки, ягодки созреют, когда паяльник окажется в глазу. Девушка дрожащим от ужаса голосом рассказала все. Парни вежливо откланялись и ушли. Наутро хозяин «Бабочки» сообщил управляющей по телефону, что отныне она будет отдавать ему с каждой сделки 85 процентов. Иначе сведения о преступной парочке попадут куда следует. Понимая, что полностью находится в руках таинственного незнакомца, аспирантка согласилась. Но неприятности поодиночке не приходят. Следующая явилась оттуда, откуда ее меньше всего ждали. В один из вечеров Изабелла встретила Кирилла в слезах.

Не так давно шантажисты провернули дело с гинекологом Селезневой. Знай они, что женщина — первая жена Сержа, не стали бы ее трогать. Гинеколог моментально перезвонила бывшему мужу и сообщила, что ее шантажируют записью, сделанной во время сеансов. Серж пришел в ужас и обвинил Изабеллу. Бедняга Белла поклялась на иконе, что знать ничего не знает. Серж вроде поверил и стал расспрашивать, кто из ее знакомых заходил в кабинет. Изабелла снова принялась клясться в том, что никто не рылся в записях мужа.

Испуганный Кирилл рассказал все Ленке, Ленка — хозяину. Тот велел еще раз потребовать у Селезневой деньги и подложить их в ящик, где Радовы держали лекарства. Все получилось чудесно. Гинеколог опять позвонила Сержу, а тот нашел деньги в ящике. Через несколько недель Белла покончила с собой.

— Представляю, как вел себя Серж, если несчастная решила застрелиться, — вздохнула я.

Полковник серьезно взглянул на меня:

— Ты не права. Как раз последние недели профессор был особенно ласков с женой, пытаясь узнать у нее, кто бывает в доме в его отсутствие. Но, на свою беду, Изабелла не раскололась, и Серж больше не сомневался в том, что это она шантажировала его пациентов. Все казалось вполне логичным: Белла постоянно нуждалась в деньгах на покупку наркотиков. Допустить судебного разбирательства он не мог: слишком много чужих тайн всплывет на поверхность, к тому же психолог потеряет всю свою клиентуру. Он умолял жену больше не трогать кассеты, но Белла в ответ твердила, что ничего не знает. И тогда Серж решил от нее избавиться и застрелил жену.

— Погоди, погоди, — замахала я руками, — это невозможно. Я сшибла его на мосту, привезла домой, а она была уже мертвая.

— Ну, ну, — сказал мне приятель, — помнишь, как было дело?

— Конечно. Поднялись в квартиру. Серж принялся звать жену, а я пошла в ванную мыть руки. Профессор попросил меня выбросить грязный плащ, и я испачкалась.

— Дальше.

— Потом вошла в гостиную и увидела мертвую Изабеллу.

— Как она выглядела?

— Жутко. Кровь текла из виска прямо на кофту.

— Вот. Это первое, на что мы обратили внимание.

— Почему?

— Если бы Изабеллу убили какое-то время назад, кровь не текла бы, а свертывалась и подсыхала.

— Господи, уж не хочешь ли ты сказать, что Серж застрелил жену при мне?

— Именно. Отлично придуманный план. Он выходит на улицу и бросается под колеса машины. Потом делает так, что водитель привозит его домой и вместе с ним поднимается наверх. По дороге он сунул тебе плащ, чтобы ты выпачкала руки и тут же пошла их мыть в ванную.

Вы входите в квартиру. Профессор нарочно зовет жену, но та крепко спит после хорошей дозы. Потом он бежит в гостиную, делает свое черное дело и уходит в спальню. Ты выходишь из ванной и отправляешься в комнату, поднимаешь крик, вызываешь милицию и свидетельствуешь: последний час вы провели вместе. Железное алиби. Он даже установил в гостиной два обогревателя, если экспертам покажется подозрительным, что тело еще не остыло. Но он допустил несколько ошибок, типичных для дилетанта. Неправильно поднес пистолет к виску, не там оставил отпечатки ее пальцев и, конечно, забыл про текущую кровь.

— Почему он выбрал меня?

Александр Михайлович усмехнулся:

— Знаешь, в случае необходимости я бы тоже предпочел прыгнуть под колеса твоей машины. С какой скоростью ездишь?

— Больше пятидесяти боюсь, зачем торопиться?

— Вот-вот, да еще сидишь, вцепившись в руль. Серж просто стукнул рукой по крылу и шлепнулся рядом. Он и белый плащ нацепил, чтобы грязь получше выделялась. Потом, увидев тебя за рулем, понял, что водитель не из тех, что убегают с места происшествия. Да он целый час выглядывал на мосту подходящую кандидатуру.

— Откуда ты знаешь?

— Профессор признался и сейчас отправлен в

СИЗО. Кстати, рассказывал, как перепугался, увидев тебя у Войцеховских.

После смерти Беллы шантажисты на некоторое время притихли, но потом принялись за старое. Только теперь кассеты таскала Ленка. И тут, Дашутка, ты влезла в это дело с грацией бегемота, зачем?

— Хотела найти убийцу Лариски.

— Нашла?

— Да, думаю, либо Кирилл, либо Ленка.

Полковник глотнул холодного чая из чашки.

— Ладно, идем дальше. Зачем было вызывать к Сержу стриптизерку?

— Ой, совершенно случайно вышло, по глупости.

— Вот именно, по глупости, а Лена решила: ты намекаешь на то, что знаешь, где она работает. И еще «повезло». На вызов приехала единственная девица, оставшаяся с прежних времен, к тому же видевшая однажды в «Бабочке» Ленку без макияжа. Это было давно, жарким летом, когда девушка, вспотев, стащила с себя парик и умывалась в туалете. Не уволила она стриптизерку только потому, что та обладала редким дефектом — была от рождения гермафродитом и зарабатывала для «Бабочки» бешеные деньги. Ты, Дарья, по привычке выбрала самую дорогую проститутку. Представляешь, как Ленка перепугалась, увидев Рафаэллу у Войцеховских. Но уж совсем худо ей стало утром, когда в журнале клиентов она обнаружила твою фамилию. Нет, такую дуру, как ты, поискать надо. Из-за тебя несчастная Рафаэлла потеряла ухо. Тебе здорово повезло. Убийцы ни за что не оставили бы тебя в покое, но возникла новая сложность — Рая Лисицына.

— А кто стрелял в Рафаэллу?

— Кирилл, но, к счастью, он оказался не слишком хорошим стрелком. Рая повела себя хитрее Рафаэллы. Заглянула в сумочку и поняла, что дело нечисто. Принялась следить за ней и очень скоро выяснила, кто скрывается под макияжем. Ей удалось заснять на пленку встречу Лены с Кириллом. Особенная удача ждала Раису в тот день, когда ее пригласили выступить в «Пиккадилли». Раздеваясь на сцене, глазастая Рая увидела за столиком Кирилла с Изабеллой и после выступления их тоже запечатлела на пленку. Потом выждала пару месяцев и решила сорвать куш, показала бандерше фото и потребовала за негативы и молчание выкуп. Тут на Раю Лисицыну вышла ты и явилась к ней домой, но девушка как раз в этот момент ждала Кирилла с деньгами и с трудом отделалась от непрошеной гостьи. Но напрасно дурочка рассчитывала на крупную сумму. Ее ждала наполненная до краев ванна. Кирилл сначала дал деньги, а потом предложил Рае принять вместе с ним ванну. Закончив дело, стал искать пленку и, не найдя, ушел. Ты опять проникла в квартиру, стала там все осматривать, и тут позвонила Ленка, хотела лишний раз удостовериться, что дело сделано. Представь себе ее ужас, когда ты сняла трубку, а она подумала, что это Рая. Кирилл решил, что не додушил жертву. Всю ночь они мучились, а утром Ленка поехала к Лисицыной, нашла в ванной труп, но тоже не сумела обнаружить пленку. В общем, ситуация стала выходить у них из-под контроля. Впутывать в это дело настоящего хозяина они боялись, справедливо полагая, что тот решит проблему просто: сначала выгонит Ленку, а потом убьет всех разом. Возможно, все обошлось бы, но тут доктор совершил последнюю глупость — подослал к Степану Войцеховскому мошенницу Марину.

— Зачем?

— Да опять же из-за денег. Они с Леной отдавали почти весь барыш хозяину и снова стали нуждаться. А здесь неожиданно обнаружилось сокровище Войцеховских — картина Рембрандта, оказавшаяся, правда, подделкой.

— Как?!

— Эксперты пришли к выводу, что полотно — отлично сделанная копия. Начало XIX века, так что каких-то денег оно стоит. Но, увы, не Рембрандт. Однако ни Войцеховские, ни Кирилл об этом не знали. Доктор просто голову сломал, пока додумался, как украсть картину. Тем более что Степан спрятал полотно. И вот тогда появилась Марина. Она когда-то была пациенткой Кирилла, и тот хорошо знал ее биографию. Договорились полюбовно: Марина находит полотно, а вырученные за него деньги они делят пополам. Достали паспорт, составили фальшивое завещание, загримировали и — вперед, на поиски. Но тут опять вмешивается неугомонная мадам Васильева. Добралась до «Пиккадилли», госпожа Ибн Рашид! Ну не глупо ли! Кирилл узнал в гардеробе твою куртку. Сначала, правда, засомневался, но залез в карман и обнаружил там твой паспорт. Результат — взорванный «Пежо». Почему ты скрыла от меня, что накануне сообщила Лене о твоем походе в парикмахерскую?

Я молчала.

— Да, сказать тут нечего, — констатировал полковник, — но тебе опять повезло. Бог хранит идиотов. Ты вечно путалась у них под ногами. Ленка поехала в Склиф разговаривать с Рафаэллой. Стриптизерка была крайне глупа, не то что хитрая Лисицына, и от нее решили избавиться просто: напугать до полусмерти. В результате она чуть не умерла от ужаса, увидав тебя под дверью палаты. Несчастные шантажисты решили, что ты заговоренная. Мало того, что осталась жива, так еще приволокла к Войцеховским не только подлинную Полину, но и бедную Рафаэллу. Это был последний удар для Лены, и она, понимая, что вот-вот истина выйдет наружу, дождалась звонка хозяина и рассказала ему все. События стали набирать обороты. Ну какого черта тебе понадобилось лезть в квартиру Кирилла? Вначале он и впрямь поверил, что видит любовницу, но через час знал точно, кто это был. Окончательно запутала происходящее передача «Дорожный патруль». Они сообщили, что Марина жива и едет в больницу в сопровождении родственницы. Крупным планом показали, как ты, пробормотав «Без комментариев», влезаешь в «Скорую помощь». И тогда хозяин решил, что существует только один способ заткнуть рот даме, которая в огне не горит и в воде не тонет, — похитить ребенка.

— Интересно, как им это удалось? Маня ни за что бы не пошла с похитителями.

— На твое счастье, у хозяина оставалось мало времени, и он наделал ошибок.

— Например?

— У девочки отменили занятия в Ветеринарной академии, и она решила остаться дома, но потом ушла, оставив записку, что лекции все же состоятся, так?

— Так.

— Вот первая ошибка. Девочку вызвал на улицу тот, кто знал про отмену уроков, а это свой человек.

— Кто?

— Ленка. Она позвонила к вам и попросила тебя, но Манюня ответила, что мама уехала, а у нее такая радость — сегодня нет занятий. Момент сочли подходящим и выманили девочку из дома. Для спокойствия подождали, пока она одна доедет до академии и ткнется носом в закрытую дверь. И тут появился Кирилл, изобразивший удивление при виде Мани. Ничего не подозревая, Маня села в машину к хорошему знакомому и была связана. Рот заклеили липкой лентой, на лицо натянули шапку, бросили девочку на пол. Потом привезли на квартиру, где отвели в комнату со спущенными жалюзи, и запретили подходить к окнам. Но хитрая Маня дождалась ночи, когда похитители, уверенные в том, что она спит, сами задремали. Кстати, извини, что продержали бедную Машку всю ночь здесь. Хотели по горячим следам взять похитителя. Мы переодели девочку, покормили, и она, такая умница, здорово нам помогла. Рассказала, как подкралась к окну и выглянула наружу. Этого было достаточно, чтобы описать вид из окна: сквер, памятник, деревья. Найти организатора было делом техники.

— Кто он? И почему Марусю отпустили живой? И кто тот парень, который пришел за деньгами?

Полковник закашлялся:

— Обыкновенный бандит, «шестерка», так сказать. Ему просто велели взять сумку, но он пока не раскололся, твердит, что шел случайно мимо и заглянул в пакет. Ночью? Бред! Однако он стоит на своем, но я догадываюсь, кто его послал. А Маню, верно, отпустили... Ну и куда бы вы пошли потом?

— Сели в «Вольво» и...

— Никаких «и», пока ты бегала по ярмарке, «Вольво» заминировали. Одним махом должны были исчезнуть все свидетели.

— Боже, как же ты все узнал?

— Скажи спасибо Зайке. У нее хватило ума связаться со мной и все рассказать. Как же ты могла поверить, что похитители отпустят Машу? Редкая наивность.

— Значит, гаишники, останавливавшие меня по дороге...

— Ага, наши люди. Мы все-таки боялись пустить машины наблюдения. А поскольку я предполагал, что ты понесешься по Москве, нарушая с перепугу все правила движения, внимание патрульных к твоей особе не должно было насторожить предполагаемого наблюдателя. Хотя преступник и не думал вести слежку. Как только ты сказала, что едешь на ярмарку, стало понятно, что передача денег состоится там. Омоновцы прибыли на место моментально, ну да технические детали неинтересны. Важно другое — вы с Маней живы, здоровы, и, надеюсь, мне больше не придется вытаскивать тебя из мусорного бачка.

— Сколько грязных тайн у приличных людей!

— Да уж, — согласился приятель, — недаром англичане говорят, что у каждого есть свой скелет в шкафу.

— И что теперь будет?

— Следствие, — спокойно пояснил Александр Михайлович. — И Серж, и Кирилл, и Лена арестованы, они дали показания.

— А хозяин кто?

Полковник поманил меня пальцем и подвел к небольшой шторке на стене. Всегда думала, что там находится маленькое, занавешенное окошко. Но когда легкий материал раздвинулся, я вздрогнула. Окно и вправду было, только оно выдавалось в другую, сравнительно небольшую комнату. Увидев прозрачное стекло, я инстинктивно отпрянула в сторону.

— Не бойся, — улыбнулся Александр Михайлович, — нас не видно, с той стороны зеркало.

Успокоившись, я внимательно вгляделась в хорошо просматриваемое помещение. Спиной ко мне сидел мужчина и что-то писал на листе бумаги. Напротив, закинув ногу на ногу, спокойно курила... Диана.

Я в полном обалдении уставилась на приятеля: Диана! Глуповатая, простоватая и ленивая! Не может быть!

— Папа подарил ей «Бабочку», чтобы дочурке было чем заняться, и помогал в трудную минуту. Избавил от Милы Котовой. Один из папашкиных боевиков уколол девушку, введя смертельную дозу. Она без конца твердила о том, что Ленка не настоящая хозяйка «Бабочки», и грозилась вывести всех на чистую воду, — пояснил полковник, — правда, по документам числится другой хозяин, ну да это неважно. Диана не собиралась рассказывать мужу о своем бизнесе. Но ей стало интересно, откуда у супруга появились денежки. Узнать все при помощи папашкиных боевиков было элементарно, прижать муженьку и его полюбовнице хвост еще проще. Диане очень нравилась вся эта«игра», но ей мешала Лариса.

— Так это она!

— Точно. Твоя Лариса обожала совать нос в чужие тайны и потом во всеуслышанье рассказывать о них.

Я вздохнула. Абсолютно верно. Была у подруги такая милая привычка.

— Уж как она узнала про Диану, ее секрет. Но Диана решила избавиться от Люлю. Она знала, где стоит стрихнин, и заметила, что Лариса глотает какие-то таблетки. Остальное — просто, как яичная скорлупа. Пробралась в комнату, нашла капсулы, начинила ядом. После смерти Лариски вытряхнула остатки «лекарства» и на всякий случай увезла с собой банку со стрихнином.

— Вот только пустую баночку из-под капсул забыла в будуаре, — вздохнула я.

Полковник поднял бровь:

— А где баночка?

Я пожала плечами.

— Выбросили, наверное, давно.

Александр Михайлович закурил:

— О мертвых плохо не говорят, но Лариска еще той штучкой была. Дразнила Диану всякими историями о хозяйках публичных домов и доигралась. Но желали ее смерти все. Каким-то образом Люлю узнала о том, чем занимается Ленка, и не упустила возможности сообщить ей об этом. Подтрунивала над Кириллом, намекая, что знает о его любовных связях. В общем, вела себя глупо, полагая, что может безнаказанно копаться в чужих тайнах. И Ленка, и Кирилл рассказали следователю, что после смерти Ларисы пытались обнаружить в ее комнате записи или документы. Ленка не нашла тайник, а Кирилл обнаружил открывающийся подоконник, но там уже было пусто. Интересно, что лежало внутри?

— Диана! Вот кого никогда не подозревала. Всех, кроме нее.

— Даже старуху? — хитро спросил умный приятель.

Я промолчала. Бог с ней, с Фридой. То дело давно поросло травой, незачем тревожить призрак Ольги Никишиной.

— Как ты догадался, что хозяин — Диана?

— Она сделала большую глупость, понадеялась, что Маша погибнет, и привезла ее на свою квартиру для «холостяцких» утех. Из окна девочка увидела памятник Эрнсту Тельману. А на этой площади всего один дом, из которого видна поднятая рука немецкого коммуниста. Дальше совсем просто — выяснили имена владельцев квартир и наткнулись на Диану.

— А если бы квартира была куплена на чужое имя?

— Если бы да кабы, во рту выросли грибы, — обозлился полковник.

Эпилог

Водитель Александра Михайловича доставил меня домой около трех часов дня. Устала так, словно таскала многопудовые гири. Еле-еле вползла в холл и рухнула в кресло. Ни Аркадия, ни Зайки, ни Мани не было дома. Они давали показания, и их обещали привезти поздней. Вдруг в дверь позвонили. На пороге стоял шофер.

— Сумочку забыли, — сказал он, протягивая пакет со ста тысячами долларов.

Я швырнула его на диван. А еще говорят, что «деньги не пахнут»! Эти почему-то отвратительно воняли рыбой. Нет никаких сил убирать купюры, пойду отдохну.

Меня разбудил громкий смех и крик «мама». Открыв глаза, я влезла в халат и пошлепала на зов. В гостиной веселились дети. На столе стояла большая коробка с пирожными. Но не она вызвала радостное оживление. На полу валялись отвратительно воняющие доллары. Часть их была слегка пожевана. У окна, уютно устроившись на купюрах, спала абсолютно счастливая Черри, наконец-то она нашла себе подходящую подстилку, с таким приятным для нее запахом.

Донцова Д. А.

Д 67   Дама с коготками: Роман. — М.: Изд-во Эксмо, 2003. — 432 с. (Иронический детектив).

ISBN 5-04-003987-5

Веселое празднование Нового года внезапно завершается трагедией. При странных обстоятельствах умирает хозяйка дома. Родственники погибшей спешат замять преступление. Тогда подруга убитой Даша Васильева затевает собственное расследование. Одна за другой отпадают версии. Так кто же преступник? Свекровь? Муж? Лучшие друзья? Или непонятно откуда появившаяся сестра? Единственное, в чем твердо уверена Даша, — убийца где-то рядом.

УДК 882
ББК 84 (2Рос-Рус)6-4

Оформление серии художника *В. Щербакова*

Литературно-художественное издание

Донцова Дарья Аркадьевна

ДАМА С КОГОТКАМИ

Редактор *С. Хохлова*
Художественный редактор *В. Щербаков*
Художник *А. Яцкевич*
Технические редакторы *Н. Носова, Т. Комарова*
Корректор *Е. Дмитриева*

ООО «Издательство «Эксмо».
127299, Москва, ул. Клары Цеткин, д. 18, корп. 5.
Тел.: 411-68-86, 956-39-21.
Интернет/Home page — www.eksmo.ru
Электронная почта (E-mail) — info@ eksmo.ru

Подписано в печать с готовых монтажей 23.09.2003.
Формат 84×108^1/$_{32}$. Гарнитура «Таймс». Печать офсетная.
Бум. газетн. Усл. печ. л. 22,68. Уч.-изд. л. 17,46.
Доп. тираж 10 000 экз. Заказ № 0304161.

Отпечатано на MBS в полном соответствии
с качеством предоставленного оригинал-макета
в ОАО «Ярославский полиграфкомбинат»
150049, Ярославль, ул. Свободы, 97.

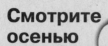

**Смотрите
осенью**

многосерийный фильм

**Любительница частного сыска
Даша Васильева**

по романам
Дарьи Донцовой

В главной роли:
**Лариса
Удовиченко**